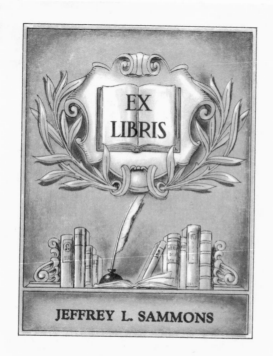

EX
LIBRIS

EDUARD MÖRIKE   WERKE UND BRIEFE

EDUARD MÖRIKE

WERKE UND BRIEFE

FÜNFTER BAND

ERNST KLETT VERLAG

STUTTGART

HISTORISCH-KRITISCHE GESAMTAUSGABE

IM AUFTRAG DES KULTUSMINISTERIUMS BADEN-WÜRTTEMBERG

UND IN ZUSAMMENARBEIT

MIT DEM SCHILLER-NATIONALMUSEUM MARBACH A.N.

HERAUSGEGEBEN VON

HANS-HENRIK KRUMMACHER   HERBERT MEYER

BERNHARD ZELLER

FÜNFTER BAND

MALER NOLTEN

LESARTEN UND ERLÄUTERUNGEN

HERAUSGEGEBEN VON HERBERT MEYER

ENTSTEHUNGSGESCHICHTE

ENTSTEHUNGSGESCHICHTE DER ERSTEN FASSUNG

Über die Entstehung des »Maler Nolten« hat sich Mörike nur selten und selbst ihm nahe-
stehenden Menschen gegenüber sehr zurückhaltend geäußert. Wir wissen daher nur
wenig. Plan und erste Skizze stammen wohl spätestens aus dem Jahre 1827. Am 9. Dezem-
ber schreibt der Dichter an Ludwig Bauer: Mit großer Liebe denke ich immer an den
Roman, wovon ich Dir einmal sagte. *Daß dieser Roman der »Maler Nolten« ist,*
kann nach zahlreichen Briefzeugnissen der folgenden Monate und Jahre nicht bezweifelt
werden. Zu einem Werk größeren Umfangs ist Mörike schon seit langem entschlossen.
Ich habe gefunden, *so heißt es in dem Brief an die Schwester Luise vom 26. Januar*
1824, daß vor Allem eine weitläuftigere Dichtung noth thut, darin ich endlich
mich niederlegen will. *Zunächst denkt er freilich an ein Trauerspiel. Erst allmählich*
reift die Erkenntnis in ihm, daß ihm nicht ein dramatisches, sondern ein episches Werk
noth thut. Fast vier Jahre später glaubt er allerdings immer noch nicht so weit zu sein,
um es mit Ruhe in Angriff zu nehmen *(an Bauer, 9.12.1827). In dieser Zeit geht es*
ihm in erster Linie darum, dem Vikariat zu entfliehen und sich eine Existenz als Redak-
teur, Korrektor, Hofmeister, Bibliothekar oder gar Kanzleisekretär zu gründen. Erst
nach dem Fehlschlagen aller derartigen Pläne bekennt er sich am 20. Dezember 1828
dem Freund Mährlen gegenüber zur Dachstube eines württembergischen Pfarr-
hauses als dem günstigsten Ort für die Möglichkeit dichterischen Schaffens. *Inzwi-*
schen hatte ihn gleichwohl weiterhin der Plan einer Erzählung beschäftigt, die einen
Übergang in einen völlig neuen Menschen hinsichtlich des Poetischen bilden
sollte *(an Mährlen, Februar 1828). Wir dürfen mit Sicherheit annehmen, daß sich*
diese Bemerkung auf den »Maler Nolten« bezieht, von dem es in dem Brief an Hart-
laub vom 23. Juli 1830 lakonisch heißt: Ich habe diesen Sommer eine Novelle geschrieben, welche zu Zeiten meines Cotta-Franckischen Verhältnißes ⟨im Sommer
1828 also⟩ angefangen worden war. Ein Stück aus dem Leben eines (imaginirten)
Malers.

Im Jahr der Begegnung und Verlobung mit Luise Rau (1829) hat Mörike offenbar weiter
an der Maler-Novelle gearbeitet, die er wohl vor allem deshalb vollenden will, um sich
dann für immer mit dieser subjektiven Masse quitt zu machen, deren Grillen-
haftigkeit und gelegenheitliche⟨n⟩ Hypochondrie sich eine allgemeine und reizend gemischte Wahrheit abscheiden lassen müsse *(an Mährlen, 7.5.1829). Die* 5
Hauptarbeit an dem Werk hat er zweifellos in der ersten Jahreshälfte 1830 in Owen
geleistet. Davon zeugt der oben zitierte Brief an Hartlaub, dessen Wortlaut vermuten
lassen könnte, daß der Text des Romans an jenem 23. Juli bereits genau so im Manuskript
vorlag, wie er in der Ausgabe von 1832 nachgelesen werden kann. Daß diese Vermutung
nicht ganz den Tatsachen entspricht, beweisen mehrere weiter unten zitierte Briefe. Der 10
Handlungsablauf lag allerdings Mitte 1830 ohne Frage fest. Der größte Teil des Romans
war auch gewiß ausgearbeitet, Einzelheiten aber sind später noch nachgetragen oder
abgeändert worden.

Früher als der Roman selbst sind zahlreiche Gedichte entstanden, die in der Ausgabe des
»Maler Nolten« von 1832 zum ersten Mal gedruckt erschienen sind, früher auch das 15
umfangreiche Zwischenspiel »Der lezte König von Orplid«. Die erste Fassung dieses
Dramoletts ist es zweifellos, um deren Rückgabe Mörike seinen Freund Ludwig Bauer
nach dem Brief vom 17.September 1830 gebeten hatte, und die er in dem Brief vom 20.Juni
1830 an Luise Rau ein komisch-ernsthaftes Produkt von etwa acht Bogen nennt.
Er habe es vor fünf Jahren eigens für ihn ⟨Bauer⟩ geschrieben zur Erinnerung an ihr 20
phantastisches Orplider Leben. Im Tübinger Stift also war bereits um 1825, nicht
lange nach dem Peregrina-Erleben, in jener Zeit, in der Mörike und Bauer gemeinsam
den Orplid-Mythos ausbildeten, die Urform des phantasmagorischen Spiels entstanden,
das der Dichter jetzt umarbeitet. In dem Brief vom 17.September 1830 an Bauer heißt
es: Der Orplid-Guckkasten aus Schicksal und Vorsehung wird Dir in veränderter 25
Gestalt seine Aufwartung in dem Büchlein machen, ich habe die letzten Scenen
hinzugefügt usw. Notabene aber: als ich das Ding von Dir verlangte, war noch
kein Gedanke an so einen Gebrauch. *Das Büchlein, von dem Mörike hier spricht,*
ist allerdings nicht der Roman selbst, sondern ein damals geplantes, niemals erschienenes
Taschenbuch mit Beiträgen verschiedener Autoren, in das ursprünglich auch der »Maler 30
Nolten« aufgenommen werden sollte.

Novelle *heißt die Erzählung in dem wichtigen Brief an Hartlaub vom 23. Juli 1830,*
und der bescheidenen Zurückhaltung entsprechend, die Mörike dem eigenen Werk gegen-
über an den Tag zu legen pflegte, war er zunächst entschlossen, sie in einer Zeitschrift,

einem Kalender oder Almanach so gelegentlich in die Welt schlüpfen zu lassen *(an Mährlen, 27.9.1830)*: Man thut immer gut, anfangs leise und quasi versteckt aufzutreten. Diese Novelle, in ihrer Gattung betrachtet, gehört wohl nicht unter die übeln Arbeiten, aber alles ist nur an seinem Platze gut. *Mährlen redet ihm hin-*
5 *gegen zu, die Erzählung als selbständiges Buch erscheinen zu lassen (an Mährlen, 27.9.1830), und Mörike muß selbst zugeben, daß der »Maler Nolten« zu umfangreich für den Abdruck in einem Taschenbuch sei (an Vischer, 2.4.1831). Gleichwohl läßt er die Bezeichnung Novelle auf die Titelblätter der Erstausgabe drucken, da für ihn offenbar die Gattungsbezeichnung nichts mit dem Umfang eines Werkes zu tun hat,*
10 *sich vielmehr auf seinen Charakter bezieht. Wie der Brief an Friedrich Theodor Vischer vom 30.November 1830 zeigt, ist er gerade beim Vergleich mit Goethes »Wilhelm Meister«, den er aus häufiger Lektüre gut kennt, fest davon überzeugt, selbst eine Novelle geschrieben zu haben: Für einen Roman hätte er einen ganz andern Aufwand machen müssen. In Briefen während der Entstehungszeit des Werkes verwendet er allerdings ziem-*
15 *lich wahllos die Bezeichnungen Roman, kleiner Roman, Novelle, Erzählung, Schrift, kleines Opus nebeneinander.*

Daß der »Maler Nolten« tatsächlich zu voluminös für ein Taschenbuch-Ingrediens war (an Vischer, 2.4.1831), davon hatte sich Mörike selbst wohl am klarsten überzeugt, als er ihn von Provisor-Hand abschreiben ließ und dabei die Erfahrung machte, daß das
20 *Manuskript in einer ziemlich gedrängten Abschrift etwa 37 Bogen umfassen werde (an Mährlen, 20.⟨?⟩ 9.1830). Im gleichen Brief heißt es: Ich hätte von Anfang mich* mehr auf Reflexion darin einlassen sollen, so hätte sich wohl die Handlung mehr gehoben. *Vischer gegenüber betont er allerdings am 30. November 1830 wiederum, es liege* im Charakter der Novelle, daß mit allgemeinen Maximen und Reflexionen
25 zurückgehalten wird. *Diesem kritischen Freund hatte er die fertigen Teile der Abschrift, kaum der eigenhändigen Niederschrift, in Etappen zur Beurteilung zugeschickt (vgl. den Briefwechsel Mörike-Vischer im November und Dezember 1830). Daß sie während des Winters 1830/31 auch andere Freunde zu lesen bekamen, läßt der Brief an Luise Rau vom 8.Februar 1831 erkennen:* Mein kleiner Roman hat, eh ich ihn ganz
30 abschicken wollte, vorläufig noch einige unbefangene Leser bekommen, und nach dem, was sie darüber urtheilen, sollte man Wunder glauben, was ich für ein seltenes Ding ausgeheckt hätte. *Gewisse Einzelheiten hat Mörike auf Grund von Einwänden der Freunde sogar in diesem Stadium noch geändert. Davon zeugen vor allem seine Briefe an Vischer vom 30.November 1830 und vom 26.Februar 1832. Die Szene*

Bd 3, S.43,12 ff scheint auf Vischers Einwände hin noch etwas umgestaltet und die Er-
zählung der Vorgeschichte Bd 3, S.49,17–68,2 früher in den Handlungsablauf einge-
schaltet worden zu sein, als ursprünglich beabsichtigt war. Andere kritische Bemerkun-
gen Vischers in den Briefen hat Mörike zwar kaum mehr für die Erstausgabe, wohl
aber bei der Umarbeitung berücksichtigt (vgl. unten S.30). 5

Der Sommer 1831 verging allerdings noch, bevor der Dichter einen Verleger fand. Am
8.September kann er endlich Vischer mitteilen: An meinem kleinen Opus wird noch
diesen Monat mit dem Druck angefangen. Ich habe es an E. Schweizerbart in
Stuttg.⟨art⟩ gegeben um den Spottpreis von 150 Gulden. *Mit Emanuel Schweizer-*
bart wird damals vielleicht auch erstmals wegen der Musikbeilage verhandelt. Zumin- 10
dest schreibt Mörike am 14.September 1831 an Hartlaub, ihr gemeinsamer Freund
Louis Hetsch habe ein kleines Lied von ihm sehr lieblich komponirt: es gehört zu der
Novelle, an der jetzt erst gedruckt wird. *Aus dem Brief an Mährlen vom 5.Juni 1832*
aber erfahren wir, daß der Dichter ein von seinem Bruder Karl komponiertes Lied im
November oder Dezember des Vorjahres zur Probe an Herrn Schweizerbart geschickt 15
habe. In jenem Spätjahr 1831 gibt sich der Dichter bereits der frohen Hoffnung hin,
das fertige Buch im Februar 1832 an die Freunde verschicken zu können (an Hartlaub,
14.9.1831). Der Maler Eberhard Wächter habe eine sehr geistreiche Skizze dazu gezeichnet, *die wir nicht kennen, da sie dem Werk später nicht beigegeben wurde. Aus-*
hängebogen schickt er am 25.Oktober 1831 an Luise Rau und um die gleiche Zeit wohl 20
auch an andere ihm nahestehende Menschen. Am 6.Dezember erhält der Bruder Karl
jedenfalls schon eine weitere Folge. In dem großen Begleitbrief erwägt der Dichter
den Gedanken, sein Buch Uhland, Tieck, der Fürstin von Taxis oder Justinus Kerners
einflußreichem Bruder Karl zuzueignen, verzichtet dann aber auf jede Widmung, weil
er Schmeicheleien der Art im Grunde nicht mag. *Seine* Hoffnung auf den Effekt des 25
Buchs *beruhe hauptsächlich* auf der zweiten Hälfte ... *Daß die Braut später aufs*
Neue wahnsinnig wird u.⟨nd⟩ dabei umkommt, konnte nicht anders seyn. Ich
habe es hinlänglich vorbereitet.

Wenige Tage später, am 10. Dezember 1831, teilt er seiner Braut mit, über die Hälfte des
Romans liege bereits im Druck vor. Am 26.Februar des folgenden Jahres schreibt er an 30
Vischer: Ich wollte Dir nicht eh schreiben, bis ich zugleich ein Exemplar des Nolten
für Dich würde beilegen können, es dauert mir aber zu lang. *In Wirklichkeit zog*
sich die Drucklegung noch bis in den August hin. Verschiedene Umstände haben da zu-
sammengewirkt. Einmal war die Musikbeilage, wie der gleiche Brief an Vischer zeigt,

Ende Februar erst im Entstehen: Dazwischenhin komponirte Hetsch (ganz neuerlich) einige Lieder aus meiner Novelle (welche vielleicht als Beilage mitgegeben werden). *Die Musikbeilage war also zu dieser Zeit noch nicht fest beschlossene Sache. Selbst nach dem Entschluß, den Liederanhang beizufügen, trat eine weitere Verzögerung insofern ein, als die Beilage im Gegensatz zum gedruckten Text des Romans lithographiert werden mußte (an Vischer, 4.8.1832). Die Übertragung des »Jesu benigne« (Bd 3, S.401) war damals ebenfalls noch nicht dem Verleger zugegangen (an Karl Mörike, 22.2.1832; an Vischer, 26.2.1832; vgl. auch die Erläuterungen zu Bd 3, S.400,22 bis 402,6). Daß aber Mörike im Mai 1832 erst Aushängebogen bis Seite 548 in Händen hatte (an Vischer, 14.5.1832), ist hauptsächlich wohl auf langwierige Verhandlungen über den Umfang des Werkes und die dadurch ausgelöste Frage nach der Aufteilung in zwei Bände zurückzuführen. 650 bis 700 Seiten schienen dem Verleger für einen Band zuviel. Der Dichter war offenbar zunächst anderer Meinung, bedauerte es aber nach dem Brief an Vischer vom 14.Mai 1832 dann doch,* nicht von vornherein zwei Theile gemacht zu haben. *Am 23.Mai teilt er dem gleichen Freund mit, daß* auf dringendes Verlangen des Buchhändlers nun doch aus Einem zwei Bände gemacht werden sollen. *Dieser Entschluß mache eine Änderung im Text mit etlichen Blättern nöthig. Es sei ihm selbst lieb, wenn das Buch in zwei Theile* zerfalle, *so schreibt Mörike am 21.Mai an Mährlen, und er habe* eine ganz schickliche Stelle zum Abbrechen im Sinne, so daß auch der Setzer nicht allzuviel dabey zu thun hat. *Der Setzer ist gleichwohl in Schwierigkeiten geraten, denn auf diese verspätete Manipulation ist zweifellos die auffällige Tatsache zurückzuführen, daß der Leser der Erstausgabe die Seitenzahlen 323/324 zweimal vorfindet: am Schluß des ersten und am Anfang des zweiten Bandes.*

Der etwas komplizierte Sachverhalt ist offenbar folgender: Das ganze Werk umfaßt nach Ausweis der Bogensignaturen 40 (in Wirklichkeit 40¼) Bogen ohne die eingeklebten Blätter (Vortitel in beiden Bänden und Corrigenda-Liste am Schluß von Band 2). Bogen 21 beginnt mit Seite 321. Am Anfang dieses Bogens, also ungefähr in der Mitte des gesamten Werks, war auch vom Inhalt her die günstigste Stelle für die Teilung in zwei Bände. Der Verleger ließ daher das erste Blatt von Bogen 21 durch das Titelblatt von Band 2 ersetzen. Der Text auf dem ursprünglichen ersten Blatt und wohl auch die obersten Zeilen der dritten Seite von Bogen 21 mußten jetzt vom Autor entweder gestrichen oder so erweitert werden, daß der Verleger, der gegen das Einkleben eines Einzelblattes mit fortlaufendem Romantext am Schluß von Band 1 begreifliche Bedenken haben mochte, dort wenigstens

einen Viertelbogen einheften konnte. Mörike hat sich für die zweite Lösung entschieden,
einen Text von gut 1½ Druckseiten neu geschrieben und vor der Nahtstelle (vielleicht
Bd 3, S.216,36–217,35?) eingefügt. Die gleichen Seitenzahlen 323/324 aber am Schluß
von Band 1 und am Anfang von Band 2 wurden wegen des schon weit fortgeschrittenen
Druckvorgangs nicht mehr geändert.   5

Offen war im Frühjahr 1832 auch noch die Frage, welcher Autorname auf dem Titelblatt
stehen sollte. Hatte Mörike noch am 6.Dezember 1831 dem Bruder Karl geschrieben Der
Titel wird ganz einfach heißen: Maler Nolten. Novelle von (mein Name), *so ver-*
ständigte er am 21.Mai 1832 Mährlen davon, daß er das Werk anonym herauszugeben
gedenke: Ich bin aus Gründen, die einzig von meiner Pastoralstellung herfließen,   10
entschlossen, den Maler ohne meinen Namen herauszugeben, und folge darin
einer Vorstellung meines – Onkels Procurator, die sehr wohl gemeint ist u.⟨nd⟩
sich nicht verwerfen läßt. *Mährlen antwortet am 26.Mai:* »Die Rücksichten, die Dich
zur Verschweigung Deines Namens bestimmen, billige ich durchaus. Du hast annoch den
weißen Kandidatenrock am Leib; wenns einmal der schwarze ist, kannst Du herzhafter   15
vorgehen.« *An anderer Stelle des gleichen Briefes heißt es:* »So eben komme ich von Schweizerbart. Er läßt Dich bitten, umgehend Deinem Werk einen Namen beizusetzen, sey's
welcher es wolle. Er ist eben beschäftigt, seinen Verlagskatalog zu drucken u.⟨nd⟩ es eilt
daher. Schweizerbart hat Buchhändlergründe u.⟨nd⟩ er hat nicht ganz unrecht, wenn
er meint, d⟨a⟩s Publikum schreibe den Mangel eines Namens dem Mißtrauen d⟨e⟩s   20
Verfassers oder Verlegers in den inneren Gehalt d⟨e⟩s Werks zu. Laß Dir geschwind
was einfallen«. *Der Freund solle ein Pseudonym wählen,* »das Taufregister oder den
Adreßkalender oder die eigene Namensproduktionskraft« *zu Hilfe nehmen und mög-*
lichst »Namen u.⟨nd⟩ Sache miteinander in Übereinstimmung« *bringen.*

Mörike stellt daraufhin am 5.Juni dem zu direkten Verhandlungen mit Schweizerbart be-   25
auftragten Freund folgende Pseudonymenliste zur Auswahl: 1. Anton Valentin, 2. Eduard Nigrinus, 3. Eduard Merow, 4. Eduard Myrioth, 5. Eduard Mortekin. *Ihm selbst*
gefallen, wie er dazu bemerkt, Anton Valentin oder Eduard Myrioth am besten. Aller-
dings zweifelt er daran, ob seine Vorschläge noch zur rechten Zeit bei Mährlen ein-
treffen: Wegen des Titels zum Nolten wird es nun wohl zu spät sein, Deinem   30
Vorschlag mit einer Namen-Assonanz zu folgen. *Tatsächlich hatte sich Mährlen*
inzwischen wohl mit dem Verleger auf den richtigen Autornamen geeinigt. Er hatte
keinen Grund, diese Entscheidung rückgängig zu machen, da der Betroffene ihm in dem
gleichen Brief vom 5.Juni 1832 versichert hatte: Wahrscheinlich hast Du ... den

Namen vollständig gesetzt oder selbst ein Surrogat improvisirt. Ist mir so ziemlich Eins.

Eine letzte Verzögerung gab es, als das von Karl Mörike komponierte Lied »Die Geister
am Mummelsee« vor der Fertigstellung der Musikbeilage im Verlag Schweizerbart nicht
5 *mehr aufzufinden war. Mährlen hatte am 23.Mai 1832 an Mörike geschrieben: »Hetsch*
besorgt den Stich der Noten. Es fehlt nun aber ein Lied Nro.2, von Deinem Bruder, ohne
dieses kann nicht angefangen werden, u.⟨nd⟩ doch drängt die Sache.« Mörike erwidert
am 5.Juni: Mit dem Musikstück Nr.2 (Gesang der Feenkinder?) ist es ein ärgerlicher
Streich. Ich schickte es noch von Eltingen aus etwa im Nov.⟨ember⟩ oder Dez.⟨em-
10 ber 1831⟩ zur Probe an H.⟨errn⟩ Schweizerbart und bat, es zur spätern Redaktion
aufzubewahren. Es muß sich gewiß auf dem Bureau irgendwo finden lassen. Auf
alle Fälle aber schreib ich, noch heute, e⟨in⟩ paar Zeilen an meinen Bruder; er
wird es wohl aus dem Gedächtniß wieder setzen müssen u.⟨nd⟩ soll es dann direkt
an H.⟨errn⟩ Schw.⟨eizerbart⟩ senden. *Die Komposition mag sich doch im Verlag wie-*
15 *dergefunden haben, vielleicht hat Karl Mörike auch ein Konzept gehabt, eine Abschrift*
besessen oder das Lied neu komponiert, auf jeden Fall fehlt es in der Musikbeilage nicht
(S.13–14), falls es sich wirklich um »Die Geister am Mummelsee« handelt, was aber
kaum bezweifelt werden kann. Seltsamerweise enthält das kleine Heft aber auch das von
Hetsch komponierte Lied mit dem spätern Titel »Agnes« (S.27–32), das zur Zeit von
20 *Mörikes Brief an Mährlen vom 5.Juni offenbar noch nicht dafür vorgesehen war, sonst*
hätte er den Freund kaum bitten können, Hetsch zur Komposition eines weiteren Liedes
aus dem Nolten etwa p.433 (»Agnes«) oder p.394 (»Im Frühling«) zu überreden. Das
waren Alternativ-Vorschläge, falls »Die Geister am Mummelsee« endgültig fortbleiben
sollten. »Agnes« hatte nach dem Willen des Dichters ursprünglich wohl Karl komponieren
25 *sollen, wenn das Refrainliedchen (Mörike an den Bruder Karl, 22.2.1832) darunter zu*
verstehen ist. Aus unbekannten Gründen ist daraus nichts geworden. Schweizerbart hat
sich im Juni offensichtlich dazu entschlossen, sowohl »Die Geister am Mummelsee«, bei
denen als einzigem Lied der Beilage der Komponisten-Name fehlt, als auch Hetschs
»Agnes« in die Musikbeilage aufzunehmen, und sei es auch nur wegen der Bogenfaltung:
30 *32 Seiten waren ihm vermutlich lieber als 26.*

Nach diesem letzten Aufschub sind beide Bände des »Maler Nolten« mit der Musikbei-
lage Mitte August 1832 ausgeliefert worden. Am 4.August benachrichtigt der Dichter
den Freund Vischer, der Roman sei jetzt im Begriff angekündigt und versandt zu
werden. Im Laufe nächster Woche werde er sein Exemplar erhalten. Genau 14 Tage

später, am 18.August, schickt Mörike ein Exemplar an einen Unbekannten, den er Ver-
ehrtester Freund anredet, und der vermutlich Gustav Schwab ist. Zwischen diesen
beiden Daten liegt der Erscheinungstermin der Erstausgabe.

Wie ein Vergleich zahlreicher Exemplare gezeigt hat, wurde die Ausgabe vom Verlag,
verbreitetem Brauch der Zeit entsprechend, nur in Original-Pappbänden ausgeliefert.   5
Die Musikbeilage wurde gesondert beigelegt, und zwar in einem Umschlag aus dünnerem
Karton. Nach Verlagsanzeigen und Rezensionen um 1832 wurde die Ausgabe mit der
Musikbeilage für 4 Gulden 30 Kreuzer verkauft, während die Ausgabe ohne die Musik-
beilage (vgl. unten S. 83,10) zur Zeit des Erscheinens der »Vier Erzählungen« (1856)
3 Gulden 30 Kreuzer kostete.   10

Den Drucker kennen wir nicht. Die Auflagenhöhe ist ebenfalls nicht bekannt, dürfte
sich aber nach zeitgenössischen Gepflogenheiten bei Erstlingswerken in bescheidenen
Grenzen gehalten haben. Der Verkauf ließ ohne Zweifel zu wünschen übrig. Als Mörike
am 30.Januar 1854, also nach knapp 22 Jahren, mit seinem Verleger den Vertrag über
eine revidierte Ausgabe abschloß (vgl. den Brief an F. Weibert vom 17.Dezember 1870),   15
war die Ausgabe von 1832 noch nicht restlos verkauft. Das Honorar war entsprechend
bescheiden. Es scheint bei den 150 Gulden geblieben zu sein, von denen Mörike in dem
Brief an Vischer vom 8.September 1831 spricht. Zwar hofft er auf eine Nachzahlung.
Am 14.Mai 1832 schreibt er an Vischer: Bis jetzt hab ich (bedingungsweise auf den
ungewissen Absatz meines Buchs) nicht mehr als hundertfünfzig Gulden für den   20
Nolten erhalten. Fällt mir auf den Juli nicht die gleiche Summe, als Nachzahlung,
in die Tasche, so hole der T.⟨eufel⟩ alles Büchermachen. *Zurückhaltender äußert er*
sich am 21.Mai Mährlen gegenüber: Was die Erhöhung des Honorars für den Nolten
betrifft, so wollen wir hievon ganz schweigen, bis man etwa sieht, ob und wie viel
der Verleger mit der Schrift gewinnt. *Vor der Auslieferung Mitte August hat Schwei-*   25
zerbart gewiß keine Nachzahlung geleistet, später hat er wohl ebenfalls keinen Grund
dazu gesehen. Abfällige Äußerungen des Dichters über seinen Verleger (z.B. an Vischer,
5.10.1833: Schweizerbart soll sich übrigens immer mehr als ein gemeiner Tropf
ausweisen*) lassen ebenso wie der mäßige Absatz des Werks die Vermutung zu, daß die*
Summe von 150 Gulden nie erhöht worden ist.   30

ENTSTEHUNGSGESCHICHTE DER UMARBEITUNG

Die Entstehungsgeschichte der Umarbeitung des »Maler Nolten« habe ich in der Zeit-
schrift für deutsche Philologie 85,1966, S.209–223 (Stufen der Umgestaltung des Maler
Nolten) so ausführlich geschildert, wie es die etwas spärlichen Zeugnisse und Datierungs-
5 *hilfen gestatten. Unter Hinweis auf diese Darstellung fasse ich die wesentlichen Stufen der*
Umgestaltung im folgenden möglichst übersichtlich zusammen, wobei ich hier und da Ein-
zelheiten nachtrage oder ergänze. Vorausgeschickt sei, daß die meist sehr flüchtigen Schrift-
züge Mörikes in dem gesamten für die Neufassung vorliegenden handschriftlichen Material
ebenso wie Art und Zustand dieses Materials eindeutige zeitliche Fixierungen nicht ge-
10 *statten. Wir sind auf die wenigen direkten oder indirekten Anhaltspunkte dokumentari-*
scher Natur angewiesen.

Am 14.September 1850 findet sich in Mörikes Kalender die erste Notiz über Gespräche
mit seinem Verleger Friedrich Schweizerbart wegen einer Neuauflage des »Maler Nol-
ten«. Zunächst gelangte man zu keiner Einigung. Der Vertrag über eine revidierte Aus-
15 *gabe des Romans wurde nach des Dichters eigenem Zeugnis (an Ferdinand Weibert,*
17.12.1870) am 30.Januar 1854 abgeschlossen, als von der Erstausgabe nicht mehr viele
Exemplare lieferbar waren. Als Honorar waren im Gegensatz zu den 150 Gulden von
1832 diesmal 500 Gulden bei einer Auflage von 1000 Exemplaren vereinbart. Eine An-
zahlung von 250 Gulden erhielt der Dichter sofort nach Abschluß des Vertrags (Friedrich
20 *Schweizerbart an Mörike, 20.12.1868).*

Mörike ließ sich nicht beirren durch die ernsthaften Bedenken vor allem Storms und
Heyses gegen eine Bearbeitung des Jugendwerkes, das schon der Literaturgeschichte an-
gehöre und »Eigentum der Nation« geworden sei (vgl. die Briefe Storms an Mörike vom
Oktober 1854). Dem fünfzigjährigen Dichter, dem Meister des »Mozart auf der Reise
25 *nach Prag« waren verschiedene Partien des Romans widerwärtig (an Storm, April*
1854). Zweifellos glaubte er mit der Revision bald fertig zu sein. Als er aber mit der
Durchsicht der Erstausgabe begann, bemerkte er bald, worauf er sich eingelassen hatte.

Am 30.Juni 1855 schreibt er an Hartlaub: Zunächst macht mir der Nolten jetzt unvermuthet zu schaffen. Einiges mir ganz Unerträgliche muß schlechterdings
noch heraus und hier und da durch Anderes ersetzt werden. Wie – weiß ich selbst
noch nicht. *Mit einer schnell fertigzustellenden Revision ist es also nicht getan. Damit*
kommt die Arbeit zunächst zum Erliegen, mag Mörike damals auch in seinem Hand- 5
exemplar H¹ hin und wieder einen Strich oder ein Fragezeichen gemacht und eine Ände-
rung vorgenommen, gelegentlich wohl auch auf einen Zettel eine flüchtige Notiz hinge-
worfen haben. Für die durchgreifende Umgestaltung *(an Georg v. Cotta, 8.5.1859),*
deren Notwendigkeit er immer deutlicher einzusehen beginnt, fehlen ihm Muße und
Stimmung. 10

Im Winter 1861/62 rafft er sich wenigstens zur Bearbeitung des dramatischen Zwischen-
spiels auf, dessen Verbesserung er mit Schweizerbart vereinbart hatte. Auf diese Revi-
sion hatte er sich nach dem Brief an Weibert vom 17.Dezember 1870 sogar außer leichten
Änderungen im erzählenden Text ursprünglich beschränken wollen. Die relativ frühe
Niederschrift des Schattenspiels (H⁴) innerhalb des Umgestaltungsprozesses des ganzen 15
Romans wird bewiesen durch des Dichters eigenhändige Bemerkung in H¹: ist umgearbeitet und fertig geschrieben *(vgl. die Bearbeitungsansätze zu S.99,1). Eine etwas*
genauere Datierung von H⁴ ermöglichen zwei Bemerkungen Mörikes im Manuskript
selbst: Vom »Elfenlied« hat er nur die Anfangszeile in den Text gesetzt und darunter
für den Setzer vermerkt: wie in der 3.ᵗ Gedichtausgabe *(vgl. die Lesarten zur Umarbei-* 20
tung, Bd 4, S.127,6–128,3). Die Weimarer Handschrift H⁴ ist demnach zwischen dem
Erscheinen der dritten und vierten Gedichtausgabe, also zwischen 1856 und 1867 nieder-
geschrieben. Einen präziseren Terminus post quem bietet ein später gestrichener Aus-
spruch Wispels: Nach dem Vortrag seiner Serenade sagt er ursprünglich (vgl. die Les-
arten zur Umarbeitung, Bd 4, S.118,7): Die Poesie mag nicht ganz übel sein. Man 25
machte mir damals das Compliment, sie könnte füglich von Johannes Minckwitz
seyn. *Die verräterischen drei letzten Wörter hat Mörike später gestrichen, weil ihm ein*
solcher persönlicher Ausfall gegen einen zeitgenössischen Autor, der zudem eine völlige
Einmaligkeit im »Maler Nolten« gewesen wäre, unpassend schien. Seiner momentanen
Verärgerung aber ist die Datierungsmöglichkeit zu verdanken. Nach mehreren Brief- 30
zeugnissen hatte er nämlich gerade zu Beginn des Jahres 1862 einen heftigen Zorn auf
Minckwitz, der ihn in seinem »Neuhochdeutschen Parnaß«, einer 1861 erschienenen
Anthologie mit einführenden Bemerkungen, als »vielgefeierten, aber mittelmäßigen Lyriker
und Novellisten der schwäbischen Schule« (S.586) abgetan hatte. Es ist daher kaum zu

bezweifeln, daß H⁴ um die Jahreswende 1861/62 oder nicht lange danach zu datieren ist. Zumindest gilt das für die vermutlich zuerst niedergeschriebene Rüpelszene (vgl. die Beschreibung der Handschrift H⁴), der die anderen Teile des dramatischen Zwischenspiels jedoch bald gefolgt sein dürften. Auf diese Niederschrift des »Letzten Königs von

5 Orplid« bezieht sich vermutlich auch Mörikes Mitteilung an Wilhelm Hemsen vom 12. Juli 1864, *ein ordentlicher Anfang der Umarbeitung des »Maler Nolten« sei bereits gemacht. Diese Neufassung des Schattenspiels, die dritte Textgestalt insgesamt, unterscheidet sich ziemlich erheblich von den früheren in der Erstausgabe des Romans und in der »Iris«, weist aber ihrerseits einige Varianten gegenüber der letzten Fassung in der*

10 *Marbacher Handschrift H¹³ auf.*

Nach der Fertigstellung dieses Teilstücks der Umgestaltung bleibt die Arbeit am »Maler Nolten« wieder liegen oder wird nur gelegentlich unwesentlich gefördert. Erst nach der Entbindung von seinen Lehrverpflichtungen im Stuttgarter Katharinenstift (1866), nach dem Erscheinen der vierten Gedichtausgabe und der Übersiedlung nach Lorch (1867)

15 *nimmt der Dichter mit neuem Eifer die Arbeit auf.* An seinen eigenen Worten in dem wiederholt zitierten Brief an Weibert vom 17. Dezember 1870 ist nicht zu zweifeln: Später ... entschloß ich mich zu einer durchgreifenden Umarbeitung des ganzen ersten und theilweise des zweiten Bandes, die ich indeß nach vielfacher und langer Unterbrechung, ernstlich erst bei meinem Lorcher Aufenthalt vornahm. *Am*

20 *13. August 1867 schreibt er denn auch befriedigt an den befreundeten Rektor Karl Wolff:* Auch wurde vom Maler Nolten ein Stück ins Reine gebracht. *Es darf daraus wohl geschlossen werden, daß aus dieser Zeit die ersten Bogen der als Druckvorlage gedachten und später auch benutzten Handschrift H¹³ stammen. Aber bereits fünf Monate später, am 21. Januar 1868, heißt es in einem Briefentwurf an den Verleger Karl Grünin-*

25 *ger:* Ich darf mich mit dieser, theilweise sehr peinlichen Arbeit immer nur von Zeit zu Zeit nach längeren Unterbrechungen befassen, um mir die Lust daran nach Möglichkeit frisch zu erhalten, und in der letzten Zeit war ich noch überdieß durch häufiges Unwohlsein ganz davon abgezogen. *Am 10. März gesteht er Hartlaub, in den letzten Monaten sei wenig am »Maler Nolten« geschehen. Es sei ja auch*

30 *nicht die angenehmste Arbeit, aber sie müsse getan sein, damit er* mit dieser Umformung das alte Buch vertilge, *d. h. den Wiederabdruck unmöglich mache. Die Arbeit geht ihm aber nach zahlreichen Briefzeugnissen und Eintragungen in seinen Kalendern nicht von der Hand. Der Verleger wird auf den 1. August 1868, dann auf das Jahresende 1869 vertröstet, bekommt aber keine Zeile zu sehen.*

Welche Teile des »Maler Nolten« Mörike während der Lorcher Zeit 1867–1869 umge-
arbeitet bzw. neu geschrieben hat, läßt sich im einzelnen nicht mehr feststellen. Der ein-
zige konkrete Anhaltspunkt ist das vom Dichter selbst an den Rand der Seite 82 von H¹³
(Bd 4, S.63,9.10) geschriebene Datum Lorch 1.Maerz 69. *Mit Sicherheit ist also das erste*
Neuburger Kapitel oder zumindest ein Teil davon in Lorch ausgearbeitet worden. Auch 5
dürften die Tagebücher der Agnes in jener Zeit entstanden sein (vgl. die Erläuterung
zur Umarbeitung, Bd 4, S.153,25–27), ebenso die König Rother-Partie (vgl. die Erläu-
terung zu Bd 4, S.37,12). Mehr läßt sich nicht sagen.

Es traf sich wenig glücklich, daß gerade während der Lorcher Jahre Friedrich Schweizer-
bart eine grundlegende Produktions- und Organisationsumstellung in seinem Verlag 10
vornahm. Am 20.Oktober 1868 erhielt der Dichter den folgenden Brief von ihm: »Im
vorigen Spätjahr ⟨am 1.Oktober 1867⟩ habe ich, wie Sie durch Circular erfahren haben,
den größten Theil meines Verlags an H⟨err⟩n E.⟨duard⟩ Koch verkauft u.⟨nd⟩ nur die
Zeitschriften nebst der Druckerei noch für mich behalten.

H.⟨err⟩ Koch will sich vorzugsweise dem naturwissenschaftlichen Verlage widmen und 15
hat Veranlassung genommen Ihre Schriften, welche bei mir erschienen sind, dem Verleger
Ihrer Gedichte anzubieten und damit namentlich auch die schon so lange erwartete Auf-
lage des Maler Nolten. Die Cottasche Buchhandlung jedoch erwiederte, wegen vieler
anderer Unternehmen nicht darauf eingehen zu können.

Nun ist vor einigen Tagen eine Anfrage an H⟨err⟩n Koch gekommen, ob er geneigt sei 20
den Verlag Ihrer Schriften abzutreten, ein hiesiger Verleger beabsichtige solche zu über-
nehmen und demzufolge hat sich nun H⟨er⟩r Grüninger Besitzer der Zu Guttenberg-
schen Hofbuchdruckerei mit H⟨err⟩n Koch über den Verkauf verständigt, wie mir dieser
so eben anzeigt.«

Koch selbst scheint sich mit Mörike überhaupt nicht in Verbindung gesetzt zu haben, wie 25
aus einem Brief Mährlens hervorgeht, der am 16.November 1868 an Mörike schreibt:
»Der Kerl scheint ... nicht die zarteren Rücksichten seines Metiers, sondern nur die
gröberen eines Holzbauern zu kennen, der seine Waare jedem vor die Thüre wirft, der
sie ihm zahlt.« Mit Karl Grüninger kommt er aber auch zu keinen verbindlichen Ab-
machungen (vgl. den Briefwechsel Mörike-Mährlen und die Briefe Mörikes an Klaiber 30
im Oktober bis Dezember 1868). Als es bereits so aussieht, als ob sich überhaupt kein
Verleger für die herrenlos gewordenen Werke des Dichters und insbesondere für die
Umarbeitung des »Maler Nolten« finden werde, da wendet sich im Spätjahr 1870 Ferdi-
nand Weibert an Mörike. Am 14.Dezember 1870 schreibt ihm dieser rührige Verleger, der

1868 den Verlag Göschen von Cotta übernommen hatte, und schon drei Tage später, in

seinem großen Brief vom 17.Dezember, verspricht ihm der freudig überraschte Dichter

das vollständige Werk *für den Herbst 1871. Am 13.April 1871 heißt es in einem Brief*

an den gleichen Empfänger: Der Maler Nolten soll den Sommer über warm ge-

5 halten werden und sich noch möglichst reinigen und runden. *Aber die häuslichen*

Verhältnisse, die sich gerade damals in einer für alle Beteiligten fast unerträglichen Weise

*verschlechtern (*Pertubatio domestica *heißt es am 7.Oktober in Mörikes Kalender),*

und die häufigen Ortswechsel hindern ihn an konzentrierter Arbeit. In dieser schweren

Zeit hat er vielleicht sein bisheriges Handexemplar der Erstausgabe H¹ vorübergehend

10 *nicht zur Hand gehabt und von jetzt ab für die noch notwendigen Veränderungen im*

zweiten Teil H² als Handexemplar benutzt. Beweisen läßt sich diese Vermutung freilich

nicht, der Dichter mag schon viel früher aus einem uns nicht bekannten Anlaß damit be-

gonnen haben, H² statt H¹ als Handexemplar für die Umarbeitung zu benutzen, er mag

auch erst zur Zeit der konzentriertesten Vorarbeiten für die neue Ausgabe, seit 1873 also,

15 *an Stelle des längst abgelegten Handexemplars H¹ den zweiten Band eines anderen (H²)*

für seine Notizen in Gebrauch genommen haben. Sollte H¹ ihm vorübergehend abhanden

gekommen sein, so hat es sich später immerhin wiedergefunden. Mörike verschenkte es

nämlich am 24.Juni 1874 in Bebenhausen an Emil Kuh (vgl. die Handschriften-Beschrei-

bung unten S.84f). Offensichtlich hat er damals nicht mehr daran gedacht, daß er im

20 *ersten Band dieses Exemplars bereits einen größeren Abschnitt für die Aufnahme in den*

zweiten Teil der Neufassung umgearbeitet hatte, nämlich den Lebenslauf des Schauspielers

Larkens (Bd 3, S.177–180; vgl. die Bearbeitungsansätze zu S.177–180, zu S.233,9–22

und die Erläuterungen zu Paralipomenon A).

Gerade in den beiden Jahren 1873 und 1874 hat Mörike im übrigen mit erstaunlicher

25 *Willenskraft die Umarbeitung vorangetrieben. Das Jahr 1872 war angefüllt gewesen mit*

den Vorbereitungen zu der ersten bei Göschen, nicht mehr bei Cotta erschienenen Gedicht-

ausgabe und vor allem zu der Prachtausgabe der »Historie von der Schönen Lau« mit den

Zeichnungen Schwinds, die ebenfalls von Weibert bei Göschen herausgebracht worden

war. Am 5.März 1873 hatte der Dichter dann dem ungeduldigen Verleger bekannt: Ich

30 hatte einen schlechten und deßhalb leider auch durchaus unproduktiven Winter,

ich sehne mich unendlich nach dem Frühling und nach einer ruhigen Arbeits-

stätte. Denn nachgerade wird es mir der Welt und Ihnen gegenüber zu einer

Ehrensache, den armen Maler, der indeß weder leben noch sterben konnte, zu

vollenden. Er soll aber leben, das glauben Sie nur. *Weibert war gewiß ebenso er-*

staunt wie erfreut, als er bereits am 28.Mai des gleichen Jahres vom Dichter die Mitteilung erhielt, er schreibe einen Theil der frisch gearbeiteten Stücke des ersten
Bandes ins Reine. Mörike schrieb damals also keineswegs früher umgearbeitete Partien
ab, es handelt sich vielmehr um frisch gearbeitete Stücke. Diese Tatsache wird bestätigt
durch die eigenhändige Bemerkung auf der ersten Seite von H5, einem jener Weimarer   5
Bruchstücke, die noch nicht die letzte Fassung darstellen, sondern erst Vorstufen zur
Marbacher Handschrift H13 sind. Dort heißt es: In den letzten schweren Tagen meines Aufenthalts in Nro. 67 der Reinsburgstraße geschrieben auf Claras Zimmer.
Mörike verließ diese Stuttgarter Wohnung am 12. Juli 1873. Kurz davor hatte er also
diesen Abschnitt umgearbeitet und gewiß um die gleiche Zeit noch andere Teile des ersten   10
Nolten-Bandes, um sie später nochmals durchzusehen, hier und da zu verändern, erneut
abzuschreiben und mit früher entstandenen Partien zu dem Manuskript H13 zu vereini-
gen. Teile dieses Manuskripts oder der Konzepte erhalten im Herbst 1873 die Hartlaubs
zur Lektüre mit der Bitte um ihr Urteil und gegebenenfalls um Änderungsvorschläge
(Hartlaub an Eduard und Klara Mörike, 23.10. und 12.11.1873).   15
In jener Zeit wird auch die neue Einteilung des Romans in drei statt in zwei Teile mit
Weibert diskutiert (Kalendernotiz vom 30.5.1873 und Brief an Weibert vom 2.6.1873).
Allerdings war sich Mörike nach den entsprechenden Eintragungen in H2 und H13 selbst
noch nicht klar darüber, wo die Zäsuren sein sollten, ob vor dem Schattenspiel und vor
Noltens Rückkehr nach Neuburg (Bd 4, S.96 und 244) oder nach dem Schattenspiel und   20
dem anschließenden Gespräch und vor dem Ausflug nach Halmedorf (Bd 4, S.137 und
266). Zwischendurch wollte der Dichter nach dem Zeugnis von H2 die Gliederung in nur
zwei Teile beibehalten, aber den zweiten Teil eventuell erst mit Larkens' Abschiedsfeier
(Bd 4, S.229) beginnen. Eine endgültige Entscheidung darüber ist nicht mehr gefallen.
Im Oktober des Jahres 1873, das durch so wesentliche Fortschritte bei der Umgestaltung   25
des »Maler Nolten« gekennzeichnet ist, raubte dem Dichter das Zerwürfnis mit Margarethe, das jetzt sogar zur äußeren Trennung der Ehegatten geführt hatte, erneut Ruhe
und Stimmung zur Arbeit (an Weibert, 23.10.1873). Trotzdem zwingt er sich zur Kon-
zentration auf sein Werk. Die Kraft reicht freilich zur Umarbeitung neuer Teilstücke
kaum noch aus, nach seiner Kalendernotiz neben dem 1.–3.November 1873 faßt er aber   30
damals noch zwei glückliche Gedanken nach einander für den Maler Nolten.
Früher entstandene Abschnitte oder Teile von ihnen übernimmt er in das Manuskript
H13, wie die eigene Bleistiftnotiz 1.Febr.⟨uar⟩ 74 gelesen auf S.80 (Bd 4, S.62,6–8) vermuten läßt. Damals schreibt er auch mit leichten Veränderungen das schon vor etwa 12

Jahren umgearbeitete Schattenspiel H⁴ für die Einreihung in H¹³ ab. Dieser Teil von H¹³
ist auf demselben gelblichen Papier geschrieben wie die Kapitel davor und dahinter (Bd 4,
S.70–136), der Besuch beim Hofrat (Bd 4, S.87–90), »Ein Tag aus Noltens Jugend-
leben« und »Aus dem Diarium des Onkels Friedrich« (Bd 4, S.175–205). Höchstwahr-
scheinlich gehören alle diese Partien der gleichen Arbeitsperiode an, sind in den Jahren
1873/74 abgeschrieben und dem als Druckvorlage vorgesehenen Manuskript H¹³ ein-
gefügt worden. Da sich das gleiche gelbliche Papier auch gelegentlich bei eingelegten Bogen
und angeklebten Streifen findet, hat Mörike wohl zu gleicher Zeit noch einzelne Bogen in
H¹³ durch neue ersetzt und Papierstreifen mit Zusätzen und Überleitungen an- oder
aufgeklebt.

Zu einer gründlichen Bearbeitung des zweiten Bandes der Erstfassung reichten die Kräfte
des Dichters in seinem letzten Lebensjahr nicht mehr aus. Am 18.April 1874 hatte er
noch zu einer Vorlesung aus der Neufassung einladen können. Der Brief an einen unbe-
kannten Empfänger von jenem Tage beginnt mit den Worten: Ich werde morgen – Sonntag nach Mittag – einer kleinen Gesellschaft von Freunden einen Theil meines
Romans bei Dr. Notter – Eugenstraße No 1, 3 Treppen – vorlesen. *Am 1.September*
1874 bezeugt ein Brief Hartlaubs an Eduard und Klara Mörike immer noch des Dichters
»fortdauernde Beschäftigung mit dem Nolten«, seit dem Frühjahr 1875 kann er dann das
Bett nicht mehr verlassen. Es gelingt ihm daher nicht mehr, jene der Bearbeitung beson-
ders bedürftige Partie zwischen dem Schluß des fertiggestellten ersten Teils der Umarbei-
tung (Bd 4, S.213) und der Rückkehr Noltens nach Neuburg (Bd 4, S.244) zu vollenden.
Infolge der weitgehenden Umgestaltung des Handlungsteils mit Constanze als Zentral-
figur mußten hier neue Übergänge, Abschlüsse, Anknüpfungen gefunden werden, waren
einige nicht unwesentliche Eingriffe unvermeidlich. Wie sich Mörike die Gestaltung dieses
Zwischenstücks vorgestellt hat, können wir nach H¹ und H², den Paralipomena I–Q und
einigen brieflichen Äußerungen von Klara Mörike, Margarethe Mörike und Ferdinand
Weibert (LBS Cod. hist. 8° 94,4) ungefähr ahnen. Wichtig ist vor allem Weiberts Brief an
Julius Klaiber vom 22.März 1876: »Drei Wochen vor dem Tode des Dichters besuchte
ich ihn, und er bemerkte mir, daß der Nolten so zu sagen fertig sei. Es fehle nur der
Übergang vom ersten zum zweiten Theil, welch letzterer fertig und nur noch abzuschreiben sei, und jener Übergang sei mit wenigen Briefen zu bewerkstelligen, welche
das Verhältniß Noltens zur Gräfin zu lösen hätten. Was also im früheren Drucke die
Unterredung mit der Gouvernante zum Austrag brachte, sollte hier mit Briefen geschehen.« *Mörike vereinfacht damals offenbar die noch bestehenden Schwierigkeiten in*

dem verständlichen Bestreben, den Verleger zu beruhigen. In Wirklichkeit war der
Übergang sehr schwer zu »bewerkstelligen«, und das vorliegende handschriftliche Mate-
rial mußte sich vollends für jeden Dritten, dem die undankbare Aufgabe einer Vollendung
von Mörikes Werk zufiel, als viel zu spärlich erweisen. Auf den Seiten 217–244 des
vierten Bandes dieser Ausgabe ist denn auch der Klaibersche Anteil am Wortlaut der   5
Ausgabe von 1877 weitaus am stärksten.

Daß der letzte Teil des Romans hinter der unfertigen Übergangspartie (ab Bd 4, S.244)
nicht so grundlegend umgestaltet werden sollte wie der erste, hat der Dichter selbst wie-
derholt betont. Außer dem oben zitierten Brief Weiberts liegt vor allem das Zeugnis der
Margarethe Mörike vor, die am 15.März 1876 an Klaiber schreibt: ». . . das weiß ich   10
aber gewiß, daß Eduard nicht daran dachte seinen ⟨des Romans⟩ traurigen Ausgang
umzugestalten; blieb sich doch seine Äußerung immer gleich ›Der 2te Theil macht mir
wenig Arbeit mehr, es sind Kleinigkeiten, und dem Ende zu bleibt alles beim Alten‹.«
Ähnlich hat sich Mörike in Bebenhausen der Schwester Klara gegenüber geäußert (Klara
Mörike an Klaiber, 3.4.1876). Im wesentlichen war ursprünglich wohl nur an eine stili-   15
stische Revision gedacht. Als Mörike aber 1874 den letzten Teil noch einmal durchlas,
entdeckte er plötzlich, wie viel da noch (trotz Hartlaubs gutem Glauben) zu ändern
sei, wenn er ihn nicht zu tief unter dem ersten halten wolle. Immerhin sei er nicht ganz
unzufrieden mit dem in Bebenhausen Geleisteten, wenn es auch zum Teil nur erst aus-
gedacht sei (an Luise Walther, 18.6.1874). Viel weiter ist Mörike nicht mehr gekommen.   20
Auf Wunsch der Schwester und der Gattin des Verstorbenen hat der seit langem mit dem
20 Jahre älteren Dichter und seiner Familie befreundete Stuttgarter Gymnasialprofessor
Julius Klaiber, ein Neffe Wilhelm Hauffs, sich 1876 bereit erklärt, die Umarbeitung des
»Maler Nolten« zu vollenden. Aus Briefen Wilhelm Hemsens, Ferdinand Weiberts und
der beiden Frauen an ihn (LBS cod. hist. 8° 94,4) geht hervor, daß er anfangs aus begreif-   25
lichen Gründen zögerte, und daß man zwischendurch daran dachte, die Vorarbeiten
Mörikes Paul Heyse, Wilhelm Hartlaub oder Ludwig Pfau anzuvertrauen. Heyse lehnte
jedoch krankheitshalber ab, und Hartlaub erklärte, es sei ihm unbegreiflich, wie man ein
solches Ansinnen an ihn als Mörikes Freund stellen könne (Margarethe Mörike an Klai-
ber, 28.2.1876). Bevor Pfau befragt werden konnte, sagte Klaiber zur großen Freude der   30
beiden Frauen endgültig zu. Margarethe und Klara Mörike stellten ihm jetzt alles zur
Verfügung, was sie an handschriftlichem Material für die Neufassung besaßen. Um sich
vor möglichen Verlusten zu schützen, hat Margarethe allerdings ganz offensichtlich vor
der Übersendung der wertvollen Unterlagen Abschriften von Mörikes eigenhändigen

Maler Nolten.

Roman

von

Eduard Mörike.

Zweite überarbeitete Auflage.

Erster Band.

—◆—

Stuttgart.
G. J. Göschen'sche Verlagshandlung.
1877.

Titelblatt der Ausgabe von 1877

Manuskripten H² und H¹³ teils allein, teils mit Hilfe von Klara, Fanny (?) und einem

weiteren Kopisten angefertigt. Es kann kaum ein Zweifel daran bestehen, daß die Ab-

schriften h¹ und h² damals, zwischen Mörikes Tod und der Bearbeitung der Neufassung

durch Klaiber entstanden sind (vgl. die Beschreibungen von H², H¹³, H¹⁴, h¹ und h²). Im

5 *Falle von Mörikes eigenhändiger Niederschrift H¹³ ist Margarethe sogar so weit gegan-*

gen, den letzten Bogen von dem Verleger Ferdinand Weibert »diplomatisch genau« ab-

schreiben zu lassen und nur diese Abschrift Klaiber zur Verfügung zu stellen, das Origi-

nal (H¹⁴) aber bei sich zurückzuhalten, um notfalls wenigstens 4 Seiten des Nolten-

Manuskripts von des Gatten eigener Hand zu besitzen.

10 *Klaiber ging sofort mit Eifer ans Werk. Der Verleger Ferdinand Weibert erhielt die*

ersten Bogen des Manuskripts im Oktober 1876 und schickte bereits wenige Tage später

zwei Korrekturbogen an Klaiber. Das fertige Werk scheint nach den Briefen des unent-

wegt drängenden Weibert an Klaiber trotz der Jahreszahl 1877 gerade noch rechtzeitig

vor Weihnachten 1876 ausgeliefert worden zu sein. Der vom besten Willen beseelte,

15 *ebenso fleißige wie scharfsinnige und pietätvolle Klaiber hat den ersten Teil im wesent-*

lichen korrekt, gelegentlich leicht schulmeisternd, nach Mörikes Manuskript H¹³ abge-

druckt, für den vom Dichter nicht fertiggestellten zweiten Teil hat er die Erstfassung mit

H¹, H², einigen Paralipomena und eigenen Zutaten kunstvoll ineinandergearbeitet, Karl

Fischer hat seinem wiederum andersartigen Text des zweiten Teils in der Kunstwart-

20 *Ausgabe das gleiche höchst fragwürdige Editionsprinzip zugrunde gelegt. Von Mörikes*

eigenen Intentionen geben beide Fassungen des zweiten Teils nur ein unvollkommenes, ja

teilweise verfälschtes Bild.

Welche Hauptgesichtspunkte für den Dichter selbst bei seiner Neufassung maßgebend

waren, hat er knapp und präzis in dem Brief an Ferdinand Weibert vom 17.Dezember

25 *1870 dargelegt:* Erfindung, Composition und Darstellung wurden sehr wesentlich

modificirt, gewiße Grellheiten getilgt, die Zeichnung der Hauptcharaktere be-

stimmter und feiner gegeben, ein paar Figuren als überflüssig ausgeschieden, da-

gegen eine bedeutende Mittelsperson neu eingeführt, – genug, ich war bemüht,

das Ganze besser zu organisiren, ihm, ohne daß dadurch der ursprüngliche Charak-

30 ter verwischt werden durfte, mehr Wahrheit und Natur, zugleich mehr Fülle im

Einzelnen zu geben, und so diesem Roman einen bleibenden Platz in unserer

Literatur zu sichern. *Wenn Mörike hier auch manches als bereits geschehen bezeichnet,*

was er in Wirklichkeit erst beabsichtigte, so sind damit die Grundzüge seiner Bearbei-

tungspläne doch klar umrissen. Deutlich ist zugleich gesagt, daß der ursprüngliche

Charakter *des Romans erhalten bleiben sollte. Was Mörike selbst darunter versteht, hat er in einem undatierten, in Weimar aufbewahrten Brieffragment (III,2,33) an einen unbekannten Empfänger (vielleicht Wolfgang Menzel?) so ausgedrückt:* Mein Roman ist das Gemälde eines eigensinnigen Schicksals, das sich auch sonst wohl darin zu gefallen scheint, seine Lieblinge (und dergleichen einer ist mein Nolten) noch ehe es dieselben ganz zur Reife hatte kommen lassen, wiederum preiszugeben, ihren Lebenszweck, wenigstens für die Station dieser irdischen Existenz, rein zu vernichten und Andre in den Abgrund mitzuziehen.

An diesem ursprünglichen Charakter des Romans sollte grundsätzlich nichts geändert werden, desto mehr an Einzelheiten der Gestaltung. Angeregt hat den Dichter dazu zweifellos nicht nur die Unzufriedenheit des gereiften Menschen und Künstlers mit dem eigenen Jugendwerk ganz allgemein, sondern auch die Kritik der Freunde und Rezensenten nach (im Falle Friedrich Theodor Vischers sogar schon vor) dem Erscheinen der Erstausgabe. Mörike hat einen nicht geringen Teil der Beanstandungen bei seiner Neubearbeitung durchaus berücksichtigt. Nicht selten dürfte sich auch sein eigenes Urteil mit den Bedenken der Rezensenten gedeckt haben. Auf jeden Fall ist die Entstehungsgeschichte der Umarbeitung gleichzeitig ein Stück Wirkungsgeschichte der Erstfassung.

Schon mit der Gattungsbezeichnung beginnen die Änderungen Mörikes, der sich während der Arbeit an der Erstfassung selbst nicht klar darüber gewesen war, ob er sein Werk »Novelle« oder »Roman« nennen sollte (vgl. oben S.12f). Roman nennt Wolfgang Menzel das Werk ohne kritische Auseinandersetzung völlig selbstverständlich, als Roman spricht es ebenfalls Notter an, und auch Friedrich Theodor Vischer bekennt: »Ich nenne das Buch lieber Roman« *(unten S.64,22).* »Roman« *sollte denn auch auf den Titelblättern der Neufassung zu lesen sein (vgl. die Beschreibung von H²).*

Die Zahl der Personen, deren »Vielerlei« Notter nicht glaubte »ungerügt lassen« zu können (unten S.57,24f), ist von Mörike etwas verringert worden. Wenn man von einigen völlig unwichtigen Randfiguren absieht, sind fünf Personen der Erstfassung in der Umarbeitung fortgefallen, nämlich die allzu schemenhaften, als Persönlichkeiten kaum faßbaren Freunde Leopold und Ferdinand, ferner Tillsens Schwager, der nur am Anfang benötigte Major, Constanzens Kammerzofe Emilie und die Gouvernante Frau von Niethelm. Neu hinzugekommen sind hingegen Constanzens Freundin Fernanda und der junge Leutnant Zarlin. Der Hofrat und der Baron Jaßfeld sind zu einer Figur, dem Hofrat Jaßfeld verschmolzen, Wispel und die Zigeunerin aus einigen Szenen herausgenommen worden. Wispel tritt nicht mehr als angeblicher Italiener auf (Bd 3, S.76,13ff, be-

28

sonders S.84,30ff), woran Notter und Schwab (unten S. 57 und 51) Anstoß genommen hatten, ja der Name Wispel ist sogar aus dem fertig gewordenen Teil der Romanhandlung verschwunden und begegnet nur noch in dem eingeschalteten Schattenspiel. Elisabeth ist in ihrer Rolle als Nachtwächter durch eine von Larkens engagierte Sängerin ersetzt wor-

5 *den (Bd 3, S.37,24ff und Bd 4, S.40,5ff), nachdem Schwab sich spöttisch über die »mißlungene Fastnachtsmummerei« und den »Hokuspokus mit der Zigeunerin während der Maskerade« (unten S. 50,14f) geäußert hatte und der Autor selbst sich über das Un- wahrscheinliche und für die Handlung Unnötige ihres Auftretens auf dem Turm klar geworden war (Bd 4, S.385, Paralipomenon A). Bedeutsamer ist, daß Mörike, vielleicht*

10 *auf die befremdete Frage Notters hin (unten S. 58, 21ff), die Gräfin Constanze dem Ein- fluß- und Machtbereich der Elisabeth – Elsbeth entzieht.*

Wenn die Kritiker nicht nur zu einigen Streichungen geraten haben, sondern umgekehrt über einige Hauptpersonen genauer informiert sein wollten, so hat Mörike auch diese An- regungen aufgenommen oder doch aufzunehmen beabsichtigt. Schwab hatte z.B. mehr von

15 *dem Inhalt der Briefe erfahren wollen, »welche die liebliche Agnes schreibt« (unten S. 50, 24). In der Neufassung lesen wir wörtliche Auszüge aus ihren Tagebüchern (Bd 4, S.153ff) und sollten auch Briefe von ihr kennen lernen (Bd 4, S.387, Paralipomenon G). Über Lar- kens hatte Friedrich Theodor Vischer bereits 1830, bevor er das Werk als Ganzes kannte, in seinem Brief an Mörike vom 3.November bemerkt: »Wie viel über die Schauspielkunst*

20 *ließe sich hier einflechten, und mit welch tiefer innerer Beziehung auf Larkens' Persön- lichkeit.« Er hofft, daß die »nach Larkens Tod gefundenen Memoiren« diese »Erwartung befriedigen«. In der ersten Fassung war das nicht der Fall, in die Umarbeitung aber fügt Mörike nicht nur Betrachtungen über die große Kunst David Garrick's (Bd 4, S. 88ff) ein, sondern macht sich auch aufschlußreiche Notizen für Larkens' Tagebücher*

25 *(Bd 4, S.392f, Paralipomena R und S).*

Die stärksten Bedenken haben fast alle Kritiker der Erstausgabe seit Wolfgang Menzel gegen die Gräfin Constanze angemeldet, gegen die Schilderung ihrer Umwelt, gegen ihre Gestalt und Handlungsweise. Die Kenntnis des Tons und der Umgangsformen ihrer Kreise gehe dem Dichter ab, so ist fast überall zu lesen. Nur Mährlen stößt sich nicht daran.

30 *Gustav Schwab (unten S. 52) belustigt sich darüber, daß »die Gräfin von der Gesellschaft aufsteht, um – nach dem Thee zu sehen« (Bd 3, S.69,30) »oder wie sie in Gedanken mit einem Wischlumpen die Meubles abputzt« (Bd 3, S.158,25ff) »oder morgens bei 25° Kälte in den Garten geht« (Bd 4, S.80,21ff). Mörike verteidigt zwar das Servanten- Morgengeschäft der Gräfin (an Schwab, 17.2.1833), und Vischer steht ihm darin ge-*

*treulich bei (unten S. 64, 12: »dies ist als ein Ungewöhnliches psychologisch motivirt«), aber
der gleiche Vischer nimmt den stärksten Anstoß an Constanzes Handeln. Wenn er darüber in der gedruckten Kritik auch hinweggeht, so hatte er doch unter dem unmittelbaren
Eindruck der ersten Lektüre an Mörike geschrieben: »In einer Schäferstunde könnt ich
Constanze schon sehen, nur nicht an einer fremden Brieftasche!« (an Mörike, 28.12.1830).*   5
*Mörike erkannte, daß es in diesem Fall mit Einzeländerungen nicht mehr getan war,
daß vielmehr der ganze Handlungsteil mit Constanze als Hauptgestalt grundlegend umzugestalten sei. Margarethe Mörike schreibt am 15.März 1876 an Julius Klaiber (LBS
cod. hist. 8° 94,4): »... meines Mannes Plan war, die Gräfin in der neuen Bearbeitung
so edel und würdig als möglich darzustellen«. Es muß allerdings fraglich bleiben, ob auf*   10
*die Fortsetzung von Margarethes Mitteilung in jeder Hinsicht Verlaß ist, wenn sie
schreibt: »sie ⟨Constanze⟩ sollte, (soviel ich weis), durch die Vermittlung des Hofraths,
von Larkens einen gründlichen Aufschluß über Nolten und Agnes bekommen, sodann auf
die edelmüthigste Weise entsagen«. An den letzten Worten ist ein Zweifel nicht erlaubt
(vgl. auch Paralipomenon P), die Mittlerschaft Larkens' hingegen ist nicht gerade wahr-*   15
scheinlich. Immerhin bedarf ein so gewichtiges Zeugnis zumindest der Erwähnung.
*Als der Dichter wirklich daran ging, das Handeln sowohl der Gräfin selbst als des
Herzogs Adolph, der dabei notwendig verlieren mußte, in einem anderen Licht erscheinen
zu lassen, geriet er bald in unvorhergesehene Schwierigkeiten, die fraglos einen nicht geringen Teil der Schuld am langsamen Fortgang der Arbeit trugen. Das Ergebnis war eine*   20
*weitgehende Neugestaltung der Constanze-Partien und die Einfügung einer Anzahl
neuer Szenen, die in der Erstausgabe fehlen, und die zugleich zu den schönsten Teilen
nicht nur der unvollendeten Neufassung des »Maler Nolten«, sondern dieses gesamten
dichterischen Lebenswerkes gehören, darunter vor allem Bd 4, S.30–36; 70–74; 147–150;
152–162.*   25
*Mörike berücksichtigt freilich durchaus nicht alles, was seine Rezensenten an kritischen
Einwänden vorzubringen hatten. Letztlich verläßt er sich immer nur auf das eigene kritische Urteil. Vor allem behält er den Titel »Maler Nolten« bei, den Menzel (unten S.33)
beanstandet hatte, weil Künstler-Romane als Modegattung von vornherein suspekt seien,
und der auch für Vischer (unten S.64,22f) ein »unglücklicher, pretiöser« und zum Inhalt*   30
*gar nicht passender Titel ist. Ebensowenig erkennt Mörike den »Mangel an Einheit in
der Grundidee« an und empfindet die teils psychologische, teils »mythologische« Moti-
vierung des Geschehens (Schwab unten S. 50f; Vischer S. 66f) keineswegs als einen Fehler.
Auf diese »Duplizität« kommt es ihm vielmehr gerade an. An Mährlen hatte er bereits*

am 2.September 1832 geschrieben: Übrigens möchte ich Dich in Deiner Beurteilung insbesondere auf Elisabeth und ihr Schicksalsgewebe (vorwärts und rückwärts weisend) aufmerksam machen, was mir stets ein Hauptmoment beim Ganzen war. *Und der Kritik Schwabs gegenüber möchte er gern Recht behalten, was gerade*

5 *die Duplizität und höhere Einheit der leitenden Ideen betrifft (an Schwab, 17.2. 1833). Den Schluß zu ändern, den Vischer »unbefriedigend« findet (unten S.66,11), ist ihm vollends nie in den Sinn gekommen, und er verringert auch nicht die Zahl der eingeschalteten »Episoden«, an denen sich Schwab gestoßen (unten S.51), die aber Vischer nur als »Überfluß des Reichthums« (unten S.67,25) bezeichnet hatte. Schwab gegenüber*

10 *verteidigt er in seinem Brief vom 17.Februar 1833 diese Mannigfaltigkeit sogar als dichterische Notwendigkeit,* damit das Gemüth des Lesers sich nicht ermüde und für Kapitalschläge empfänglich bleibe.

REZENSIONEN

Die erste Rezension des »Maler Nolten« war bereits am 24.August 1832, wenige Tage nach Auslieferung der Erstausgabe erschienen. Wolfgang Menzel hatte es sich nicht nehmen lassen, sie persönlich in dem von ihm redigierten Literaturblatt zu Cottas Morgenblatt zu veröffentlichen. Etwa einen Monat später folgt Freund Mährlen, wieder einen Monat später Gustav Schwab, im April 1833 Friedrich Notter, mit dessen Rezension Mährlen nach Lektüre des Manuskripts freilich nicht einverstanden war: »Notter ist voller Idiosynkrasien, wie ein altes Weib oder eine nervenschwache Jungfer« (an Mörike, 23.2.1833). Die Rezensionen Mährlens, Schwabs und Notters waren anonym erschienen, ebenso die wenig ergiebige Anzeige eines auch heute noch Unbekannten in dem von Friedrich Wilhelm Gubitz herausgegebenen »Gesellschafter« vom 23.März 1833, nicht hingegen Friedrich Theodor Vischers Besprechung, auf die Mörike besonders großen Wert legte, die aber erst im Juni 1839 publiziert wurde, also fast sieben Jahre nach dem besprochenen Werk. Am 14.Mai 1832 hatte Mörike den ihm damals sehr nahestehenden Freund bereits darum gebeten, sein Werk im Morgenblatt zu besprechen, am 4.August des gleichen Jahres forderte er den zögernden und im Rezensieren noch unerfahrenen Vischer erneut dazu auf. Dieser hatte sich noch nicht endgültig dazu entschlossen, als bereits Menzels Rezension im Morgenblatt erschien. Gerade diese ihn wenig befriedigende Kritik bewog Vischer dazu, die Bitte des Freundes zu erfüllen (an Mörike, 28.8.1832). Es vergeht aber noch über ein Jahr, bevor er ihm am 13.September 1833 mitteilt, er werde die Rezension den »Jahrbüchern für wissenschaftliche Kritik«, den sogenannten Berliner Jahrbüchern einsenden. Der bescheidene Autor wendet ein, das hochangesehene wissenschaftliche Publikationsorgan sei doch ein zu hoher Schauplatz für den »Maler Nolten« (an Vischer, 5.10.1833). Die Redaktion der Berliner Jahrbücher läßt wirklich die Rezension des »Maler Nolten« zuerst jahrelang liegen und bringt schließlich 1839 nur Vischers Rezension von Mörikes Gedichten mit der Bemerkung, »der Nolten sei nicht mehr neu genug, und sie beschränkten sich im Belletristischen auf das Ausgezeichnetste« (Vischer

an Mörike, 9.5.1839). Jetzt schickt Vischer die Rezension an die »Hallischen Jahrbücher
für deutsche Wissenschaft und Kunst«, die sie kurz darauf drucken. Die einleitende Be-
merkung Vischers (in seinen »Kritischen Gängen«, Bd 2, 1844, S.216 fortgelassen) nimmt
Bezug auf Reinhold Köstlins Aufsatz »Die schwäbische Dichterschule und Ed. Mörike«
5 *im gleichen Jahrgang 1839 der Hallischen Jahrbücher, Nr 6–8 und 18–19.*

In den folgenden Texten sind durch Sperrung hervorgehobene Wörter mit Ausnahme der
Namen von Gestalten im »Maler Nolten« auch in unserer Ausgabe gesperrt gedruckt und
offensichtliche Druckfehler stillschweigend verbessert worden. Mit lateinischen Buchstaben
gedruckte Wörter werden ausnahmsweise typographisch nicht vom übrigen Text abge-
10 *hoben.*

Wolfgang Menzel, in: Morgenblatt für gebildete Stände, Jg. 1832, Literatur-Blatt Nr. 86
vom 24. August, S. 341–344

Ich erschrack, als ich den Titel las. Wieder eine Malernovelle? Was wird das
für ein Pinsel seyn, ein vollblütiger im Irrgarten der Liebe herumtaumelnder
15 Ardinghello? oder ein goldlockiger, im altdeutschen Röcklein mit der Zither
nach Italien pilgernder, jungfräulich pretiös-kunstandächtiger Franz Sternbald?
oder ein Oehlenschlägerscher, weinerlicher, unausstehlicher, lob- und schwind-
süchtiger Correggio? oder ein steifleinener, professormäßig orakelnder Albrecht
Dürer mit einem heiligen Amtsgesicht, halb wie Christus und halb wie Hegel?
20 Sind uns nicht solche genial seyn sollende, mit ihrer kleinen Kunst und mit
ihrem großen Herzen kokettirende ästhetische Stutzer schon zu hunderten in
Romanen und Novellen über den Weg gelaufen, und sind dieselben nicht eine
Niederlage von all und jeder ästhetischen Verkehrtheit und Eitelkeit geworden?
Sind sie nicht, die Entsagungsromane der schreibenden Damen ausgenommen,
25 das Unerträglichste in unsrer schönen Literatur? Und sind sie nicht zugleich eine
tiefe Ironie, wenn man bedenkt, daß es um so weniger gute Maler in der Wirklichkeit gibt, je mehr es deren in Romanen gibt, und daß die Maler eigentlich
nicht mehr malen, sondern vielmehr nur noch gemalt werden?

Der Maler Nolten ist zum Glück ein Mensch, der eben so gut kein Maler
30 seyn könnte, und Mörikes Roman läßt uns während der Lektüre den übeln
Eindruck des Titels aufs angenehmste vergessen. Der Roman hat den großen,
in dieser erfindungslosen Zeit nicht genug zu schätzenden Vorzug, daß er originell, daß die Fabel eine neue ist, die Situationen noch nicht dagewesen sind.

Nur im Allgemeinen findet man in der reichen und warmen Färbung dieses Romans einige Ähnlichkeit mit der tief poetischen und viel zu wenig geschäzten Gräfin Dolores von Arnim, eine Verwandtschaft, die unserm Verfasser nur zur Ehre gereicht.

Der Inhalt ist in gedrängtester Kürze dieser. Maler Nolten wird frühe mit einem in ländlicher Unschuld erzogenen Mädchen verlobt, verläßt dann die Heimath, macht sein Glück, vergißt die Geliebte, und läßt sich in ein leidenschaftliches Verhältniß mit einer an Adel, Geist und Schönheit glänzenden Gräfin ein. Da beliebt es seinem besten Freunde, einem Schauspieler, theils aus Freundschaft, theils aus Humor, der verlassenen Braut mit den Zügen Noltens fort und fort zärtliche Briefe zu schreiben, als kämen sie von dem Bräutigam selbst. Eben so zärtlich und in holdem Vertrauen antwortet sie; ihre Briefe aber kommen der Gräfin in die Hände, und diese, die nun glauben muß, Nolten habe zugleich ihr Liebe geschworen und zugleich mit einem andern Mädchen so flammende Briefe gewechselt, geräth in die ganze Wuth der Eifersucht, wird von Verachtung für den Falschen erfüllt, und so warm sie ihn geliebt und um seinetwillen einen Prinzen zurückgesezt, gibt sie sich jezt ganz dem Prinzen hin, und der Maler wird sogar in Folge einer Intrigue in den Kerker geworfen. Hier hat er Zeit über seine Untreue nachzudenken, und je gehässiger ihm die Gräfin erscheinen muß, um so mehr wird das verbleichte Bild der verlassenen Braut in ihm aufgefrischt. Er nimmt sich vor, Alles wieder gut zu machen, und nachdem er seine Freiheit wiedererlangt, reist er sogleich in die Heimath. Hier findet er die Braut, schöner als je, zärtlicher als je und innig beglückt durch den Briefwechsel, den der Schauspieler fortgesezt hat, und von dem Nolten erst jezt etwas erfährt. Seine Empfindungen wechseln zwischen Wonne und Scham; aber eine Lüge trägt fort und fort ihre unheilvollen Früchte. Die Geliebte, so glücklich in der Täuschung, wird schwermüthig, als dieselbe aufhört. »So viel man nach und nach aus Agnesens verworrenen Gesprächen zusammenreimen konnte, so schien die sonderbarste Personen-Verwechslung zwischen Nolten und Larkens (dem Schauspieler) in ihr vorgegangen zu seyn; vielmehr es waren diese beide in ihrer Idee auf gewisse Weise zu Einer Person geworden. Den Maler schien sie zwar als den Geliebten zu betrachten, aber keineswegs in der Gestalt, wie sie ihn hier vor Augen sah. Die Briefe des Schauspielers trug sie wie ein Heiligthum jederzeit bei sich, ihn selbst erwartete sie mit der stillen

34

Sehnsucht einer Braut, und doch war es eigentlich wieder Nolten, den sie erwartete.« Alles nimmt sonach einen tragischen Ausgang.

Die beiden weiblichen Charaktere, die Gräfin und Agnes, theilen als zwei
Brennpunkte den Roman auf ungezwungene Weise in zwei Theile, einen vornehmen und einen ländlichen. Der erstere ist der weniger vorzügliche. Gräf-
liche kunstliebende Familien, worin bürgerliche Künstler und Virtuosen, ihres
Talentes wegen zugezogen werden, sind uns seit Goethes Wilhelm Meister bereits unzählige von Heinse, Wagner, F. Schlegel, Tieck, Hoffmann etc. etc. vor-
geführt worden, und obgleich dieselben vielfach verschieden nuancirt erscheinen,
so waren doch immer diejenigen die anziehendsten, in deren Schilderung einige
Ironie und eine feine Kenntniß der unter vornehmen Formen und Sentimens
verborgnen Fadheit zu erkennen ist, wie dies vorzüglich in den Darstellungen
Goethes und Tiecks, die ihre Leute kannten, bewundert werden muß. Diese
feine und boshafte Behandlung des Mäcenats hat unser Verfasser nicht wählen
wollen, und so fehlt denn in der vornehmen Parthie eine Grazie, die wir ungern
vermissen. Auf der andern Seite hätte der Verfasser in der Weise wie im Wilhelm
Meister und Franz Sternbald die Künstler, und ihre Gönner mannichfaltige
Kunstansichten austauschen lassen und darin neue Ideen aussprechen können;
allein er hat dies nur im geringen Maaße gethan, und wir rechnen ihm dies
sogar zum Vortheil, denn in einem Roman, der durch seine Geschichte interes-
sirt, ist zu viel Reflexion immer störend. Statt unsern kritischen Verstand mit
längst durchgedroschenen ästhetischen Thesen zu belästigen, gibt der Verfasser,
wie es sich für ein dichterisches Werk gehört, unsrer Einbildungskraft die mei-
sterhafte Beschreibung einiger Bilder, die er sich als gemalt denkt, und deren
Motive so schön sind, daß sie wirklich nachgemalt zu werden verdienten. Immerhin aber ist der Theil des Romans, der es mit den vornehmen Leuten und mit
den Künstlern zu thun hat, nicht befriedigend genug. Für das Herz war hier
nichts zu thun, denn das wird vollkommen in dem ländlichen Theil des Romans
befriedigt, also mußte hier vorzüglich der Geist durch klassische Ironie oder
romantischen Humor befriedigt werden. Vor allem aber mußte die Gräfin uns
etwas mehr Interesse abgewinnen.

Indeß diente diese mit weniger Kraft ausgemalte Parthie des Romans nur
dazu, die andre desto mehr zu heben. Die ländliche Braut ist eine der wahrsten
und lieblichsten weiblichen Gestalten, die uns in Romanen je begegnet sind,

ächt mädchenhaft, ohne allen Anspruch, ja dem Anschein nach ganz gewöhnlich, und dennoch von zauberischer Anmuth und geheimnißvoller Tiefe. Und
wie in der Wirklichkeit alles, was mit einem schönen Mädchen in Berührung
kommt, uns schöner erscheint, ein Garten, ein Zimmer etc., so hat auch dieser
sympathetische Rapport hier im Gedicht die Darstellung verschönert, so oft sie   5
zu der ländlichen Braut zurückkehrt.

Es folgen Leseproben (Bd 3, S.39,13–40,5; 265,23–267,21).

Johannes Mährlen, in: Der Hochwächter. Ein Volksblatt aus Württemberg, Jg. 1832,
Nr 301–302 vom 20. und 21.Dezember, S. 1359–1360; 1364

    Gewöhnt allen vaterländischen Erscheinungen im Gebiete der Wissenschaft   10
und Kunst unsere Aufmerksamkeit zu widmen, übernehmen wir beim Eintritt in
die heiligen Tage, die für Manche Muße und das Bedürfniß eines edleren geistigen Genusses darbieten, die angenehme Pflicht, unsere Landsleute mit einem
Buche bekannt zu machen, das in der dürren Wüste der Gegenwart als eine
glückliche Oase sich erhebt und worauf das Auge nur mit vollständiger Befrie-   15
digung ruht.

    Wir gestehen, daß wir ein poetisches Product unserer Tage immer mit ge-
wissen Besorgnissen in die Hand nehmen, nicht sowohl weil man fürchten muß,
durch seine Lectüre sich zum Mitschuldigen der Mittelmäßigkeit und aller der
tausend Todsünden gegen Geschmack und Natur zu machen, sondern haupt-   20
sächlich weil wir Politik anzutreffen fürchten. So ist nun einmal unsere Ansicht:
die Poesie, wenn sie sich der Tagespolitik bemächtigt, will uns nicht mehr gefallen, und die Politik, wenn sie in Reimen ausschlägt, wird uns eckelhaft. Alles
an seinem Ort! Mancher wohlmeinende Kämpfer verwechselt im Drang seiner
Gefühle den Rednerstuhl mit dem Parnaß, und singt uns ein Gedicht, woraus er   25
besser eine juridische Abhandlung, eine Rede gemacht hätte. Doch das ist unsere
Privatmeinung, die uns übrigens nicht hindert, manches Gelungene der sogenannten Zeitpoesie anzuerkennen. Wir glauben nur, daß der Dichter unter den
Gegensätzen, welche die Gegenwart zerspalten, neutral bleiben muß; daß seine
Aufgabe ist, im ungetrübten Spiegel seines Gemüths das ewig Wahre zu schauen,   30
die ewigen, unveränderlichen Zustände des Menschenlebens zu erforschen, das,
wovon Schiller sagt, daß es nie veralte, weil es nie und nirgends sich begeben.
So hielten es unsere großen Dichter alle; das Menschenherz, ob es unter Lumpen

schlägt oder unter diamantnen Kreuzen, war ihr letztes Ziel; mit gleicher Hin-
gebung umfaßten sie Sieger und Besiegte, und in der Hütte wie im Palaste such-
ten und fanden sie ihre Menschen, begegneten sie derselben Leidenschaft der
Liebe und des Hasses, den gleichen Schmerzen und Freuden, den gleichen Tugenden und Lastern, denselben Mißverständnissen und Schicksalen der irrenden
Menschheit. Dadurch ward ihre Dichtung der reine Abdruck der Natur und des
Lebens, belehrend und begeisternd und die Welt richtend, wie die Geschichte.
Das nun, was uns an Maler Nolten gleich von vorn herein gefiel, ist eben jene
gänzliche Entfernung von all den Gegensätzen, welche unsere Gegenwart be-
wegen; von all den einseitigen, wenn auch nothwendigen Zeitrichtungen, welche
in das Gemüth des Dichters aufgenommen, die Einheit und die Harmlosigkeit
der poetischen Weltanschauung trüben und, wie der Beispiele genug zeigen, den
Dichter ruiniren.

Ein zweiter Vorzug, den der Titel nicht eben verheißt, ist, daß das Buch von
Gemäldekritiken nichts, wohl aber eine Menge Schilderungen enthält, welche
zu künstlerischen Compositionen geeignet sind. Bekanntlich führen Einen die
beliebten Künstlerromane durch alle Gallerien der Welt und sind für den Verfasser meist nur ein Magazin, worin er seine Tagebuch-Bemerkungen oder sen-
timental-kritischen Reflexionen auf eine ungezwungene Weise an den Mann zu
bringen hofft. Mörike's Maler hat den Vorzug, daß er eben so gut auch kein
Maler seyn könnte, daß er aber eine Künstlernatur ist, woran sich ein Schicksal
flicht, das durch eben diese Natur nothwendig bedingt ist. Die Poesie Noltens
macht sein Leben begreiflich.

Was nun den Inhalt der Novelle selbst betrifft, so ist die Fabel neu, die Erfindung originell. Nolten, früh verlobt mit einem in stiller Ländlichkeit erzogenen, kindlich-frommen, treu liebenden Mädchen, begibt sich seiner Kunst zu
lieb auf Reisen. Er erwirbt sich Kenntnisse und Gunst, verliebt sich aber in eine
durch alle Vorzüge der Geburt, des Geistes und Körpers gleich vortreffliche
Grävin. Agnes wird vergessen. Aber auch Agnes entsagt im Stillen dem Verlobten, nicht aus Mangel an Neigung, sondern weil sie ihm nicht genug zu seyn
glaubt. Während Nolten auf's Leidenschaftlichste jener Neigung sich hingibt,
entschließt sich ein getreuer Freund, Larkens, ein Schauspieler, die Verlassene
durch einen verstellten Briefwechsel im süßen Wahne ihres Glückes wieder zu
bestärken und zu erhalten. Ein Brief von Agnesens Vater, der sich nach langer

Zeit zum Erstenmal wieder nach des Schwiegersohns Befinden erkundigt, gibt
hiezu Gelegenheit. So knüpft Täuschung von Neuem das zerrissene Band. In
unzerstörlichem Vertrauen und mit immer gleicher Innigkeit antwortet Agnes;
ihre Briefe aber werden durch Larkens selbst der Grävin in die Hände gespielt;
er will das unwürdige Verhältniß zerstören und den Maler zu seiner ersten heili- 5
gen Pflicht zurückführen. Die Grävin, von Eifersucht und Rachegefühl gegen den
Treulosen erfüllt, stürzt sich dem Prinzen, den sie Noltens wegen bisher ausge-
schlagen, in die Arme und bewirkt selbst Noltens Einkerkerung. Aber bald klärt
sich das Mißverständniß des angeblichen politischen Verbrechens auf, er wird
frei und reist in die Heimath. Er will Alles wieder gut machen. Schöner als je, 10
liebevoller und inniger als je, tritt ihm Agnes entgegen; die Unschuldige ahnt
nichts von dem schnödesten Verrath. Dem Maler aber läßt das fürchterliche
Geheimniß keine Ruhe; er muß ihr den schnödesten Betrug gestehen – und
dahin ist Beider Glück. Agnes fällt erst in Schwermuth, dann in stillen Wahnsinn und findet im Wasser ihren Tod; der Maler folgt, nachdem der Schauspieler 15
kurz zuvor durch Selbstmord sein Leben geendet. Alles nimmt einen erschüt-
ternden, tragischen Ausgang, ohne Überspannung der Gefühle, ohne jene Über-
treibungen und Abenteuerlichkeiten, die eben so wenig empirische als poetische Wahrheit und Wahrscheinlichkeit an sich tragen. Das Interesse wird vollständig befriedigt und knüpft sich vor Allem an Agnes, von der ein Recensent 20
(Literaturblatt Nr. 86) sagte, daß sie eine der wahrsten und lieblichsten weiblichen Gestalten sey, die ihm je in Romanen begegnet; ächt mädchenhaft, ohne
allen Anspruch, ja dem Anscheine nach ganz gewöhnlich und dennoch voll
zauberischer Anmuth und geheimnißvoller Tiefe.

Das die kurze Skizze einer Geschichte, die der Erfindung nach eben so neu ist, 25
als sie durch die Art ihrer Ausführung und ihre Zwischenfälle vom ersten bis
zum letzten Blatte in steigendem Maße das Interesse fesselt und durch ihr tragi-
sches Ende jene Rührung vollendet, welche die Mischung eines theils verschul-
deten, theils unverschuldeten Schicksals hervorzubringen pflegt.

Die Darstellung ist durchaus edel und klar. Die Empfindung und Reflexion 30
kommt stets aus der Mitte des geschilderten Zustandes; Form und Wort sind
ihnen adäquat, bringen die Gestalten und Gedanken unmittelbar zum Bewußt-
seyn und sind mit ihnen organisch verwachsen.

Es folgt eine Leseprobe (Bd 3, S. 39,13–40,5).

Die Novelle enthält ferner eine Anzahl eingeflochtener Gedichte, die zu den besten gehören, welche uns in neuster Zeit zu Gesicht kamen. Die Einheit und das Ebenmaß der poetischen Stimmung, der ungezwungene Ausdruck, die Tiefe der Empfindung, die, von der reinsten Form umhüllt, unmittelbar, vollständig und mit einer gewissen Nothwendigkeit dem Leser sich mittheilt, räumen ihnen im Fach der lyrischen Poesie eine hohe Stufe ein und machen ein Erscheinen der übrigen lyrischen Producte des Verfassers wünschenswerth.

Es folgen »Peregrina I«, »Der Jäger« und ein kurzer Hinweis auf das Zwischenspiel »Der lezte König von Orplid«.

Gustav Schwab, in: Blätter für literarische Unterhaltung, Jg. 1833, Nr 20–21 vom 20. und 21. Januar, S. 81–83; 85–88

Wir sind unschlüssig, ob wir zuerst mit den Fehlern oder mit den großen Vorzügen dieses Novellenromans unsere Beurtheilung anfangen sollen. Thun wir jenes, so erweisen wir dem Verfasser, der Vertrauen bei den Lesern verdient, und dem Verleger, der zu ermuntern ist, weil er sich entschlossen hat, ein junges und noch namenloses Talent in die Welt einzuführen, einen schlechten Dienst; fangen wir aber mit den Vorzügen an, so gerathen wir bei einem an den vollkommenern Organismus erfahrener Novellenmeister gewohnten Leser, dem die Unbeholfenheiten der vorliegenden Dichtung ohne Zweifel eher in die Augen fallen werden als ihre Tugenden, in den Verdacht der Parteilichkeit. Am gerathensten ist, Ref. begibt sich mit seiner Anzeige sogleich in mediam rem und entwirft, bevor er urtheilt, einen Grundriß der Erzählung. Und somit ans Werk!

Der Anfang der Novelle zeigt uns einen jungen Maler, Theobald Nolten, der sein glänzendes Talent, den wackern, aber erfindungsarmen Meister überflügelnd, von Gönnern und Freunden geliebt und bewundert, in der Residenz, an deren Weltleben er Antheil nimmt, entfaltet. Im Hause des Grafen von Zarlin lernt er dessen schöne Schwester, Konstanze von Armond, eine junge Witwe, kennen. Die Reize ihrer Person, die Feinheit ihres gebildeten Geistes, ihr Kunstsinn machen ihn zu ihrem stillen, aber leidenschaftlichen Bewunderer, und es peinigt ihn, daß einer seiner freundschaftlichsten Gönner, der Herzog Adolf, sein Nebenbuhler ist. Inzwischen mystificirt er sich so gut wie möglich über seine wachsende Neigung, denn eine früher geknüpfte Verbindung machte noch immer

39

ihre stillen Rechte an sein Herz geltend. Das reine Glück, welches der unverdor-
bene Jüngling oftmals in der Liebe zu einem höchst unschuldigen Geschöpfe,
Agnes, der Försterstochter zu Neuburg, gefunden, war seit Kurzem durch un-
glückselige Misverständnisse gestört worden. Die Sache hatte so viel Schein, daß
er das freie Mädchen keines Wortes mehr würdigte und ihr nicht im geringsten 5
den Grund dieser Veränderung zu erkennen gab. Jene Agnes war, was der Leser
erst später erfährt, durch eine Nervenkrankheit dem Tode nahe gebracht gewesen; in ihrer krankhaften Reizbarkeit glaubte sich die Genesende ihres Bräutigams als ein bäuerisches einfältiges Geschöpf nicht mehr würdig. Diesen Wahn
bestärkt eine geheimnißvolle Zigeunerin, die ihr aus den schiefen Linien der 10
Hand prophezeit, daß sie und ihr Geliebter nicht füreinander geboren seien, und
zugleich ihr an einem liebenswürdigen Vetter Otto, der sie im Guitarrenspiel
unterrichtet, eine neue Liebe zuweist. Vergebens ringt Agnes, sich von der trügerischen Prophetenstimme unabhängig zu machen; ihr Gemüth war zerrissen
und gepeinigt; jene Idee von Otto fixirte sich künstlich darin, und die eingebildete 15
Nothwendigkeit fing an, den Widerwillen gegen ihn zu überbieten. Ein stiller
Wahnsinn setzt bei ihr an. Nolten aber wird, ebenfalls durch einen plumpen
Brief Otto's, der ihm anmuthet zurückzutreten, von der vermeintlichen Untreue
seiner Braut unterrichtet und geräth in hassende Verzweiflung. In dieser wunden
Stimmung trifft ihn sein Busenfreund, der geniale Schauspieler Larkens, der, 20
von einer Reise zurückgekehrt, ein frohes Wiedersehen mit dem Freunde zu
feiern gekommen ist. In Theobald's Liebe zu Agnes früher eingeweiht, das Mis-
verständniß ahnend und zum Theil durchschauend, Nolten's neue Neigung zu
der Gräfin noch ziemlich leicht anschlagend, unternimmt es der bizarre Mann,
der aus einem zerrütteten Leben einen edeln Geist und Charakter, der aufop- 25
ferndsten Freundschaft fähig, sich gerettet hat, die Sache ohne Wissen seines
Freundes wieder ins Geleise zu bringen. Nachdem er ihn vergebens durch eine
etwas mislungene (auch dem Dichter mislungene) Fastnachtsmummerei ge-
warnt, entschließt er sich zu einer Maskencorrespondenz mit Agnes. Er ahmt
seines Freundes Handschrift nach; er correspondirt mit der armen verlassenen 30
Braut, als wäre sie nicht verlassen, und sorgt dafür, daß nur er die holden Antworten des durch diesen frommen Betrug genesenden Kindes erhält. Inzwischen
gibt sich Nolten mit Glut seiner neuen Liebe zu Konstanzen hin, und zu seinem
Unstern wird diese Liebe allmälig erwidert; ein Zufall drückt ihm in einer

Grotte der fürstlichen Gartenanlagen die Gräfin ohne Zeugen ans Herz; sie duldet seine Thränen und seinen Kuß, der auf ihrem Halse brennt. Durch die freundliche Unbefangenheit Konstanzens in den Tagen, welche auf diese Scene folgen, darf der Glückliche sich überzeugen, daß er volle Gegenliebe gefunden hat. Inzwischen setzt Larkens, der von alle dem nichts ahnt, seinen verstohlenen Briefwechsel mit Agnes fort und erhält von dieser endlich einen trunkenen Brief, in welchem sich die völlig Genesene wieder ganz als Nolten's Braut empfindet. Jetzt glaubt der Freund, es gelte, was es wolle, einen Bruch mit der Gräfin vorbereiten zu müssen. Bei dem Grafen Zarlin wird ein phantasmagorisches Zwischenspiel, von Larkens verfaßt, von demselben vor einer großen Gesellschaft aufgeführt. Nachdem die Gesellschaft auseinandergegangen, brütet Konstanze mit Wonne über ihrer Liebe zum Maler; aber Larkens hat seine mit Nolten's Namenschiffre sorgfältig bezeichnete Brieftasche, welche alle Antworten von Agnes enthält, absichtlich, so absichtlich, wie Marquis Posa die seines Freundes, im Palais des Grafen verloren; noch in derselben Nacht kommt die Tasche durch das Kammermädchen in Konstanzens Hände; sie erkennt in Nolten den ruchlosesten Heuchler – sie ergibt sich in der Verzweiflung dem Herzog Adolf, Nolten wird (er weiß nicht warum) verstoßen, und Larkens und er werden, wegen unvorsichtiger Anspielungen auf den regierenden König in jenem Schattenspiele politisch-verdächtigt, verhaftet und in langer gesonderter Haft gehalten, in welcher sich Nolten's ein hitziges Fieber erbarmt. Inzwischen erfahren wir aus dem Manuscripte eines seiner Freunde, wie wunderbar jene Zigeunerin in das Geschick des Malers verflochten ist. Er traf sie in seiner Jugend auf der Gebirgsruine seiner Heimatgegend, die er von Hause aus mit seiner jungen Schwester besuchte; aus einer Reihe von seltsamen Scenen ergibt sich, daß sie die Tochter eines väterlichen Oheims von Nolten ist, der als Maler in die weite Welt ging, unter eine Zigeunerbande gerieth und Loskine, die schöne Nichte des Zigeunerhauptmanns, entführte und ehelichte. Er lebte mit ihr, gemieden von der Familie, aber reichlich von seiner Kunst genährt. Elisabeth, die Zigeunerin, war die einzige Frucht ihrer Ehe. Loskine starb bald am Heimweh. Ihr heranwachsendes Kind entlief zu der Bande, und wahrscheinlich hat diese Loskinens Entführung durch den Mord des Vaters gerächt. Nachdem Elisabeth mit seltsamer Leidenschaftlichkeit den jungen Nolten sich gleichsam zum Eigenthume geweiht, verläßt sie die halbe Heimat wieder. Aus diesen Mittheilungen erklärt sich hinreichend, wie die Zigeunerin, welche Nolten bis jetzt nie wiedergesehen, sich prophezeiend in sein Schicksal mischen konnte. Die Mittheilungen schließen die erste Abtheilung der Novelle.

Der zweite Theil hebt mit der Befreiung der zwei Freunde aus ihrer ungerechten Haft an. Der genesene Nolten glaubt sich jetzt erst zu verstehen, er betrachtet sich als frei von aller trügerischen Liebe und will hinfort nur der Kunst Geweihter sein. Da faßt Larkens den Entschluß, auf unbestimmte Zeit die Stadt zu verlassen und ins Ausland zu gehen. Zum letzten Mal, und ungern zum letzten Mal schreibt er in Nolten's Namen an Agnes und nimmt in Gedanken den herzlichsten Abschied von dem Mädchen, weil nach seiner Berechnung schon ihr nächster Brief wieder unmittelbar an Nolten kommen sollte. Mit heftiger Bewegung verabschiedet er sich vom Maler, der seinen Entschluß nicht begreifen kann. Aber nach seiner Abreise erfährt Nolten aus einem Brief seines Freundes den ganzen, vollen Betrug, selbst in Beziehung auf Konstanze.

»Theobald (schließt der Brief), noch ein Mal: denk' an den Garten, neulich hat sie die Laube zurechtgeputzt, die Bank, wo der Liebste bei ihr sitzen soll. Wirst Du bald kommen? Wirst Du nicht? – Wag' es, sie zu betrügen! den hellen, süßen Sommertag dieser schuldlosen Seele mit Einem verzweifelten Streiche hinzustürzen in eine dumpfe Nacht, wehe! das wimmernde Geschöpf! Thu's, und erlebe, daß ich in wenigen Monden, ein einsamer Wallfahrer, auf des Mädchens Grabhügel die kraftlose Posse, das Nichts unserer Freundschaft und die zerschlagene Hoffnung beweine, daß mein elendes Leben, kurz eh' ich's ende, doch wenigstens noch so viel nütz sein möchte, zwei gute Menschen glücklich zu machen.«

Der Maler wird uns auf diesen Brief als höchst unglücklich geschildert; und doch »wer hätte glücklicher sein können als er, wäre er sogleich fähig gewesen, seinem Geiste nur so viel Schwung zu geben als nöthig, um einigermaßen sich über die Umstände, deren Foderungen ihm furchtbar über das Haupt hinauswuchsen, zu erheben und eine klare Übersicht seiner Lage zu erhalten«. Inzwischen kommt er allmälig zur Besinnung und versenkt sich in Agnes' Briefe, welche Larkens ihm beigeschlossen, und in denen sich das schöne Gemüth wie verjüngt darstellte.

»Der ganz unfaßliche Gedanke, dies einzige Geschöpf, wann und sobald es ihm beliebe, als Eigenthum an seinen Busen schließen zu können, durchschütterte wechselnd alle Nerven Theobald's. Auf Ein Mal überschattete ein unbekanntes Etwas die Seligkeit seines Herzens. Diese zärtlichen Worte Agnesens, wem anders galten sie als Ihm? Und doch will ihm auf Augenblicke dünken, er sei es nicht, ein Luftbild habe sich zwischen ihn und die Schreiberin gedrängt, habe den Geist dieser Worte voraus sich zugeeignet, ihm nur die todten Buchstaben zurücklassend. Ja, wie es nicht selten im Traume begegnet, daß uns eine Person bekannt und nicht bekannt, zugleich entfernt und nahe scheint, so sah er die Gestalt des lieben Mädchens gleichsam immer einige Schritte vor sich, aber leider nur vom Rücken; der Anblick ihrer Augen, die ihm das treueste Zeugniß geben sollten, war ihm versagt; von allen Seiten sucht er sie zu umgehen; umsonst, sie weicht ihm aus; ihres eigentlichen Selbsts kann er nicht habhaft werden.«

Zugleich entdeckte ihm des Schauspielers Tagebuch die wiederholte Anwesenheit der Zigeunerin, welche aufs Neue die Bahn seines Lebens auf eine absichtlich Gefahr drohende Weise durchkreuzen mußte; auch gegen Larkens streitet sich in seinem Herzen Dank und Tadel, und auch wegen seines Schicksals wird ihm bange. Sein nächster Gedanke ist nun, sich vor Konstanzens Augen zu rechtfertigen, und es gelingt ihm, durch Vermittlung einer befreundeten Dame, der er sich aufs zarteste mittheilt, die volle Wahrheit vor ihre Ohren zu bringen. Nach einigen Tagen erhält er auf diesem Wege einen herrlichen Hochzeitschmuck für seine Braut nebst einem Blatte von Konstanzen, in welchem sie sich das jammervollste und, ach, zugleich das unwürdigste Weib nennt. Sie selbst hatte Theobald's unschuldigen Antheil an jenem Schattenspiele benutzt, ihm den Kerker zu bereiten, und nur ein scheinbares Wunder erschütterte und bestimmte sie, ihn zu befreien. Sie hatte nämlich früher von Theobald das (auch sonst in der Novelle herausgehobene) Bild einer wahnsinnigen Orgelspielerin gesehen. Das lebende Original dieses Bildes erschien ihr in der Kirche und warf sie in Ohnmacht nieder. (Es war die Zigeunerin, die als Motiv zu Nolten's Bilde gedient hatte.) Dieselbe Hand, die den Maler gestürzt, mußte ihn jetzt retten – der Herzog Adolf. Verzweifelte Andeutungen verrathen Theobald und dem Leser, daß Konstanze aus Rache ihre Tugend dem Herzog geopfert hatte. Jetzt betet sie für den Maler und Agnes.

Der Roman läßt den Vorhang auf einen Augenblick fallen und zeigt uns dann den Maler fröhlich und entschlossen auf der Brautreise zu Agnes. Er überrascht sie auf dem Kirchhof ihres heimatlichen Dorfes und betrachtet sie lang ungesehen.

43

»Agnes, ihn erblickend, fällt mit einem leichten Schrei dem zunächst stehenden Vater um den Hals, wo sie ihr glühendes Angesicht verbirgt, während unser
Freund, der diese erschüttert abgewandte Bewegung blitzschnell durch sein
böses Gewissen erklären läßt, mit einiger Verlegenheit sich heranschmiegt, bis
ein verstohlener, halbaufgerichteter Blick des Mädchens über des Alten Schulter   5
hinweg ihm sagt, daß Freude, nicht Abscheu oder Schmerz es sei, was hier am
Vaterherzen schluchze. Als aber das herrliche Kind sich nun plötzlich gegen ihn
herumwandte, ihm mit aller Gewalt leidenschaftlicher Liebe sich um den Leib
warf und nur die Worte vorbrachte: ›Mein, mein!‹ da hätte auch er laut aus-
brechen mögen, wenn die Übermacht solcher Augenblicke nicht die Lust selbst   10
der glücklichsten Thränen erstarren machte.«

Theobald staunt über die Herrlichkeit seiner Braut.

»Wirklich war ihre ganze Figur entschiedener, mächtiger geworden. Aber
auch alle die Reize, die der Bräutigam ihr von jeher so hoch angerechnet hatte,
erkannte er wieder. Jenes tiefe Dunkelblau der Augen, jene eigne Form der   15
Augenbrauen, die von allen übrigen sich dadurch unterschieden, daß sie gegen
die Schläfe hin in einem kleinen Winkel absprangen, der in der That etwas Be-
zauberndes hatte. Ihre Haare, die er bei seiner letzten Anwesenheit noch beinahe
blond gesehen hatte, waren durchaus in ein schönes glänzendes Kastanienbraun
übergegangen. Theobalden war es beim ersten Blicke aufgefallen, aber auch so-   20
gleich hatte sich ihm die sonderbare Ahnung aufgedrungen, Krankheit und
dunkler Kummer hätten Theil an diesem schönen Wunder. Agnes selber schien
nicht im Entfernten dergleichen zu denken, vielmehr fuhr sie ganz heiter fort:
›Und meinst Du wol, es habe sonderlich viel Zeit dazu gebraucht? Nicht doch!
fast zusehends, in weniger als zwanzig Wochen, war ich so umgefärbt; die Pastors-   25
töchter und ich wir haben heut noch unsern Scherz darüber‹.«

Inzwischen scheint des Schauspielers Werk vollbracht und gelungen. Ein seliges Stillleben beginnt zwischen Nolten und der Braut, dem guten wunderlichen
Förster und dem edeln, alten, gebildeten Baron, dem Jugendwohlthäter Theobald's. Alle leben in süßer Erinnerung und Ahnung, Nolten und der Baron auch   30
im Umtausch der geistreichsten Gedanken, die auch dem Leser zu gute kommen.
Nur selten ängstigt Agnes Otto's, Theobald Konstanzens flüchtig vorüberschwe-
bendes Bild, dem Letztern auch wie ein Gespenst die Erinnerung an das unnatürliche Mittel, das ihn in den Besitz der Geliebten gesetzt hat. Ein Besuch bei be-

freundeten jungen Nachbarn, wo sich Bekannte und Verwandte zur Überraschung eingefunden, wird jubelnd ausgeführt und bildet eine der lieblichsten von den vielen Episoden des Buches. Nolten erhält jetzt auch einen glänzenden, seine Zukunft sichernden Ruf zu einem fernen Fürsten. Aber die Rückkehrenden trifft die Schreckensnachricht, daß den guten Baron der Schlag getroffen. Damit kehrt eine ernste und wehmüthige Stimmung in den kleinen Kreis ein.

»Was Theobalden betrifft, so war ein solcher Verlust für ihn noch von besonderer Bedeutung. Wenn uns unvermuthet eine Person wegstirbt, deren innige und verständige Theilnahme uns von Jugend an begleitete, deren ununterbrochene Neigung uns gleichsam eine stille Bürgschaft für ein dauerndes Wohlergehen geworden war, so ist es immer, als stockte plötzlich unser eignes Leben, als sei im Gangwerk unsers Schicksals ein Rad gebrochen, das, ob es gleich auf seinem Platze beinahe unentbehrlich scheinen konnte, nun durch den Stillstand des Ganzen erst seine wahre Bedeutung verriethe. Wenn aber gar der Fall eintritt, daß sich ein solches Auge schließt, indem uns eben die wichtigste Lebensepoche sich öffnet, und ehe den Freund die frohe Nachricht noch erreichen konnte, so will der Muth uns gänzlich fehlen, eine Bahn zu beschreiten, welche des besten Segens zu ermangeln, uns fremd und traurig anzublicken scheint.«

Agnes ist die Ruhigste von Allen. Sie kämpft mit Erhebung gegen ein Gefühl, das sie mit Niemand theilen zu können scheint. Sie verzehrt seit Kurzem eine andere Empfindung, eine unerklärliche Angst. »O wenn es wahr wäre«, spricht sie, »daß ich meine Thränen auf größeres Unglück aufsparen soll, das erst im Anzug ist!« Mit diesen Worten bricht sie in das fürchterlichste Weinen aus. Bald darauf widersetzt sie sich aufs entschiedenste dem Willen des Vaters und dem Wunsche des Bräutigams, sich in der Aussicht auf die nahe Versorgung sofort in der Heimat trauen zu lassen, und nur ungern, nachdem man ihr hierin nachgegeben, willigt sie darein, mit dem Bräutigam und dessen jüngster Schwester auf einem Umwege nach dem Ziel ihrer Bestimmung abzureisen. Am Ende tritt sie diese Reise mit Heiterkeit an; die Ahnung ist beschwichtigt, und sorglos gehen die Liebenden der Katastrophe entgegen. Nach einigen Regentagen kommen sie bei heiterm Wetter in einer ehemaligen Reichsstadt an. Hier entdeckt Nolten einen Schuft von ehemaligem Bedienten, der im ersten Theile der Novelle eine nicht unbedeutende episodische Rolle spielt. Dieser zeigt ihm in der dampfenden Stube eines alten Bierhauses der Stadt, in der unerwarteten Gesellschaft von genialen Säufern aus dem Handwerksstande – seinen Freund Larkens, selbst als Handwerker verkleidet.

»Nolten, wie er hinschaut, wie er das Gesicht des Fremden erkennt, glaubt in die Erde zu sinken, seine Brust krampft sich zusammen im entsetzlichsten Drang der Freude und des Schmerzens; er wagt nicht, zum zweiten Mal hinzusehen, und doch, er wagt's, und – ja! es ist sein Larkens! er ist's, aber, Gott, in welcher unseligen Verwandlung! Wie mit umstrickten Füßen bleibt Theobald an eine Säule gelehnt stehen, die Hände vors Auge gedeckt, und glühende Thränen entstürzen ihm. So verharrt er eineWeile. Ihm ist, als wenn er, von einer Riesenhand im Flug einer Secunde durch den Raum der tosenden Hölle getragen, die Gestalt des theuersten Freundes erblickt hätte, mitten im Kreise der Verworfenen sitzend.«

Aber Larkens hat auch ihn gesehen, er verschwindet und führt einen früher schon gegen Nolten brieflich angedeuteten Entschluß plötzlich aus. Er vergiftet sich. Der Dichter läßt vermuthen, daß eine geheime, aus ihren Briefen entsprossene und genährte Leidenschaft für die Braut seines Freundes den Schauspieler zu dem verzweifelten Entschlusse gebracht habe. An der Leiche des Freundes trifft der trostlose Theobald einen vornehmen Mann, einen Präsidenten, der, in dieser Stadt zurückgezogen lebend, den Künstler in seiner Verkleidung erkannt und kurzen Umgang mit ihm gepflogen hatte.

»Ist's möglich, sprach der Präsident, seh' ich hier die Reste eines Mannes, der eine Welt voll Scherz und Lust in sich bewegte und zauberhelle Frühlingsgärten der Phantasie vor uns entfaltete? Ach, wenn ein Geist, den doch der Genius der Kunst mit treuem Flügel über all' die kleine Noth des Lebens wegzuheben schien, so frühe schon ein ekles Auge auf dieses Treiben werfen kann, was bleibt alsdann so manchem Andern zum Troste übrig, der, ungleich ärmer ausgestattet, sich in der Niederung des Erdenlebens hinschleppt? Und wenn das vortreffliche Talent selbst, womit Ihr Freund die Welt entzückte, so harmlos nicht war, als es schien; wenn die heitere Geistesflamme sich vielleicht am besten Öl des innerlichen Menschen schmerzhaft nährte: wer sagt mir dann, warum jenes namenlose Weh, das alle Mannheit, alle Lust und Kraft der Seele bald bänglich schmelzend untergräbt, bald zornig aus den Grenzen treibt, warum doch jene Heimatlosigkeit des Geistes, dies Fort- und Nirgendhinverlangen in Mitten eines reichen, menschlich-schönen Daseins so oft das Erbtheil herrlicher Naturen sein muß?«

Von diesem, im Jammer und durch denselben neu erworbenen Freunde erfährt Nolten auch, daß nur die Hypochondrie und der Glaube, daß sein körper-
liches Misbehagen durch Handwerkerarbeit gehoben werden könne, den Schauspieler jener abenteuerlichen Gesellschaft zugeführt habe. Von allen Trauern-
den ist Agnes die Ruhigste. Sie erblickt in der ganzen schrecklichen Begebenheit
mit Larkens nichts Anderes als die gewisse Erfüllung eines ungewissen Vorge-
fühls, und so vermag sie, ein offenbares und geschehenes Übel mit leichterm
Herzen zu beweinen als ein gedrohtes zu erwarten. Unsere Reisenden haben sich
indessen mit ihrem Bedürfnisse, den theuern Hingeschiedenen zu betrauern,
fest an den (von seiner steifen Gemahlin halb getrennt lebenden) Präsidenten
und seine liebenswürdige, männlich gebildete Tochter Margot angeschlossen und
beziehen auf seine Einladung das ländliche Schloß desselben. Hier ist es, wo ein
vom Landmann und Gärtner ersehntes Gewitter, dem Agnes und ihr Bräutigam
gelauscht haben, den Letztern zu verführen scheint, sich auch seines schnöden
Geheimnisses gegen Agnes zu entladen. Als daher Agnes, vom Standpunkte
eines weiblichen Gemüthes aus, den Schauspieler, von welchem die Rede geworden, etwas streng beurtheilt, bricht Theobald aus: »Warum es Dir verhalten?
Was ängstigt mich? O Gott, bin ich es ihm nicht schuldig? Du sollst, Agnes, ich
will's, Du mußt ihn lieben lernen! Dies ist der Augenblick, um Dir das rührend-
ste Geheimniß aufzudecken.« Und damit strömt dem Maler der ganze fromme
Betrug seines Freundes von den Lippen. Er war zu Ende. Sanft drückt er ihre
Hand an seinen Mund; sie aber, stumm, kalt und versteinert, gibt nicht das
kleinste Zeichen von sich. Endlich stürzt sie mit dem Ausruf: »O unglückselig,
unglückselig!« händeringend und den Maler weit wegstoßend in das Haus. Der
Wahnsinn hat sich ihrer bemächtigt und dies Mal unheilbar. Sie wird in ihm
durch die plötzlich erscheinende Zigeunerin bestärkt, welche die wüthendste
Leidenschaft für Theobald an den Tag legt und sich für seine Geliebte erklärt.
In Agnes aber schien die sonderbarste Personenverwechselung zwischen Nolten
und Larkens vorgegangen zu sein. »Den Maler schien sie zwar als den Geliebten
zu betrachten, aber keineswegs in der Gestalt, wie sie ihn hier vor Augen sah.
Die Briefe des Schauspielers trug sie wie ein Heiligthum jederzeit bei sich, ihn
selbst erwartete sie mit der stillen Sehnsucht einer Braut, und doch war es
eigentlich nur wieder Nolten, den sie erwartete.« Am liebsten hält sie sich an
einen frommen jungen Blinden, den musikalischen Gärtnerssohn Henni, der

sich vergebens bestrebt, ihren verirrten Geist wieder auf die rechte Straße zu bringen. Vergebens hat sich auch der Maler, nachdem er zum letzten Mal in einem ihrer lichten Augenblicke an Agnes' Lippen gehangen, aus dem Schlosse entfernt, um ihrer Genesung nicht im Wege zu stehen. Alles ist vergebens. Eines Morgens wird Agnes vermißt und nach langem Suchen des ganzen Hauses in einem Waldbrunnen ertränkt gefunden. Nolten, den die ausgesandten Boten verfehlt hatten, erscheint unerwartet von einer andern Seite her. Er fragt nicht nach Agnes; aber in der Nacht vor ihrem Begräbnisse erwacht er vom Orgelton, der aus dem linken Schloßflügel herüberschallt (ein im ersten Theile prophe- zeites Omen). Auch der Gärtner und Henni vernehmen es. Sie eilen nach der alten Kapelle, von woher sie einen starken Fall sammt lautem Aufschrei gehört. Dort finden sie den Maler leblos (und wirklich todt) am Boden. Der blinde Henni aber hat eine wunderbare Vision – er sieht leibhaftig Nolten und die Zigeunerin an der Orgel stehen, dann Beide gleichgültig – über Nolten's Leichnam hin- schreiten. Nach des Malers Tode bringt der Präsident Theobald's Schwester nach Neuburg zu dem armen Förster; da kommt der Brief eines alten, bizarren, kunstliebenden Hofraths aus der Residenz an, der in der ersten Hälfte des Ro- mans als ein Gönner des Malers öfters auf die Scene gebracht worden ist. Dieser gibt sich in dem Briefe als jenen väterlichen Oheim Theobald's, Friedrich Nolten, den Vater der Zigeunerin, zu erkennen; er ruft ihn nach Agnes' Tode zu sich: »Sehen Sie, wir gehören ja recht füreinander, als Zwillingsbrüder des Geschicks! Mit dreifachen ehernen Banden haben freundlich-feindselige Götter dies Paar zusammengeschmiedet.« Umsonst! Auch die Gräfin Konstanze, die mit Nolten's Glück noch bis auf die letzte Zeit in Verbindung mit dem Hofrath beschäftigt war, überlebt jene kläglichen Schicksale nur wenige Monate.

Dies wäre der Grundriß der Erzählung, der, obgleich er alles Nebenwerk bei Seite lassen und auf jede Ausführung des Einzelnen verzichten mußte, doch wol ein hinreichendes Zeugniß von der Originalität der Erfindung ablegt. Die ein- gemischten Stellen des Buches, zugleich von uns bestimmt, die Trockenheit bloßer Umrisse zu mildern, sind so gewählt worden, daß sie den schönen Styl des Verfassers, seine Meisterschaft in Schilderungen, sein Talent durch Katastro- phen zu überraschen, endlich die psychologische Tiefe seiner Betrachtungen über Menschen und Verhältnisse durch einzelne Proben belegen, die indessen leicht hätten verzehnfacht werden können. Die Leser d. Bl. sind durch unsern Auszug

überzeugt worden, daß sie in diesem Buch etwas Eigenthümliches und Vorzüg-
liches zu erwarten haben. Um so unbedenklicher äußern wir uns daher jetzt auch
über die Fehler der Anlage und Ausführung. Diese entspringen zum größten
Theile viel mehr aus dem Reichthum als aus der Armuth eines dichtenden
Geistes, der noch nicht zu wissen scheint, daß es auch in der Poesie eine erschöp-
fende und verderbliche Verschwendung geben kann, welche, fortgesetzt, freilich
am Ende zur Armuth führen müßte. Schon bei der Grundidee der Novelle,
welche wie bei jedem wahren Gedichte das geistige Substrat seiner Erscheinung
bilden muß, stoßen wir auf eine verschwenderische Duplicität. Die Dichtung
des Verf. wird nämlich nicht blos von Einem, sondern von zwei und zwar ziemlich heterogenen Gedanken beherrscht und geleitet, von einer psychologischen
Wahrheit und einem Mythus der Phantasie. Jenes ist offenbar der Gedanke: daß
es einem Menschen bei dem besten Willen nur mislingen kann, wenn er das
Schicksal spielen und den Zufall einer-, den Betrug andererseits zum Diener
seiner Vorsehungsgedanken machen will; die ganze Weltregierung des Pygmäen
wird, je nachdem Betrug und Zufall wirken, entweder zur lächerlichen Komödie
(und dies wäre die würdige Aufgabe für einen komischen Roman) oder zur
schrecklichen Tragödie, wie sie in Mörike's Novelle durch den so fürchterlich
mislungenen Versuch des Schauspielers Larkens, die Vorsehung seines Freundes
Nolten zu werden, vortrefflich dargestellt worden ist. Aber der Verf. begnügt
sich damit nicht; es sollte noch ein anderes phantastischeres Geschick durch sein
Buch schreiten: Nolten's Oheim und die verhängnißvolle Zigeunerin sollen den
Gedanken anschaulich machen, »daß oft eine unbekannte höhere Macht in wunderlichen Bahnen den Gang des Menschen planvoll zu leiten scheint. Der meist
unergründliche, verhüllte, innere Schicksalskern, aus welchem sich ein ganzes
Menschenleben herauswickelt, das geheime Band, das sich durch eine Reihe von
Wahlverwandtschaften hindurchschlingt, jene eigensinnigen Kreise, worin sich
gewisse Erscheinungen wiederholen, die auffallenden Ähnlichkeiten, welche sich
aus einer genauen Vergleichung zwischen frühern und spätern Familiengliedern
in ihren Charakteren, Erlebnissen, Physiognomien hier und da ergeben (sowie
man zuweilen unvermuthet eine und dieselbe Melodie nur mit veränderter
Tonart, in demselben Stücke wiedererklingen hört), sodann das seltsame Verhängniß, daß oft ein Nachkomme die unvollendete Rolle eines längst modernden
Vorfahren ausspielen muß: dies Alles springt uns offener, überraschender als

bei hundert andern Individuen hier am Beispiele unsers Freundes in das Auge. Dennoch wird man bei diesen Verhältnissen nichts Unbegreifliches, Grobfatalistisches, vielmehr nur die natürlichste Entfaltung des Nothwendigen entdecken« (I, S. 274 fg.). Diese tiefe, hier so geistvoll ausgedrückte Idee hätte in einem eignen Roman durch das Talent des Verfassers, das allerdings einer solchen Aufgabe gewachsen war, ausgeprägt werden sollen. Aber parallel mit jenem andern Grundgedanken durchs ganze Buch hinlaufend, schadet sie offenbar seiner Entwickelung und wird wieder durch ihn in ihrer eignen gestört. Dieses neue Fatum führt nämlich eine Unzahl von Vorzeichen und (in Sachen und Personen bestehenden) Schicksalsboten herbei, eine Menge Verwickelungen, historische Erklärungen, Rückblicke u.s.w., welche der Einheit der Erzählung und dem Interesse der einfachen Verhältnisse zwischen Larkens, Nolten, Agnes und Konstanze offenbaren Eintrag thun. Die Letztere muß viel zu bald für die Theilnahme, die ihr Wesen und Schicksal eingeflößt hat, von der Scene abtreten; der Hokuspokus mit der Zigeunerin während der Maskerade auf dem Stadtthurm nimmt einen ungebührlichen Raum weg und macht offenbar, daß der Dichter nicht Platz genug findet, das Kunststück von Larkens mit der falschen Correspondenz auf eine die Wahrscheinlichkeit, welche sich der moderne Roman durchaus zur Pflicht machen muß, nicht allzu grob verletzende Weise einzuleiten. Nimmt er sich doch nicht einmal Zeit, uns zu sagen, wie es der Schauspieler angreift, um die Handschrift seines Freundes mit einer so unbegreiflich täuschenden Kunst nachzuahmen. Hätte der Verf. nicht so viel mit seinen Zigeunereien zu thun gehabt, so würden wir vielleicht auch mehr von dem Inhalt der Briefe erfahren haben, welche die liebliche Agnes schreibt, und im zweiten Theile hätte es ihm alsdann vielleicht gefallen, die geheime Liebe, die durch dieselbe Correspondenz in des Schauspielers Herz wie eine grünende Saat um den Krater eines ausgebrannten Vulkans zu keimen beginnt, nicht blos mit der steifen Kanzleisprache eines Chronikenschreibers anzudeuten. Aber wie die psychologischen Wunder durch diese phantastischen leiden, so wird die Entwickelung der Mythe durch die Entfaltung der Vernunftidee geschmälert; dem Leser wird es fast unmöglich, in dem sehr seitwärts gehaltenen, wunderlichen Hofrath (der überhaupt eine etwas verbrauchte Romanenfigur ist) bei der letzten Katastrophe den alten Oheim Nolten, den Semizigeuner, zu erkennen. Auch Theobald, der Held der Novelle, wäre schwerlich so ganz dazu verbannt gewesen, einen neuen Beitrag zu den vor lauter Dulden zu keiner Entwickelung eines kräftigen Charakters kommenden Romanhelden zu liefern, wenn er nicht mit einem gedoppelten Fatum, dem gemachten seines Freundes und dem angeborenen der Familie Nolten, zu kämpfen gehabt hätte. Er wäre dann wol auch nicht so gar bald als Maler verschollen, um blos als unglücklich Liebender fortzuleben, wodurch der Titel »Maler Nolten« fast zur Unwahrheit wird. Die seltsame Liebe der Zigeunerin zu Nolten verwickelt den tragischen Ausgang der Geschichte und trübt den schönen und rührenden Wahnsinn Agnesens vollends so, daß dem Leser der Trost eines klaren Schmerzes, der zur Versöhnung des Gefühls durchaus nothwendig war, dadurch gänzlich geraubt wird.

So viel vom Verschwenderischen in der Grundanlage. Noch viel auffallender zeigt sich der Reichthum eines wahren Dichtergeistes, der aber sein selbst noch nicht ganz mächtig ist, in der Menge von Episoden und der Überzahl von Personen und Charakteren. Die Episoden sind größtentheils an und für sich so schön, daß es Ref. einige Überwindung kostet, sie zu tadeln. Aber der steten Entwickelung der Hauptideen wird doch durch die allzu häufige Unterbrechung Einhalt gethan. Die wiederholten Wispeliaden, worunter die zweite (I, S. 124 fg.) überdies, trotz ihrer komischen Kraft, doch wieder alle Grenzen der Wahrscheinlichkeit überschreitet, die Legende vom Geiger, die Geschichte von Alexis und Belsore sind sehr hoffnungsvolle Novellenembryone; aber unsere umfangsreiche Geschichte sollte nicht mit ihnen schwanger gehen. Nur das Zwischenspiel: »Der letzte König von O.«, mit seiner Thereile und wunderbarem Silpelitt, sowie sämmtliche gar köstliche Lieder der Sammlung, auch das Handwerkercollegium Lörmer's im Bierhause möchten wir keinesfalls vermissen, denn diese Episoden sind wirklich mit unsichtbaren Fäden an die Hauptgeschichte selbst geknüpft.

In den Charakteren offenbart sich eine herrliche Kenntniß des menschlichen Herzens, die an dem ohne Zweifel jungen Verfasser so bewundernswürdig ist wie an dem 24jährigen Göthe in »Werther's Leiden«. Der lieblichen Agnes hat schon Wolfgang Menzel im »Literaturblatt« ihr volles Recht angethan, und wir unterschreiben alles dort über sie Gesagte; nur Einen Zweifel erlauben wir uns: ist so viel Gesundheit des Leibes und Geistes mit der frühen Prädisposition zum Wahnsinne vereinbar? Der Charakter von Larkens ist ein Meisterstück; ja, es gibt solche edle, aber halb verlorene Naturen, die, was sie mit Unterlassungs-

und Begehungssünden an ihrem eignen Ich verbrochen haben, durch die auf-
opferndste Fürsorge für ein zweites Ich wieder gutzumachen suchen. Daß es
ihnen nicht gelingt, daß sie darüber verzweifeln und zu Grunde gehen, ist ein
Act der göttlichen Strafgerechtigkeit. Die Durchführung dieses Charakters erfüllt mit Achtung gegen den jungen Schriftsteller, dessen Feder ihn gezeichnet   5
hat. Die Zigeunerin wäre uns in einem neuen Roman sehr willkommen; hier ist
sie nicht blos der böse, störende Genius der Geschichte, sondern auch des Kunstwerks und dürfte schon als zweite Wahnsinnige etwas überzählig sein. Sehr viel
Werth haben als Charakterzeichnungen auch Konstanze, Adelheid, Nanette, der
Förster, Amandus, das schöne Mohrengesicht Margot, in welcher Mörike die ge-   10
lehrten Frauen, wenn sie es mit Vernunft sind, sehr schön vertheidigt hat; dann
Nolten's wunderlicher Vater, Wispel, Lörmer, welches Caricaturen, aber gewiß
Caricaturen nach dem Leben sind, wie denn überhaupt an dieser Novelle es so
anziehend ist, daß sie fühlbar fast lauter Erlebtes, nicht aus der bloßen Idee Her-
ausgesponnenes oder andern Büchern Abgeborgtes enthält. Der Fehler ist nur   15
der, daß der Verf. zu viel Erlebtes, namentlich in Charakteren, anbringen will.
Wozu zwei oder drei Barone und ein Präsident obendrein, da für die Geschichte
Eine Person der Art genügt hätte; wozu ein Leopold und ein für die Begebenheiten ganz gleichgültiger Raimund, der mit seiner Henriette doch so ausführlich behandelt ist; wozu andere Personen die Menge? Henni, der Blinde, eine   20
ganz Jean Paul'sche Figur, ist höchst anziehend, aber in der klaren Atmosphäre
des Buches nimmt er sich noch ängstlicher aus als selbst Elisabeth, und im Wun-
dereifer läßt der Dichter den Blinden nicht blos eine Vision (die herrlich ist),
sondern den leibhaftigen Leichnam des Malers selbst sehen. Wären nicht so viele
Charaktere und Episoden gehäuft, so würden wir auch das ahnungsvolle Ge-   25
mälde Nolten's, das den Grundton des Ganzen zum Voraus angibt (I, S. 9 fg.),
besser im Gedächtnisse behalten. Von den zahlreichen Verstößen gegen den Ton
der Gesellschaft, welche der Verf. begeht, wo er die große Welt, die er nicht kennt,
zu schildern unternimmt, wollen wir nicht weitläufig sprechen, obwol der Leser,
der längst des Dichters Freund geworden ist, diesen anstoßen und noch zu rechter   30
Zeit warnen zu müssen glaubt, wenn er lesen soll, daß Konstanze, die Gräfin, von
der Gesellschaft aufsteht, um – nach dem Thee zu sehen; oder wie sie in Gedanken mit einem Wischlumpen die Meubles abputzt, oder Morgens bei 25 Grad
Kälte in den Garten geht. Doch, stille von diesen kleinen Unbeholfenheiten!

– ingenium ingens

Inculto latet hoc sub corpore. –

Mit dieser Überzeugung nehmen wir von dem Erstlingsproducte eines seltenen Talentes Abschied und hegen den innigen Wunsch, daß es einem Ludwig
Tieck gefallen möchte, den »Maler Nolten« zu lesen und den Verf., der sich zu
seinem Schüler bekennen muß, eines aufmerksamen Blickes zu würdigen.

Friedrich Notter, in: Der Unpartheiische. Ein encyclopädisches Zeitblatt für Deutschland,
Jg. 1833, Nr 2–4 vom 2. bis 4. April, S. 7–8; 12; 14–16

Wir könnten die Reihe unserer Kritiken im Fach der poetischen Literatur
nicht wohl mit einem Werk beginnen, das, seinen Vorzügen wie seinen Fehlern
nach, so durchaus auf deutsche Natur hinwiese, als der eben genannte, mit
Geist und Gemüth in reichem Maß ausgestattete R o m a n, wie wir ihn einstwei-
len auf unsere Gefahr hin nennen wollen. Eine tiefe, aus dem Innersten heraus
poetische Seele, ein feiner, mit der Fantasie aufs Glücklichste verschmolzener
Verstand frappiren, rühren, erquicken den Leser, und fordern ihn zum eigenen
Nachdenken, zum Nachempfinden selbsterlebter Zustände auf; das Buch gehört
zu denjenigen, die man nicht in Einem Zuge fort, aber in langsamem Genuß
mehrmal liest, ja woraus man einzelne Stellen immer und immer lesen wird.
Fragte uns aber Jemand nach der Grundidee desselben, so würden wir um eine
Antwort eben so verlegen seyn, als es uns leicht werden sollte, treffende Bemerkungen, gelungene Bilder, lebendige Darstellungen äußerlicher und inner-
licher Verhältnisse einzeln aus dem Zusammenhang abzureißen. Die Fabel, um
welche sich das Ganze dreht, ist kurz folgende: Theobald Nolten, ein junger
Maler, ist als der Verlobte Agnesens, eines einfachen Landmädchens, nicht
lange nach der entfernten Residenz gezogen, als seine zurückgelassene Braut
durch ein geheimes Gefühl ihres Mißverhältnisses zu dem an Geistesbildung
weit über ihr stehenden Geliebten, und nebenher durch die unglückliche Prophezeiung einer Zigeunerin, an ihrer Liebe irr wird, und in diesem Zwiespalt des
eigenen Wesens gegen einen, ihrer Natur wie sie glaubt angemessenern, entfernten Verwandten eine gewisse Zuneigung beweist, die freilich nur auf jenem
Zustand des weiblichen Gemüths beruht, worin dasselbe, von übermächt'gen
Einflüssen zerrissen, sich hülfeflehend an den nächsten Gegenstand anklammert,
und vom eigentlichen Wahnsinn weniger entfernt ist, als das äußere Benehmen

zu erkennen gibt. Theobald, von diesem Vorgang obenhin unterrichtet, entschließt sich, dem Mädchen zu entsagen, ohne daß er ihr gleichwohl hierüber eine förmliche Erklärung geben zu müssen glaubt, sondern diese in dem Abbrechen seines bisherigen Briefwechsels deutlich genug ausgedrückt findet. Bald wird ihm, was Anfangs Folge gekränkter Liebe, gereizten Stolzes war, zum leisen Wunsch, denn er fühlt sich von den Reizen der schönen Gräfin Constanze, einer jungen Witwe, die Alles in sich vereinigt, was Agnesen abgeht, mächtig angezogen. Da entschließt sich sein Freund und Hausgenosse, der Schauspieler Larkens, besorgt, der Maler möchte durch die blendenden Zirkel der höheren Welt seinem eigentlichen Beruf entfremdet werden, und überzeugt, daß dessen enthusiastische Natur gerade einer Verbindung bedürfe, »die ihn freundlich losspanne von der wühlenden Begier einer geschäftigen Einbildung,« ihm die erste Geliebte zu retten, ihn der zweiten zu entreißen. Er bedient sich dazu des Mittels, das ihm seine Fertigkeit, fremde Handschriften nachzuahmen, und sich in fremde, sogar willkürlich erdachte, Situationen zu versetzen, darbeut. – Alle Briefe Agnesens an Theobald, seit dieser beschlossen hat, nicht mehr zu antworten, beantwortet der Schauspieler, als wäre er der Maler, denn des Mädchens erstes Schreiben aus jener Periode war ihm durch einen Zufall in die Hände gerathen, die folgenden Briefe liefen alle ganz sicher an ihn ein, da er in der Maske Theobald's Agnesen »unter irgend einem Vorwand« aufgefordert hatte, ihre Antworten stets an Larkens zu adressiren. Ist es ihm auf diese Weise bald gelungen, Agnes wieder ganz an den Maler zu fesseln, so sucht er Constanzen, von welcher er nicht weiß, daß sie mit tiefem und wahrhaftem Gefühl des Freundes Leidenschaft erwidert, diesem dadurch abwendig zu machen, daß er ihr Agnesens Briefe und sogar ein fingirtes Antwort-Koncept Theobalds zuschiebt, was denn seine Wirkung natürlich nicht verfehlt, zunächst aber für beide Künstler von sehr üblen Folgen im äußerlichen Leben ist, da die Gräfin durch ihre hohen Verbindungen Gelegenheit hat, dem vermeintlich Ungetreuen und dem mit ihm verbündeten Schauspieler ihre tiefe Kränkung auf die fühlbarste Weise zu erkennen zu geben. Indessen löst sich auf diesem Weg Theobalds Herz nur um so sicherer von Constanzen ab, und sein Mentor hat nichts mehr zu thun, als ihm das bisher mit Agnes getriebene Spiel und den gegen ihre Nebenbuhlerin gebrauchten Kunstgriff zu entdecken. Von der Treue Agnesens durch ihre Briefe an seinen Doppelgänger überwiesen, kehrt der Maler zur ersten Empfindung für sie zurück, läßt Constanzen auf eine zarte Weise von dem wahren Hergang unterrichten, erhält ihre vollkommene Verzeihung und reist in der frohesten Stimmung nach dem Dorf ab, wo die erste Geliebte, als einziges Kind des alten Försters, lebt. Allein eine unerklärliche Angst veranlaßt Diese, die von Theobald gewünschte Vermählung hinauszuschieben, ja ihn endlich unvermählt, in Gesellschaft seiner jüngern Schwester, nach dem Ort seiner künftigen Bestimmung zu begleiten. Übrigens hält sie ihn noch fortwährend für den Urheber jener nachgeahmten Briefe, und er wagt es für jezt nicht, ihr den Irrthum zu benehmen. Da trifft er in einer Stadt, durch welche die Reise führt, Larkens, der noch in der Residenz auf längere Zeit von ihm Abschied genommen hatte, in der Tracht eines geringen Handwerkers. Dieser aber erblickt nicht sobald den Freund, als er fortstürzt und noch an demselben Abend sein Leben durch Gift endet. Theobald, aufs Heftigste erschüttert, steht nunmehr nicht länger an, Agnesen von der Rolle zu unterrichten, die der Verstorbene auf so seltsame und großmüthige Art gegen sie gespielt hat. Gegen Vermuthen geräth sie darüber in das höchste Entsetzen; von Neuem wird sie an sich, an dem Geliebten, an der ganzen Menschheit irr; völlige Verrücktheit tritt nach Kurzem ein, und ein absichtlicher, mit der List des Wahnsinns herbeigeführter, Tod endet ihr Daseyn. Wenige Tage zuvor war sie wieder mit jener Zigeunerin zusammengetroffen, deren im Eingang gedacht worden ist. Dieser hatte Theobald als sechzehnjähriger Knabe, bei einem zufälligen Zusammentreffen, ewige Liebe geschworen; nie als eben in dieser lezten Zeit war sie ihm wieder zu Gesicht gekommen; aber leidenschaftlich hat sie ihn an sein Versprechen erinnert, und als er sie von sich gestoßen, gerufen: »Weh! wenn mein Geliebter mir flucht, so zittert der Stern, unter dem er geboren!« Wenige Tage darauf ward ihr Leichnam auf offener Straße gefunden. – In der Nacht, die auf Agnesens Tod folgt, vernimmt Theobald wunderbare Musik, der er nachgeht, aber entseelt niederfällt, sobald er am Ort, woher sie tönt, angelangt ist. Vom Fall aufgeschreckt eilt man herbei, und ein blinder Knabe, der für diesen Moment in einen, keineswegs ohne Bedacht motivirten und eingeleiteten, Zustand des übernatürlichen Hellsehens geräth, glaubt den Geist des leblos vor ihm Liegenden zu erblicken, wie ihn ein anderes, jener Zigeunerin ähnliches Schattenbild am Arm ergreift. Gezwungen und traurig, »das Auge voll Elend«, folgt der erste Schatten dem zweiten. – Constanze überlebt Theobalds Tod nur um wenige Monate. Die Zigeunerin war die Tochter von Theobalds Oheim und einer Frau dieses Volksstammes, mit welcher Jenen Gemüthslüstelei, oder – ein aus den Fugen getretenes Schicksal verbunden hatte.

Dies die, freilich höchst gedrängte, Skizze eines, wie man sieht, nicht eben wahrscheinlich, ja mitunter abenteuerlich zusammengesezten Ganzen, über welches nichts desto weniger eine Fülle von Talent ausgegossen ist. Es ist nicht aus Einem Guß gemacht, im Gegentheil scheint es, dem Dichter sey die ursprünglich beabsichtigte Novelle unter der Hand zum Roman angewachsen, wie wir das Werk, seines Umfangs wegen, oben genannt haben, wenn wir auch gestehen, daß es der Beschränkung des Hauptverhältnisses nach mehr der erstern Dichtungsart angehöre; aber es war Überfluß an Geist und Darstellungsgabe, was den Verfasser zu diesem in die Breite Gehen verlockte. Es fehlt ihm bedeutend an Kenntniß äußerlicher Lebensverhältnisse, namentlich was die höhere Gesellschaft betrifft, auf deren Introducirung er gleichwohl einen Werth zu legen scheint; es fehlt ihm, unseres Bedünkens, nicht minder der eigentliche Sinn für bildende Kunst, und was gelegentlich über Malerei gesagt wird, erscheint daher als bloße Nebensache, die mit dem Wesen des Romans ziemlich wenig zu thun hat; aber er kennt das menschliche Herz von den geheimen süßen Winkeln an, worin die Freuden der Kindheit nisten, bis zu dem schwellenden Triumpf der Liebe; aber er steht in jenem zarten und doch lebenskräftigen Verständniß zu der Natur, die den ächten Dichter bezeichnet. In Bezug auf das poetische Talent selbst erscheint er nur in Einer Beziehung mangelhaft, nämlich in der äußern Gestaltung und Veranschaulichung seiner Personen; nur wenige, und keineswegs diejenige, nach welcher das Buch sich nennt, treten auf eine lebendige Weise vor die Fantasie des Lesers, so wahr und tief auch ihre Empfindungen im einzelnen Falle geschildert sind. Am gelungensten in dieser Hinsicht dürfte noch die Figur des Schauspielers seyn, die überhaupt mit besonderer Liebe behandelt wurde und welche die Gestalt des Malers gewissermaßen in Hintergrund drängt; wie es denn auch, wenn wir den Verfasser recht verstehen, Larkens ist, welchem die Seele Agnesens angehört. Besonders loben wir, daß bei Diesem die innere Bewegung nicht, wie bei den Andern, blos auf das Gemüth beschränkt bleibt, sondern zunächst zu einer äußerlichen Thatsache, (seinem Entschluß Handwerker zu werden, und dem unsicher gewordenen Geist gleichsam den lezten, materiellen, Halt zu geben) führt, und wünschten, daß auch den übrigen Personen mehr dergleichen äußerliche Züge geliehen wären, wodurch das Ganze

an Farbe und Leben bedeutend gewonnen, und der Dichter, von dem wir keineswegs fordern, daß er auf einen blos sinnlichen und stoffartigen Eindruck hin-
arbeite, sein Recht, geistig zu wirken, durchaus nicht verloren haben würde. –
Im Widerspruch mit den zu wenig bestimmten Umrissen, unter welchen die im
5   Vordergrund befindlichen Gestalten erscheinen, ist den Nebenfiguren oft zu viel
Bedeutung geliehen, und während die Hauptpersonen einer wünschenswerthen
Äußerlichkeit entbehren, gibt sich nicht selten ein auffallendes Talent kund,
die niedern Stände der Gesellschaft durch leicht hingeworfene Züge aufs Wahrste
und Ergötzlichste zur Anschauung zu bringen.

10 Wenn wir übrigens eine Verwirklichung der Hauptfiguren vermissen, so
ergibt sich aus dem eben Bemerkten wohl von selbst, daß wir hierunter keine
Hervorhebung unwesentlicher Attribute, wie etwa der Kleidung und des sonstigen Gehens und Stehens begreifen. Ein Wort, ein Komma, wie Göthe bemerkt, kann einen Karakter versinnlichen, ihn der Einbildungskraft bis auf den
15 Grad vergegenwärtigen, daß diese nun selbst jenes »Stehen und Gehen« ergänzt,
während die genaueste Beschreibung der Äusserlichkeit nie eine lebendige
Gestalt zu erschaffen vermag. – Nicht ohne viele Wirklichkeit ist in dem zwischen höherem und niederem Stand hintänzelnden Barbier Wispel die Virtuosi-
tät eines Tropf's gezeichnet; doch wird derselbe in einzelnen Beziehungen un-
20 wahrscheinlich, und spielt für einen solchen Kauz jedenfalls eine zu hervortre-
tende Rolle. Hätte es dem Dichter gefallen, die Hauptpersonen selbst mehr
äußerlich auftreten zu lassen, so hätte es keiner solchen tertiären Existenz bedurft, um, nach den bloß in der Gemüthswelt spielenden Scenen, auch der
Außenwelt wieder ihr Recht einzuräumen. Dabei können wir nicht ungerügt
25 lassen, daß der in das Ganze eingreifenden, oder doch als Statisten gebrauchten
Personen überhaupt zu vielerlei sind, wodurch ein etwas maskeradenartiger
Effekt hervorgebracht wird.

Um uns denn aber doch dem leitenden Gedanken des Werkes zuzuwenden,
so scheint uns zunächst die Ansicht entgegen zu treten, daß eine Wahlverwandt-
30 schaft zwischen den Gemüthern stattfinde, die, wenn sie mit Anregung des gegen-
seitigen tieferen Bewußtseyns wirkt, einen festen Bund begründe, wenn sie aber
nur durch den allgemeinen, noch nicht persönlich oder individuell gewordenen, und insofern nach Art eines Zaubers sich äußernden Naturgeist vermittelt wird, beim Zusammentreffen der verwandten Seelen zwar mit dem

höchsten Entzücken verbunden seyn könne, durch Dazwischentritt einer noch
stärkeren Affinität aber gleichwohl wieder auflösbar sey. Es hängt dabei von
der Kraft des Karakters, von der Gesundheit der Natur ab, ob der Mensch fähig
ist, jenem zauberhaften Einfluß gleich von vorn herein zu widerstehen; schwerer
wird es dem Gemüth natürlich, wenn jener Einfluß vermittelst eines kränkeln-   5
den Zuges der Seele einmal Eingang gefunden hat, beim Hervortreten der stärkeren Affinität nicht zusammen zu brechen. Auf diesem Weg scheint das Verhältniß zwischen Theobald und Agnes, scheint das frühere zwischen dem Oheim
und der Zigeunerin begründet worden zu seyn. Jene, treuere und, die krank-
hafte Reizbarkeit abgerechnet, reine Naturen, gehen im Kampfe zu Grund; der   10
Oheim, das selbstsüchtigere und lüstelnde Wesen, stirbt nach und nach dem
Gemüth ab, und blos eine, vom Dichter sehr gut gezeichnete, geistige und phy-
sische Leckerhaftigkeit bleibt ihm zurück. – Larkens steht zu Agnes in stärkerer
Affinität als Theobald, wird aber wiederum von jener selbst in ihre Sphäre gezogen, und büßt schwer dafür, die Rolle des Schicksals zu keck gespielt zu haben. –   15
Können wir aber den Faden des Ganzen bis hieher – nicht ohne Gefahr, uns ge-
irrt zu haben – verfolgen, so treffen wir plötzlich auf den Einfluß, welchen die
halb wahnsinnige Tochter des Oheims auf Theobald ausübt. Wollte der Verfasser
damit ausdrücken, daß, wie ähnliche Gemüthsbeschaffenheiten in einem Ge-
schlecht forterben, so auch jene dämonische Wahlverwandtschaft zwischen zwei   20
Familien sich fortpflanze? Warum aber dann dem Dämon diese Macht einräu-
men? warum ihm selbst die, jenem Blut nicht entsprossene, Gräfin sklavisch
unterwerfen, wie gleich vorn herein angedeutet wird? Ist denn die Welt so arm
an guten Engeln? hätte als ein solcher nicht Agnes, oder, da diese ihrer zuge-
dachten Rolle nach hiezu nicht geeignet war, nicht Constanze den Einfluß der   25
dunkeln Gewalten paralysiren sollen? Warum mußte zum unabwendbaren Fatum werden, was im vorliegenden Fall zwar nicht auf die heilende Karakter-
kraft, aber immer noch auf ein freundliches Entgegentreten göttlicher Mächte
stoßen konnte? Auch fragen wir den sonst so zartfühlenden Verfasser, ob in der
Gestalt der dem Geliebten durch Feld und Wald nachziehenden Zigeunerin, so   30
rührend der Gedanke an sich auch seyn mag, nicht die sittliche Grazie, wenn
auch noch so leise, verletzt sey; oder vielmehr: ob nicht neben der an keine con-
ventionelle Regeln sich bindenden Leidenschaft eines Naturkindes, und neben
der festen Überzeugung, daß der Gegenstand derselben ihm vom Schicksal selbst

zugetheilt sey, die weibliche Zartheit noch öfter, als es geschehen ist, herausgehoben seyn sollte?

Was den Stil betrifft, so hat der Verf. das Talent, mit Anmuth zu erzählen,
in einem ganz ausgezeichneten Grad, der sein Buch zu einem sehr gelungenen
Nachbild Göthe'scher Darstellungsweise macht; nur möchten wir ihm in Bezug
auf dieses unverkennbar gewählte Muster rathen, sich künftig (wie der Hauptsache nach auch bereits in vorliegendem Werk geschehen ist), mehr an Wilhelm
Meister, als die mitunter pretiösen Wahlverwandtschaften zu halten, an welche
die oft etwas skizzenhafte Schilderung, die in der Erzählung gar zu häufig ge-
brauchte Form der gegenwärtigen Zeit u. dergl. denn doch zuweilen erinnern.
Die eingestreuten Gedichte sind, wenn auch nicht durchaus frei vom Einfluß
fremder Muster, sinnvoll, tief, zuweilen höchst anmuthig. Wir wählen zum Beleg eines der leichter gehaltenen heraus:

> Früh, wenn die Hähne krähn,
> Eh' die Sternlein verschwinden,
> Muß ich am Herde stehn,
> Muß Feuer zünden.
>
> Schön ist der Flammen Schein,
> Es springen die Funken,
> Ich schaue so drein
> In Leid versunken.
>
> Plötzlich da kommt es mir,
> Treuloser Knabe!
> Daß ich die Nacht von dir
> Geträumet habe.
>
> Thräne auf Thräne dann
> Stürzet hernieder;
> So kommt der Tag heran –
> O ging er wieder!

Nur das Lied von dem Feuerreiter hat uns nicht recht zusagen wollen;
das Schauerliche, Unheimliche, das hier in Anwendung gebracht werden soll,
ist dem Dichter unseres Bedünkens nicht schauerlich genug gerathen. – Ein her-

vorstechendes Talent für das Mährchenhafte beurkundet sich an vielen Stellen des eingestreuten Zwischenspiels »der lezte König von Orplid« z.B.

hier steht

Der träumerische Baum, in dessen Saft

Du unser Beider Blut vor wenig Monden 5

Hast eingeimpft.

Jezt kreiset es in süßer Gährung noch

Im Innern dieses Stammes auf und nieder.

Wie sehr die Nacht auch stille sey, mein Ohr

Bestrebet sich vergeblich zu vernehmen 10

Den leisen Takt in diesem Webestuhl

Der Liebe, die mit holden Träumen oft

Dein angelehnet Haupt bethöret hat. – – –

Doch sezt ein Gleichniß wie das folgende:

Gleich jenem Gott, der den demantnen Pfeil 15

Zum höchsten Himmel schnellte, daß er knirschend

Der Sonne Kern durchschnitt und weiter flog,

Bis wo des Lichtes lezter Strahl verlöscht. –

fast aus der Mährchenwelt hinaus; denn das Magische wird keineswegs durch Hyperbeln hervorgebracht, vielmehr gehört gerade die tiefste Lebenskraft, der 20 festeste Sinn für Wirklichkeit dazu, um zauberhaft auf die Fantasie einzuwirken, wie wir es denn nur loben können, daß die in genanntem Stück vorkommenden Elfenkinder einander einige Mal recht derb ausschimpfen und beinah an den Köpfen kriegen. Ihre Natur verliert dadurch nichts an feenhaftem Husch und geheimer Seligkeit, im Gegentheil, sie wird wahrscheinlicher. – Möge sich 25 übrigens der Dichter bei seiner unbestreitbaren Anlage für diese Art von Poesie hüten, nicht zu sehr von Shakespeare influencirt zu werden; auch die gelungenste, und, so weit sich dieser Ausdruck anwenden läßt, selbstständigste Manier ist des wahren Genius unwürdig. – Möge er sich endlich, in Bezug auf sein Streben im Allgemeinen, erinnern, daß wir Deutsche der geistreichen Romane 30 nicht wenige, vielleicht mehr als irgend eine andere Nation, haben, daß wir uns aber nachgerade nach jener Lebenskraft sehnen, welche ein poetisches Werk, so tief auch die zu Grund liegende Idee, und so kunstvoll sie durchgeführt seyn mag, zum Volksbuch macht.

Es folgt eine Leseprobe (Bd 3, S.262,18–264,5).

Friedrich Theodor Vischer, in: Hallische Jahrbücher für deutsche Wissenschaft und Kunst, Jg. 1839, Nr 144–147 vom 17. bis 20. Juni, Sp. 1145–1149; 1153–1157; 1161–1168; 1175–1176

Die Erscheinung Mörike's ist in diesen Blättern bereits besprochen und demselben sein Platz in der Geschichte der neueren Poesie angewiesen worden. Dabei wurde namentlich auf seine lyrische Poesie Rücksicht genommen und der epische Versuch obigen Titels nur vorübergehend berührt. So wenig ich nun die Mängel dieser Leistung übersehen will, so finde ich doch in ihr einen so reichen Schatz von Poesie, daß ich es für Pflicht halte, sie durch eine genauere Betrachtung dem Publikum ganz nahe vor das Auge zu legen. Das Werk selbst trägt gewiß nicht die Schuld davon, daß es sieben Jahre seit seiner Erscheinung im Dunkel geblieben ist, und es ist gewiß nicht zu spät, es aus demselben jetzt hervorzuziehen, denn es enthält genug des Bleibenden und Dauernden in sich.

Es ist nicht zufällig, daß aus der schwäbischen Gruppe in der romantischen Schule kein Dichter in die objectiveren Gattungen der Poesie sich erhoben hat. Uhland und Schwab, welche sich aus dem Umfange der Romantik die gediegene Einfachheit der Empfindung, der Sitte und des Charakters, wie solche das Mittelalter mit seiner ehrenfesten Gesittung darbietet, zum Gegenstande gewählt haben, konnten zum Roman und zur Novelle sich nicht berufen fühlen, welche als wesentlich moderne Gattungen der Poesie nothwendig auch das Vielverschlungene, Getheilte, Complicirte moderner Zustände, die Dialektik eines reicheren, vielseitigeren Pathos, eines mannigfaltig gebrochenen geistigen Lichtes in sich aufzunehmen haben. Uhland versuchte sich im Drama, aber, so würdig und edel er seine Charaktere hinstellt, so vermißt man doch in diesen körnigen Holzschnitten diejenige dramatische Beredtsamkeit, welche nur da gedeihen kann, wo die Skepsis und Sophistik der Leidenschaft dem einfachen Weiß des Lichtstrahles sein prismatisches Farbenspiel giebt und die einfachen Gegensätze von Schwarz und Weiß durch Übergänge und gegenseitige Bewegung vermittelt. Kerner hat sich in seinen Reiseschatten in das epische Gebiet begeben, aber dieser Dichter, der auf schwäbischer Seite die phantastische Mystik der norddeutschen

Meister und Jünger der Schule repräsentirt, konnte es eben so wenig als diese zu einem festen Kunstwerk bringen, ja noch weniger, da er unausgesetzt den Blick von der Wirklichkeit weg auf das Jenseits gerichtet hält, wohin es wie Töne des Alphorns den müden Wanderer lockt.

Die Romantik konnte sich aus ihrer mystischen Innerlichkeit nicht entschließen. Sie hatte kaum eine Gestalt geschaffen, so schlang sie dieselbe verflüchtigt in die Musik unendlicher Empfindungen zurück. Tieck's spätere Novellenpoesie ist schon ein Fortschritt aus der Romantik, während freilich die Productivität nicht mehr in der Frische der romantischen Jugendproducte erscheint. Eben denselben Fortschritt nun bemerken wir bei Mörike; schon in den lyrischen Producten liegt er zu Tage, in höherem und umfassenderem Grade aber tritt derselbe im Maler Nolten hervor: seine Poesie erschließt sich zu einem objectiven Weltbilde. Man darf nur eine Strecke weit in diesen Roman hineinlesen, um sich zu überzeugen, wie vollkommen Mörike dasjenige besitzt, was von Nöthen ist, um ein objectives und umfassendes poetisches Lebensbild aufzustellen. Mörike ist, man sieht es deutlich, sinnvoller Kenner des Plastischen, Zeichner, Musiker, Mimiker; er vereinigt die Künste so in sich, wie es die Poesie überhaupt soll, welche, wie die Phantasie, alle Sinne unsinnlich, ebenso alle Künste idealiter, d.h. für das innere Auge und Ohr allein, in sich vereinigt. Ohne diese sinnliche Begabung ist, man kann es nicht oft genug wiederholen, kein Dichter denkbar; es ist nicht nothwendig, daß er die andern Künste, oder auch nur Eine derselben mit Fertigkeit ausübe oder gründlich kenne, aber er soll für dieselben soweit organisirt sein, daß ihm wenigstens öfters die Frage muß aufgestiegen sein: bin ich nicht zum Maler, Bildhauer, Schauspieler, Musiker bestimmt? Darf für Eine der übrigen Künste der Sinn unentwickelt bleiben, so ist dies am ehesten die Musik, am wenigsten die Malerei, denn das Dichten ist wesentlich inneres Sehen und Übertragung desselben in den Leser. Die Musik correspondirt der Empfindung, welche dem Dichten vorangeht, was Göthe und Schiller schlechtweg die Stimmung nennen; von der Stimmung zum wirklichen Dichten ist aber noch ein großer Schritt und dieser wird eben nur durch denselben Sinn vollzogen, der in den bildenden Künsten ein festes und bleibendes Bild in die Außenwelt hinstellt. Daß die Musik trotz ihrer relativen Armuth, ja durch dieselbe auf der andern Seite gerade reicher ist, als die bildenden Künste, und daß der, wenn auch unausgebildete, Sinn für sie keinem bedeutenden Dichter noch gefehlt hat, soll

darum nicht verkannt werden. Wie reich aber Mörike mit dieser geistigen Sinn-
lichkeit ausgestattet ist, mag sogleich statt unzähliger anderer Stellen, ja statt
des ganzen Buches nur 1, 105–107 beweisen. Ob die hier dargestellte Vereinigung
von Musik, Tanz und Zeichnung möglich sei, ist hier nicht die Frage, der Dichter
darf so weit immer die gemeine Wahrscheinlichkeit überschreiten, und der Leser
frage sich, ob hier nicht die ganze sinnliche Begabung des ächten Dichters sich zu
erkennen giebt. Es kommt aber hier freilich nicht bloß eine oder die andere
Scene in Betracht, es fragt sich vielmehr, ob sämmtliche Individuen, die der
Dichter einführt, von dem Springpunkt ihrer Individualität bis hinaus in die
peripherischen Einzelheiten ihrer äußern Erscheinung zusammen mit der um-
gebenden bewußtlosen Natur und eines mit dem andern in ganzen Situationen
verbunden, von dem Dichter innerlich gesehen sind, und kein unparteiischer
Leser wird dies in Abrede stellen. Grade mögen stattfinden, wie in jedem Kunstwerk die Figuren, die des Dichters Lieblinge sind, von denen, die ihm ferner
stehen, und an deren Erzeugung das Nachdenken mehr Theil hat als die Intuition, sich durch größere Wärme und anschaulichere Lebendigkeit unterscheiden;
aber wenigstens alle bedeutenderen Figuren und Scenen sind sichtbar im Schooße
dieses inneren Schauens entstanden, sie haben den Dichter auf seinem Zimmer
besucht, er hat ihnen ins Auge geblickt, vielleicht unbelauscht auf manchem
einsamen Spaziergange laut mit ihnen geredet. So steht unter den komischen
Figuren namentlich Wispel jeden Augenblick deutlich vor dem Leser; wer ihn
nicht sieht, wird das unendlich Komische dieser Figur gar nicht herausmerken
und genießen, wie denn überhaupt bei Mörike – eine sichere Probe des Dichters –
der phantasielose Leser fast ganz leer ausgeht. Niemals aber beschreibt er, sein
sicherer poetischer Instinct verletzt niemals die große Lehre von Lessing's Lao-
koon, er nimmt die äußere Gestalt nur im Vorübergehen auf als das Accompag-
nement der Affecte und Handlungen, nur in der Bewegung zeigt er sie, nur ein
schneller Lichtstrahl erleuchtet je am rechten Orte plötzlich das Sinnliche. Das
Äußere soll ja in der Poesie noch vollkommener als in jeder andern Kunst nur
das Äußere des Innern sein, und hier erst, wo wir sehen, welche Stellung unser
Dichter demselben anweist, und wie es ihm nur der durchsichtige Körper des
Geistes ist, sehen wir ihn vollständig als Dichter sich bewähren. Durchweg giebt
sich der Genius zu erkennen, der sich mit freier Entäußerung in fremde Seelen-
zustände versetzt, den verschlungenen Irrwegen der schwierigsten geistigen

Stimmungen unermüdlich nachgeht, bis er sie ganz klar gemacht hat, ihre Dialektik mit großer Feinheit, oft nur zu fein ausspinnend und zergliedernd, entwickelt. Dieses Sichhinüberversetzen in das Innere der Personen, der Geschlechter, Stände und überhaupt jeder Lebenserscheinung zeugt um so mehr von der Gabe der Intuition, da der Verf. leider niemals Gelegenheit hatte, die große Welt 5
zu sehen. Nicht ohne Rührung sieht man, wie er im Gefühle dieses Mangels in Außendingen oft bei den beschränkteren Formen vaterländischer Sitte sich Raths erholt, und namentlich seinen Frauen, selbst den höher gestellten, manche unmittelbare Sorge für die Haushaltung aufbürdet, wofür sie sich in der Wirklichkeit vielleicht hübsch bedanken würden. (Nicht hieher gehört jedoch, was der 10
Rec. in den Bl. für litt. Unterh., Jan. 1833, Nr. 20, spottend heraushob, daß die Gräfin Constanze einmal die Meubles mit dem Staubtuche abreibt, denn dies ist als ein Ungewöhnliches psychologisch motivirt 1, 225). Aber nur auf das ganz Äußerliche geht dies; wo geistiger Boden ist, da weiß er in seiner poetischen Divination selbst die feinsten Blumen geselligen Takts, zugespitzter Wendungen, feiner Andeutungen u. s. w. in einen zierlichen Strauß zu binden, als bewegte er sich mit 15
gewohntem Bürgerrechte in dem Kreise höherer Gesellschaft. Insbesondere bewährt sich aber, wo er den äußeren Adel vereinigt mit dem inneren darstellen darf, bei so geringer Erfahrung aus dem wirklichen Leben, der ächte Dichter.

Mörike's Liebe zur Malerei bestimmte ihn, seinen Helden zu einem Maler 20
zu machen und dem Roman (oder Novelle, wir wollen hier nicht über diese Benennung rechten, ich nenne das Buch lieber Roman) den sehr unglücklichen, pretiösen Titel: Maler Nolten zu geben, der gewiß nicht geeignet war, dem Buche ein günstiges Vorurtheil zu erwecken, schon wegen des Klanges, und dann weil ein Künstler-Roman dahinter zu stecken schien, eine Gattung, die ganz 25
abgelebt ist. Mörike läßt jedoch den Faden der künstlerischen Entwicklung seines Helden bald fallen, um bei der Geschichte seiner Liebe zu verweilen, denn es war nicht seine Absicht, einen Kunstroman zu schreiben. Freilich da sein Held auch als Mensch die Eigenthümlichkeiten, welche die Beschäftigung mit der Kunst dem Charakter und ganzen Wesen eines Individuums aufzuprägen pflegt, 30
keineswegs hervorstechend zu bemerken giebt, so hat es überhaupt zu wenig innere Nothwendigkeit, daß er gerade ein Maler und nichts Anderes ist. Doch rechnen wir dies dem Verf. nicht zu hoch auf. Nolten mußte doch etwas sein und man konnte doch keinen Referendarius aus ihm machen. Ohnedies hängen

mehrere für die Fabel bedeutende Begebenheiten mit seiner künstlerischen Thä-
tigkeit zusammen. Über seinen Entwicklungsgang als Künstler erfahren wir nur
so viel, daß er aus der romantischen Tendenz in das Gebiet classisch gereinigter
naturgemäßer Schönheit aufzusteigen bedeutende Schritte gethan hat, nicht um
die phantastisch-romantischen Stoffe ganz aufzugeben, wohl aber, um auch sie
im Sinne veredelter, reiner Kunstform zu behandeln. Ein Gemälde solcher Art,
ganz traumartig, ganz im Geiste der mondbeglänzten Zaubernacht gedacht, ist
es, das in der Entwicklung der Katastrophe einer Hauptperson des Romans eine
wichtige Rolle spielt.

Wir sehen also auch hier, wie im lyrischen Gebiete, unsern Dichter mit einem
Fuße noch in der Romantik, den andern auf die Stufe des classisch-modernen
Ideals emporgehoben. Dieser Punkt ist es nun eben, den wir festhalten müssen,
wenn wir nun auf den Gehalt dieser Dichtung eingehen. Die romantische
Mystik bildet den Hintergrund, die naturgemäße klare Wirklichkeit den
Vordergrund: was wir nach Hegel's Sprache in der Phänomenologie als ein
unterirdisches oder göttliches und als ein menschliches oder ein Gesetz der Oberwelt unterscheiden können. Beide Gesetze kreuzen sich in ungleichem Kampfe;
das erstere behält, nachdem das Gesetz der Oberwelt sich frei für sich entwickeln
wollte, aber der dämonischen Grundlage, auf der es sich bewegt, sich nicht zu
entreißen vermochte, den Sieg. Der Maler Theobald Nolten nämlich steht in dem
fatalistischen Verhältnisse räthselhafter Wahlverwandtschaft zu einem seltsamen
dämonischen Wesen, einer wunderschönen Zigeunerin, von der wir am Ende
erfahren, daß sie wirklich seine Verwandte, das Kind einer abentheuerlichen Liebe
seines Oheims ist. Diese Person, höchst geistvoll und tiefsinnig, himmelweit über
der abgedroschenen Nachkommenschaft Walter Scottischer Zigeunerinnen und
wahrhaft im hohen Style der Kunst gehalten, taucht, nachdem Nolten sie im
ersten Jünglingsalter mit dem Gefühle wunderbarer magnetischer Anziehung
zum erstenmale erblickt hat, unvermuthet da und dort wieder auf, durchbricht
und zerstört in der Überzeugung, aus dem Rechte einer ihm von Ewigkeit An-
gelobten zu handeln, mit einer Mischung von List und naiver Gutmüthigkeit
alle späteren Versuche Nolten's, sich durch rein menschlich begründete Neigung
in der gesunden, vernünftigen Wirklichkeit anzusiedeln, und am Schlusse sehen
wir, nachdem der Schmerz sein Leben verzehrt hat, durch die Vision des blinden
Gärtnerknaben Henni seine ideale Gestalt mit der seiner Wahlverwandten in

widerstrebender Verschlingung entschweben. Obwohl nun dies Verhältniß weit entfernt von grobem Fatalismus, mit wiederholter Hindeutung auf einen vielleicht bloß illusorischen Grund so gehalten ist, daß namentlich in dem verborgenen Wahnsinn, der die Zigeunerin treibt, an Nolten das Fatum zu spielen, und seinem verwirrenden Einfluß auf die anfänglich gesunden Gemüther immer ein 5 Schein von Möglichkeit psychologischer Auslegung zurückbleibt, so hat doch jener dunkle Grund, das dämonische Element, diese Nachseite der Menschheit durch die entsetzlich fortschreitende Macht, die sie ausübt, die größere Realität, und es entsteht durch jene aufklärenden Winke nur ein Zwielicht, von dem man zu der Annahme einer irrationalen Nothwendigkeit immer zurückgetrie- 10 ben wird, die letzte Folge aber ist ein unbefriedigender Schluß und ein Mangel an Einheit in der Grund-Idee.

Zunächst ist zu erörtern, ob jene dämonische Grundlage überhaupt poetisch und wahr sei. Daß es solche magnetische Attractionen gebe, wird man eben nicht läugnen wollen und es liegt auch Göthe's Wahlverwandtschaften die Annahme 15 derselben zu Grunde. Aber für's Erste gewinnt hier die Wahlverwandtschaft zwischen Eduard und Ottilie ihre Gewalt erst durch längeres Zusammenleben, die Neigung hat Zeit und Handhabe, sich mit natürlichem Wachsthum im Lichte des Tages zu entwickeln, nur die Wurzel behält sie im nächtlichen Grunde. Hier aber wirkt aus dem Verborgenen, ohne oder mit ganz geringer Nahrung 20 durch wirkliche Annäherung der wahlverwandten Personen, verfolgend und zerstörend die prädestinirte Nothwendigkeit, daher bleibt am Schlusse ein dumpfer, unaufgelöster Schmerz zurück. Für's Andere kann das Naturgesetz in Göthe's Wahlverwandtschaft nur dadurch bis zu solcher Gewalt anwachsen, daß Eduard ihm nicht die gehörige Willenskraft entgegensetzt; bei Nolten aber stellt sich 25 das Verhältniß ganz anders. Er widerstrebt aus innerer Abneigung dem Rapport, der in seine gesund menschlichen Lebensverhältnisse als ein Gespenst aus seiner Jugend hereinragt und wird widerstrebend von demselben endlich zerstört. Für's Dritte – und dies ist die Hauptsache –: im Maler Nolten kommt, indem man Strecken weit jenen nächtlichen Hintergrund vergißt und auf dem Prosce- 30 nium zwei andere Liebesgeschichten am Lichte der hellen Wirklichkeit sich abspinnen sieht, eine ganz andere, rein menschliche und sehr moderne Frage zur Sprache, die Frage nach der Pflicht der Treue, wenn eine Verbindung mit dem Gegenstande derselben einer ganz veränderten Lage des Gemüths nicht mehr adäquat ist. Diese Frage sollte sich rein für sich in dem Gebiete, dem sie angehört, dem Gebiete der Vernunft und Freiheit, beantworten, nun aber wird dieser reine Verlauf durch das gleichzeitige Fortbestehen und Fortwirken jener irrationalen Potenz gestört, unterbrochen, aufgehoben. Wir bekommen dafür, daß Nolten die liebenswürdige ländliche Agnes verläßt, um später gar nicht zum Heile für sie und ihn selbst zu ihr zurückzukehren, zwei Gründe statt Eines. Der Eine ist, daß die hochgebildete und anmuthige Gräfin Constanze seine Neigung zu Agnes verdrängt (daß Nolten Agnes zunächst deswegen verläßt, weil er sie für treulos hält, kommt hier nicht in Betracht, denn er muß sich selbst gestehen, daß dies seinem Gewissen eine willkommene Ausflucht ist). Hier saß die Hauptfrage über Recht und Unrecht. Die andere, störend dazwischen tretende, ist die Frage nach dem Verhältniß unserer Freiheit zu jener Nachtseite des menschlichen Wesens. Wir haben also einen Roman, der zur Hälfte ein Bildungs-Roman, die Geschichte der Erziehung eines Menschen durch das Leben, die Liebe namentlich, ein psychologischer Roman, zur Hälfte ein Schicksals-Roman, ein mystischer Roman ist, und beide Hälften gehen nicht in einander auf, so bewundernswürdig des Dichters künstliche Bemühungen sind, sie in einander zu verschmelzen, zugleich die verständige Wirklichkeit und zugleich das Wunder zu retten. Wir werden finden, daß auf der einen dieser beiden Seiten noch eine weitere Theilung des Interesses eintritt, die sich jetzt noch nicht auseinandersetzen läßt.

Sobald man uns diesen schadhaften Fleck zugegeben hat, können wir im Übrigen auch die Kunst der Composition unbefangen und eifrig loben. Mörike ist auch, wo er auf verfehlter Richtung gefunden wird, immer geistreich und klar. Es mag nach strenger Rechnung vielleicht auch sonst die eine oder die andere Figur oder Scene überflüssig sein; aber es ist der Überfluß des Reichthums, und Mörike könnte mit dem, was dieser Roman zu viel hat, ja noch mit dem Abfall dieses Abfalls der Armuth nicht weniger seiner poetischen Collegen auf die Beine helfen. Er hat in dieses Buch seine ganze reiche poetische Jugend hineingeschüttet; dieses Zuviel werden wir dem jugendlichen Dichter gewiß gerner verzeihen, als ein Zuwenig.

Wir können unsere weiteren Bemerkungen nach den zwei Hälften anordnen, in welche nach obiger Entwicklung der Roman zerfällt, und zuerst von den Partieen sprechen, welche insgesammt im Geiste der Romantik empfangen sind. Der Grundzug der Romantik, das Mystische, macht sich also vorzüglich in Elisa-

beth (so heißt die Zigeunerin) und ihrer Wahlverwandtschaft zu Theobald (Nolten) geltend, und man muß gestehen, daß der Dichter alle Schönheit, welche der
Romantik zu Gebot steht, alle unheimlichen Reize, alle süße Wollust unendlicher Gefühle mit concentrirter Innigkeit in diesen Punkt versammelt. Die erste
Erscheinung der fremdartigen Jungfrau in dem Gemäuer einer Burgruine, der
wundersame Gesang der halb Wahnsinnigen, der »wild wie ein flatterndes Tuch
sich in die Lüfte schwingt«, dann Theobald's Gefühl beim Zusammentreffen mit
ihr, deren hohe und edle Gestalt eine Mischung von Ehrfurcht und unheimlicher
Anziehung ausübt, – dies ist mit Meisterhand entworfen. »Seht nur«, sagt Theobald zu ihr, »als ich Euch ansah, da war es, als versänk ich tief in mich selbst, als
schwindelte ich, von Tiefe zu Tiefe stürzend, durch alle die Nächte hindurch, wo
ich Euch in hundert Träumen gesehen habe, so, wie Ihr da vor mir stehet; ich
flog im Wirbel herunter durch alle die Zeiträume meines Lebens und sah mich
als Knaben und sah mich als Kind neben Eurer Gestalt, so wie sie jetzt wieder
vor mir aufgerichtet ist; ja ich kam bis an die Dunkelheit, wo meine Wiege stand,
und sah Euch den Schleier halten, welcher mich bedeckte: da verging das Bewußtsein mir, ich habe vielleicht lange geschlafen, aber wie sich meine Augen
aufhoben von selber, schaut' ich in die Eurigen, als in einen unendlichen Brunnen,
darin das Räthsel meines Lebens lag.« Auch weiterhin ist durch die Reinheit
künstlerischer Phantasie alles Crasse und Plumpe von diesem Verhältniß abge-
wiesen, und der Unwille gegen die Zerstörung alles Lebensglücks durch jene
räthselhafte Person mildert sich sehr durch das Mitleid, das ihre abergläubige
Liebe zu Theobald durch die einfache Festigkeit der Überzeugung von ihrem
Rechte und die Schmerzen, die ihr aus seinen späteren Neigungen fließen, in Anspruch nimmt.

Ein zweites wesentliches Moment der Romantik ist, als Folge der Anwendung
der Mystik auf den Naturverlauf, das Wunderbare. Dieser Lieblingsrichtung
seiner Phantasie hat der Dichter mit Geschicklichkeit ein Bett anzuweisen gewußt, wo sie sich ergießen kann, ohne die festen Gesetze der Wirklichkeit, in denen
der Roman trotz jener mystischen Grundlage sich bewegt, zu beeinträchtigen.
Theobald, unterstützt von anderen Künstlern, giebt ein Schattenspiel zum Besten; während die Bilder erscheinen, wird ein erklärender poetischer Text in
dramatischer Form verlesen. Hier sind wir denn ganz im Lande der Wunder,
auf einer Insel, deren ursprüngliche Bewohner längst durch ein plötzliches Ge-

richt der Götter dahingerafft sind; nur der letzte König der Insel wird durch den
Zauber einer Fee, die ihn liebt, seit mehr als tausend Jahren in dieser Sterblich-
keit zurückgehalten, vergebens sich sehnend, »den Tod, das faule Scheusal, das
die Zeit verschläft, herauf zur Erde an's Geschäft zu zerren«, bis endlich der Zauber gelöst und er in den Kreis der Götter aufgenommen wird. Die Situation ist
mit höchster Originalität ausgeführt, einige Monologe des unglücklichen Zu-
rückgebliebenen dürfen dem Zartesten und Gewaltigsten, was je in der Poesie
vorkam, an die Seite gestellt werden. Namentlich 1,164, wo einzelne Lichtblitze
dem ermatteten Gedächtnisse des Königs, der in nächtlicher Einsamkeit um-
wandelt, seine Vergangenheit erhellen, wird man den Dichter in leuchtenden
Zügen erkennen. Nur wenige Verse sei uns vergönnt anzuführen:

> Horch! auf der Erde feuchtem Bauch gelegen
> Arbeitet schwer die Nacht der Dämmerung entgegen,
> Indessen dort, in blauer Luft gezogen,
> Die Fäden leicht, kaum hörbar fließen,
> Und hin und wieder mit gestähltem Bogen
> Die lust'gen Sterne goldne Pfeile schießen − − − −

Er erinnert sich des Namens seiner Gemahlin –:

> Almissa – –! Wie? Wer flüstert mir den Namen,
> Den lang vergess'nen, zu? Hieß nicht mein Weib
> Almissa? Warum kommt mir's jetzt in Sinn?
> Die heil'ge Nacht gebückt auf ihre Harfe
> Stieß träumend mit dem Finger an die Saiten,
> Da gab es diesen Ton.

Es ist die Zeit nicht mehr, wo man den Dichter in einzelnen Bildern suchte,
aber ein wahrer Dichter wird sich auch in solchen offenbaren, und ich kann
mich nicht enthalten, zu den angeführten Blicken der edelsten Phantasie noch so
anmuthige Gleichnisse anzuführen, wie

> Laß uns in sanfter Wechselrede ruh'n,
> Zwei Kähnen gleich, die aneinander gleiten.

oder wie der schöne Ausdruck in einem Landschaftsgemälde: »es schienen Nebel-
geister in jenen feuchtwarmen Gründen irgend ein goldnes Geheimniß zu hüten.«

Solche einzelne Diamanten hat Mörike wie ein reicher Mann ungezählt unterwegs ausgeschüttelt. – Neben dem König ist die dämonische Kokette, die ihn
durch ihren Zauber auf die Erde bannt, ein trefflich gehaltener Charakter.
Überhaupt seine Intuition des weiblichen Wesens, die er auch weiterhin an den
Tag legt, und die um so mehr eine solche zu nennen ist, da ihr ganz wenig Er-   5
fahrung zu Hilfe kam, scheint Mörike, wie wir dies schon im lyrischen Gebiete
bemerkten, ebenso im epischen vorzüglich zu einem Dichter des weiblichen
Ideals zu bestimmen; die Energie großer politischer Leidenschaften, das männliche Pathos, dürfte weniger in dem seiner Natur vorgezeichneten Kreise liegen,
und es zeigt sich hierin eine Verwandtschaft mit dem Göthischen Genius, für die   10
wir in anderem Zusammenhange noch weitere Belege anzuführen haben.

Ein drittes Moment der Romantik ist ihre Vorliebe, den Schauplatz der
Poesie in das Element naivvolksthümlichen Bewußtseins zu verlegen. Unser
Roman enthält eine treffliche, im Geiste der Volkssage erfundene, zuletzt in die
Legende übergehende Partie, die Erzählung von dem lustigen Räuber Jung   15
Volker. Wir fragen jeden unbefangenen Leser, ob ein Anderer als ein geborner
Dichter so voll und rein in dieses Element eingehen und es doch unbeschadet
seiner Natur in die künstlerisch veredelte Darstellung zu erheben vermochte.
Jung Volker wird durch ein wunderbares Zeichen bekehrt und weiht der heil.
Jungfrau eine Tafel, deren Inschrift also beginnt »– – – und wer da solches lieset   20
mög nur erfahren und inne werden was wunderbaren maßen Gott der Herr ein
menschlich gemüethe mit gar geringem dinge rühren mag. Denn als ich hier
ohne allen fug und recht im wald die weiße hirschkuh gejaget auch selbige sehr
wohl troffen mit meiner gueten Büchs da hat der Herr es also gefüget daß mir
ein sonderlich verbarmen kam mit so fein sanftem thierlin, ein rechte angst   25
für einer großen sünden. da dacht ich: itzund trauret ringsumbher der ganz
wald mich an und ist als wie ein ring daraus ein dieb die perl hat brochen ein
seiden bette so noch warm vom süeßen leib der erst gestolenen braut. ver-
hauchend sank es ein als wie ein flocken schnee am boden hinschmilzt und lag
als wie ein mägdlin so vom liechten mond gefallen. – – – – – nunmehr mein herze   30
so erweichet gewesen nahm Gott der stunden wahr und dacht wohl er muß das
Eisen schmieden weil es glühend und zeigete mir im geist all mein frech
unchristlich treiben und lose hantierung dieser ganzen sechs Jahr und redete
zu mir die muetter Jesu in gar holdseliger weiß und das ich nit nachsagen kann

70

noch will. verständige bitten als wie ein muetterlin in schmerzen mahnet ihr verloren kind – –« Ist Mörike ein Dichter oder nicht? – Unter den männlichen Personen, welche im Roman selbst auftreten, ist nur noch der blinde Gärtner-knabe Henni als eine naive Gestalt zu erwähnen, denn der Förster, der im All-

5 gemeinen auch naiv zu nennen ist, ist zu untergeordnet und Raymund's, dieses trefflich gezeichneten Brausekopfs Naivetät ruht nur auf seinem Temperament und seinem Kunst-Naturalismus, während er übrigens ganz der gebildeten Sphäre angehört. Henni, der stille, fromme blinde Jüngling, ist eine höchst be-ruhigende Erscheinung in der Noth und Angst der letzten Katastrophe, und seine

10 Freundschaft mit der wahnsinnigen Agnes, die Neigung dieser zu ihm wird Nie-mand ungerührt lassen.

Den Übergang nun aus dieser Sphäre der Naivetät in die des gebildeten Be-wußtseins und so aus der Romantik überhaupt in die Poesie des Naturgemäßen bildet der trefflich gehaltene Charakter Agnesens, der Braut des Malers, die

15 durch das unselige Dazwischentreten jener Zigeunerin aus dem Frieden der reinsten Einfalt und holden Selbstgenugsamkeit herausgerissen, in den pein-lichen Zweifel, ob sie, das einfache Landmädchen, dem Verlobten genüge, hin-eingestoßen, auf einige Zeit das Gleichgewicht des Verstandes verliert, in diesem Zustande ohne ihre Schuld dem Bräutigam Anlaß zu Mißtrauen und vorüber-

20 gehender Auflösung des Verhältnisses giebt, dann geheilt in die Arme des Ver-söhnten zurückkehrt, endlich aber durch unzeitige Eröffnung eines Geheimnisses und nochmaliges Zusammentreffen mit der geheimnißvollen Fremden ganz in Wahnsinn gestürzt wird und tragisch zu Grunde geht. Wie lieblich hat der Dichter das heimliche Behagen, die trauliche Beschränkung, die dieses Wesen

25 umgiebt, schon 1, S. 49 und 50 vergegenwärtigt, wo wir durchs Fenster in das mondbeglänzte Gemach der schlafenden Unschuld einen Blick werfen dürfen! Man denkt an Gretchens Stübchen im Faust. Welcher Frieden, welche idyllische Anmuth liegt wie ein klarer Sommertag über dem Bilde des Wiedersehens, wo der ausgesöhnte Maler zu seiner Braut zurückkehrt und sie erst sitzend auf der

30 Kirchhofmauer und einen Kranz bindend belauscht, indem ein Schmetterling neben ihr auf einer Staude die glänzenden Flügel wählig auf und zuzieht und der Storch zutraulich an ihr vorüberschreitet! (2, 398 ff.). Später, da das unselige Gespenst jener früheren krankhaften Krisis aus der Tiefe ihres Innern wieder hervorbricht und die schöne Seele dem Wahnsinn überliefert, hat sich der Dich-

ter, so schauderhaft der Gegenstand ist, doch im schönsten Geleise poetischen
Ebenmaßes gehalten, nirgends gegen die keusche Gestalt der ideellen Schönheit gesündigt, und wie Ophelia, so macht Agnes Schwermuth und Trauer, Leid,
die Hölle selbst zur Anmuth und zur Süßigkeit. Wie schmerzlich süß ist das
Bild, das uns der Verfasser mit folgenden Worten giebt: »Sie verfiel einige Secun- 5
den in Nachdenken und klatschte dann fröhlich in die Hände: O Henni! süßer
Junge! in sechs Wochen kommt mein Bräutigam und nimmt mich mit und wir
haben gleich Hochzeit! Sie stand auf und fing an auf dem freien Platz vor Henni
auf's Niedlichste zu tanzen, indem sie ihr Kleid hüben und drüben mit spitzen
Fingern faßte und sich mit Gesang begleitete. Könntest du nur sehen, rief sie 10
ihm zu, wie hübsch ich's mache! Fürwahr solche Füßchen sieht man nicht leicht.
Vögel von allen Arten und Farben kommen in die äußersten Baumzweige vor
und schau'n mir gar naseweiß zu« (2, 594). Zugleich muß man in dieser Entwicklung die Wahrheit bewundern, womit die Verrückung des Bewußtseins dargestellt ist, dem die Personen, mit denen es im Wahnsinne sich beschäftigt, unklar 15
ineinander zerfließen, der Unsinn im Sinn, der Sinn im Unsinn. Ein Dichter hat
mehr zu thun, als den Wahnsinn darzustellen; es ist aber keine der kleinsten
Proben für seine Kunst, den gesunden Geist zu enthüllen, wenn er es vermag,
den Kranken so zu malen, daß man durch seine erregten und aufgewühlten
Wellen immer noch auf den gesunden Grund hinuntersieht. Dichter von Talent, 20
die sich aber nicht zur reinen Schönheit erheben, lieben es, einen Schein von
Kraft durch unmotivirtes Einbrechen des Wahnsinns zu erschleichen; hier aber
ist nichts Unmotivirtes, man sieht von Anfang an: es muß mit dem unglücklichen Mädchen dies Ende nehmen, ja sie erhebt sich, wo sich die tragischen
Fäden sammeln, um das Netz des Unheils über sie zu werfen, zur Hauptperson 25
des Romans und rettet hiedurch, so weit es nach dem schon aufgedeckten kranken Fleck möglich ist, die Einheit des Ganzen. Wir werden in Kurzem darauf
zurückkommen.

Ganz in der Sphäre der Bildung steht die Gräfin Constanze. Den Maler ergreift in der Periode, wo er sein Verhältniß mit Agnes abgebrochen hat, eine 30
tiefe Leidenschaft zu dieser schönen jungen Wittwe, in welcher der feinste Duft
der Weltbildung und höheren Sitte mit jener Anmuth, welche keine Kunst zu
geben, aber wahre Kunst wohl zu erhöhen vermag, sich auf's Reizendste vereinigt, und deren reine Nähe jedes Rohe und Gemeine aus ihrem Kreise ver-

bannt; sie erwiedert diese Leidenschaft, und der Moment des stummen Ge-
ständnisses, diese so millionenmal dagewesene Situation, ist mit überraschender
Tiefe und Neuheit gedichtet. Durch eine furchtbare Täuschung jedoch verkehrt
sich ihre Liebe plötzlich in Haß, in Rache, und diese bereuend kauft sie den Geliebten, den ihre Rache in's Gefängniß geliefert hat, mit dem Opfer ihrer Tugend
los. Auch ihr begegnet die dämonische Zigeunerin, sie erkennt in dieser den
Vorboten des Todes, erhält endlich Licht über den Irrthum, der ihre Liebe in
Haß verkehrt hatte, und verzehrt sich nun in qualvoller Selbstverachtung; doch
auch sie bleibt selbst im tiefen Falle eine poetische Erscheinung; dieser Fall ist
vollkommen motivirt, nichts Gemeines, nichts Unnatürliches drängt sich auf. –
Unter den andern weiblichen Personen machen wir nur auf Margot noch insbesondere aufmerksam, deren klar verständiges und doch gemüthreiches Wesen
am Schlusse, unmittelbar ehe und während das tragische Schicksal hereinbricht,
so wie die Gegenwart ihres Vaters, des Präsidenten, die mildernde Wirkung der
Person des Blinden von dieser Seite wohlthätig verstärkt. Das Beruhigende der
Gegenwart eines überlegenen, welterfahrenen, charakterfesten, wohlwollenden
Vornehmen inmitten einer peinlichen Verstörung, das Gefühl der Sicherheit,
das schon beim Eintritt in den Kreis dieser feinen, beschwichtigenden Formen,
wo sie nicht bloße Formen sind, in den Geängstigten überfließt, ist mit über-
zeugender Anschaulichkeit vergegenwärtigt.

Unter den männlichen Individuen des gebildeten Kreises zeigt, wie billig,
Theobald am wenigsten prägnante Individualität. Der Romanheld ist als solcher
mehr der passive Mittelpunkt, in welchem die allgemeinen Lebensmächte, die
der epische Dichter in ihrem breiten Nexus entfaltet, ihre Wirkungen sammeln,
als daß er durch Bestimmtheit des Charakters einer oder der andern dieser
Mächte als ihr Repräsentant zufiele. Sein Leben ist ein Entwicklungsweg; wer
sich erst entwickelt, ist ebendarum noch nicht fest. Er gleicht hierin dem Wilh.
Meister, dem man ohne Einsicht in die poetische Gattung seine wechselnden
Illusionen und seine Unselbständigkeit zum Vorwurf gemacht hat. Aber weit
ärmer sind Theobald's Bildungswege und – womit wir denn auf den Hauptpunkt
zurückkommen – sein Bildungsgang wird in der Mitte gestört, unterbrochen.
Das fatalistische Element als letzte Ursache dieser Störung und als nothwendig
einen tragischen Ausgang bedingend haben wir schon hervorgehoben. Sehen
wir nun von diesem dämonisch unterhöhlten Boden, auf dem die Personen

wandeln, einen Augenblick ab, so scheint die Erzählung mehr und mehr auf die
Lösung der interessanten Frage hinzuarbeiten: konnte eine zwar tiefe, aber nicht
nach Außen entfaltete Natur, wie die einfache Agnes, dem Maler wirklich genügen? War es daher nicht ein Fortschritt, wenn er, durch einen scheinbar vollkommen begründeten Irrthum gegen den Vorwurf der Untreue zunächst ge-   5
schützt, in die höheren Kreise Constanzens übertrat, ein Fortschritt, da sich ihm
durch diese Situation eine Fülle neuer Bildungsquellen öffnete? Und wenn ihm der
Schmerz der plötzlichen Trennung von dieser neuen Lebensquelle, von Constanzen selbst wieder heilsam werden und ihn zu jener interesselosen Stimmung
erheben konnte, die dem Künstler Noth thut, war es darum gut, hierauf zu   10
Agnes zurückzukehren? War dies ein Glück für ihn, für Agnes selbst? Lauter
Fragen, die sich vor Allem deswegen nicht rein beantworten, weil jene fatalistische dazwischentritt. Aber nicht von dieser wollen wir jetzt reden, sondern auch
innerhalb der Grenzen gesunden und naturgemäßen Verlaufs der Dinge wird
unsere Aufmerksamkeit auf einen andern an sich freilich höchst interessanten   15
Punkt abgelenkt. Der Schauspieler Larkens, die bedeutendste männliche Figur
des Romans, Nolten's Vertrauter, erlaubt sich nämlich eine wohlgemeinte, aber
höchst gewagte Täuschung, um das abgebrochene Verhältniß zwischen Agnes
und Theobald im Bestand zu erhalten und diesen seiner Braut zurückzugeben.
Agnes hat in der Zeit der ersten Verstörung ihres Gemüths durch einzelne   20
Äußerungen leidenschaftlicher Neigung gegen einen unbedeutenden Vetter
ihrem Verlobten allen Grund gegeben, seine Verbindung als aufgehoben zu betrachten, so lange nämlich derselbe die Quelle und Natur dieser Verstörung
nicht kannte. Larkens hierüber zur völligen Rechtfertigung Agnesens belehrt,
aber ohne Hoffnung, Theobald selbst, den er in einer neuen Leidenschaft be-   25
fangen sieht, hievon zu überzeugen, weiß es einzurichten, daß Agnesens Briefe
an ihn gelangen und beantwortet sie mit Nachahmung der Handschrift und inni-
gem Eingehen in die ganze Gefühls- und Ausdrucksweise Theobald's, so daß das
Mädchen von Theobald's Bruch mit ihr nicht die mindeste Kunde erhält. Hierauf weiß er Theobald von Constanzen zu trennen durch ein Mittel, dessen ganze   30
Grausamkeit er nicht berechnen kann, weil ihm der Maler nicht gestanden hat,
daß ihm Constanze bereits unzweifelhafte Beweise ihrer Liebe gegeben hat. Er
spielt Constanzen die jüngsten Briefe Agnesens an Theobald, welche ganz in
dieselbe Zeit mit Theobald's feurigen Bewerbungen um Constanzens Liebe

fallen, in die Hände, die weibliche Neugierde kann nicht widerstehen, sie liest, glaubt sich schändlich betrogen, und in einer Anwandlung von Rachsucht führt sie herbei, was wir schon angaben, daß Theobald und Larkens in's Gefängniß geführt werden. Dann ihre Reue, das Opfer ihrer Tugend, Theobald's und seines

5 Freundes Befreiung. Nachdem nun Theobald bereits der scheinbar glücklichsten Wiedervereinigung mit Agnes zugeeilt ist, entdeckt er ihr in einem unglücklichen Momente alles Geschehene, die Täuschung durch Larkens, seine Liebe zu Constanzen. In dem Gemüthe des ahnungsvollen Mädchens hatte inzwischen die einmal hineingeworfene Besorgniß, dem Geliebten nicht zu genügen,

10 im Stillen fortgewühlt; ihr Aberglaube an die Worte jener Zigeunerin, welche in ihrer Räthselsprache angedeutet, daß Theobald vom Schicksal zu einem andern Bunde aufgespart sei, hat sie mit einer dunkeln Angst erfüllt, das unabweisbare Vorgefühl eines schrecklichen Unglücks lag schwül auf ihr: jetzt plötzlich glaubt sie alle ihre Ahnungen, ihre Besorgnisse schauderhaft bestätigt, bricht

15 in Verzweiflung aus, und es braucht nur eine nochmalige nächtliche Überraschung durch Elisabeth, um diese zum Wahnsinn zu steigern. Indem es demnach nicht der Gang der Sache, sondern Einmischung und List eines Dritten ist, was Theobald und Agnes wieder zusammenführt und sie zuletzt so unglücklich macht, so beantwortet sich auch die Frage, ob eine solche Wiedervereinigung an sich

20 heilsam war oder nicht, ob daher ein völliges Abbrechen der Verbindung mit Agnes unsittlich oder nicht gewesen wäre, – auch diese Frage beantwortet sich nicht rein, sondern es schiebt sich eine neue, ganz heterogene herein, die nämlich, ob ein solches heimliches Leiten und Bevormunden, wie Larkens es wagte, nicht auch bei den besten Absichten verwerflich sei und zum Unheil ausschlagen

25 müsse? So irrt das Interesse unstet zwischen drei Fragen hinüber und herüber. Nur insofern wird die Einheit gerettet, als alle diese verschiedenen Werkzeuge des Unheils auf Agnes losarbeiten, diese aber, indem sie von so vielen Messern zerschnitten wird, doch den Adel der Anmuth und Weiblichkeit bewahrt und durch diesen edeln Instinct der Seele, ein unendlich rührendes Bild, dem Leser

30 den Frieden giebt.

Dagegen gewinnen wir nun durch jene Wendung ein treffliches Charakterbild weiter in dem Schauspieler Larkens, einen Geist, in welchem Zerrissenheit, Selbsthaß in Folge einer Periode wilder Ausschweifungen, Hypochondrie, Bizarrerie im Widerspruche mit gesundem Herzen, klarer Einsicht, Innigkeit des

Gemüths sich zu der komischen Harmonie genialen Humors befreien, einen
Mann, »dessen heitere Geistesflamme sich vom besten Öl des innerlichen Menschen schmerzlich nährt.« Hier tritt Mörike würdig an J. Paul's Seite, und wenn
er die Tiefe Horion's, Schoppe-Leibgeber's nicht erreicht, so vermeidet er dafür
auch die zu sichtbar eingemischte Philosophie und bleibt auch hier stets objectiv,   5
plastisch. Die Katastrophe, wo dieser edle Geist aus dem Kreise der Freunde
scheidet, um in der Ferne in unbekanntem Dunkel lebend sich von seiner Vergangenheit zu trennen, der Adel, den er in gemeinen Umgebungen bewahrt,
dieser Diamantschein in der Finsterniß, endlich sein Selbstmord sind Meister-
stücke der Poesie, und auch hier ist nirgends das Maß des Würdigen und Schönen   10
vergessen. Ihm verwandt ist der wunderliche Hofrath, aus welchem erst am
Schlusse der todtgeglaubte Oheim Nolten's, der Vater Elisabeth's, hervorspringt.

Diesen Gestalten, die das Komische mit dem Bewußtsein eines gebildeten
Geistes mehr oder minder activ ausüben, stellt sich als objectiv komische, außer
dem nur kurz skizzirten Vater Nolten's, der seine Familie mit einem Vogelrohre   15
beherrscht, namentlich der schon erwähnte Barbier Wispel zur Seite. Dieser
Mensch mit seinen unerträglichen Manieren, den unendlichen Gesichtsschnör-
keln, dem beständigen Blinzen (weil er, wie er zu sagen pflegt, an der Wimper
kränkelt), den stets gespitzten Lippen, ärmlich aufgepützelt, höchst unreinlich
und eckelhaft, die Haare mit gemeinem Fett frisirt, mit dem ewigen Hüpfen,   20
Kichern, Tänzeln, durchaus affectirt, eitel, lügnerisch, betrügerisch, doch bei
seinen Schelmenstreichen am Ende mehr auf die Satisfaction, die für seine Eitelkeit abfällt, als auf bloßen Gewinn bedacht, dieser Mensch, mit dem man nicht
reden kann, weil er nur sich selbst reden hört, und der nur durch so ganz drastische Mittel, wie die reichlichen Ohrfeigen, die er auf seinem Schicksalslaufe   25
durch diesen Roman ärndtet, vorübergehend zur Vernunft zu bringen ist: dieses
Subject ist aus dem Kerne der Komik geschnitten. Namentlich ist die Scene, wo
er in der Maske seines dermaligen Herrn, eines italienischen Künstlers, sich im
Garten und in der Gesellschaft des Grafen Zarlin einfindet und, von Nolten ent-
larvt, mitten in aller Noth sich doch seiner vortrefflichen Mimik rühmt, ganz   30
gelungen. »Es war vielleicht«, gesteht er, »ein Kitzel, das heiße Blut des Südens
an mir selbst zu bewundern, und so – und dann – aber gewiß werden Sie mir zugeben, Monsieur, ich habe den höhern Ton der Chicane und den eigentlichen
vornehmen Takt, womit das point d'honneur behandelt werden muß, mir so

ziemlich angeeignet. Wie? ich bitte, sagen Sie, was denken Sie?« – Weniger Ursache, daß Andere witzig werden, als selbst witzig, ist der Büchsenmeister Lörmer mit dem Stelzfuße, der zuletzt in der Umgebung von Larkens auftritt.
Diese Figur rechne ich ebenfalls unter die vollwichtigen Beweise von Mörike's
Dichterberuf; die Mischung des Komischen, was aus der witzigen Laune dieses
heruntergekommenen Handwerkers entsteht, und des Wohlthuenden, was in
einem Reste von Gemüth und Liebe liegt, mit dem unheimlichen Eindruck
seiner Rohheit und Liederlichkeit, erzeugt einen höchst individuellen und eigen-
thümlichen Eindruck. Namentlich ist die rohe Äußerung seiner Liebe zu Larkens, indem er betrunken die Thür durchbrechen und zu seinem Leichnam
eindringen will, endlich aber mit Geräusch zu Boden stürzt, durch ihren Con-
trast mit der Stille des edlen Todten ganz etwas Meisterhaftes.

Weiter wollen wir den Kreis der Figuren nicht verfolgen. Für den Plan der
Begebenheit sind namentlich die komischen Figuren mit großer Kunst verwendet. Mußten wir nun im Anfang zugeben, daß Plan und Ökonomie des Ganzen
nicht die strenge innere Einheit und Sparsamkeit des wahren Kunstwerks auf-
weisen, so bewährt sich doch der Dichter darin, daß jedes der, zu vollkommener
Harmonie hier nicht vereinbaren Momente, für sich den schönsten Stoff zu
einem kleineren poetischen Ganzen darbietet, und wir kehren schließlich zu
dem schon ausgesprochenen Lobe der großen Kraft der Anschauung und Indivi-
dualisirung zurück, welche sich auf allen Punkten kund giebt. Der wahre Dichter
weiß immer einzelne, an sich unbedeutende Züge, die ihm in der Wirklichkeit
zerstreut aufstoßen, durch die Attraction seines eigenthümlich organisirten Ge-
dächtnisses in sein poetisches Bild hereinzuziehen. Ein solcher trefflich benutzter
kleiner Zug ist es z.B., wenn Göthe von Ottilien erzählt, daß sie die Gewohnheit
gehabt, selbst Männern, denen ein Gegenstand zu Boden fiel, solchen aufzuheben, und darüber in Folge von Charlottens Hinweisung auf das Ungehörige
der Angewöhnung eine neue Lichtseite ihres schönen Gemüths sich dem Leser
eröffnet. Von Mörike führe ich statt hundert anderer nur Ein Beispiel an. Mancher
erinnert sich wohl des frappanten Eindrucks, wenn man je zuweilen des Morgens
den Docht in einer Straßenlaterne von der letzten Nacht her noch brennen sieht.
Wie passend weiß Mörike diese Kleinigkeit zu benutzen, um Nolten's Stimmung
am Morgen nach dem Abend, wo er seinen Freund Larkens in seiner elenden
Umgebung unvermuthet aufgefunden, höchst anschaulich zu machen! (2,500).

Dies bleiben jedoch nur kleinere Einzelheiten; ungleich mehr giebt sich der Dichter, wenn vom Einzelnen die Rede sein soll, durch Hinstellung größerer Bilder von ideeller Schönheit vor die Phantasie zu erkennen, wo plötzlich ein Gemälde vor uns steht, von dem wir nichts sagen können, als: so schaut nur ein reiner und hoher Genius. Ich mache in dieser Rücksicht namentlich auf zwei Scenen aufmerksam. Die eine, wo Agnes, bereits wahnsinnig, barfuß herbeigeschlichen kommt, sich dem verzweifelnden Maler gegenüber an einen Thürpfeiler lehnt, eine Flechte ihres Haars hängt vorn herab, davon sie das äußerste Ende gedankenvoll lauschend ans Kinn hält. »Ein ganzer Himmel von Erbarmung scheint mit stummer Klaggeberde ihren schleichenden Gang zu begleiten, die Falten selber ihres Kleides mitleidend die liebe Gestalt zu umfließen« u. s. w. (2, 590).

Die andere Scene schildert uns Agnes, neben Henni an der Orgel, worauf sie dieser bei ihrem Gesange accompagnirt hatte, eingeschlafen. »Nun aber hatte man ein wahres Friedensbild vor Augen. Der blinde Knabe nämlich saß, gedankenvoll in sich gebückt, vor der offenen Tastatur, Agnes, leicht eingeschlafen, auf dem Boden neben ihm, den Kopf an sein Knie gelehnt, ein Notenblatt auf ihrem Schooße. Die Abendsonne brach durch die bestäubten Fensterscheiben und übergoß die ruhende Gruppe mit goldenem Licht. Das große Crucifix an der Wand sah mitleidsvoll auf sie herab. Nachdem die Freunde eine Zeitlang in stiller Betrachtung gestanden, traten sie schweigend zurück und lehnten die Thür sacht' an« (2, 620).

Ein Dichter mit solcher Gabe der Anschauung wird wohl auch die poetischen Rechte des sinnlichen Moments im Verhältniß der Geschlechter nicht verkennen? Von Prüderie und Rigorismus kein Zug, aber auch kein Zug jener unangenehmen Absichtlichkeit, womit man neuerdings aus der Theorie heraus der Poesie in diesem Punkte aufhelfen zu müssen glaubte und wodurch man das an sich Reine erst verunreinigte. Es ist interessant, unsern Dichter lange, ehe man von einem jungen Deutschland wußte, ein ganz ähnliches Thema, wie Gutzkow in einer verschrieenen Scene seiner Wally, aufnehmen zu sehen, und nun beide zu vergleichen. Hier wird man sehen, daß nicht der Stoff einer solchen Situation, sondern der Geist der Behandlung den Charakter des Sittlichen oder Unsittlichen entscheidet (2, 369 ff).

Wenn das ganze Buch eine seltsame Vereinigung phantastisch-romantischer Stoffe mit plastischer Klarheit und Göthischer Idealität darstellt, so verdient

endlich der Styl wegen seiner Classicität eine ungetheilte Bewunderung. Ein Jugendproduct, hervorgesprudelt aus einem Reichthum, dessen gewaltiger Drang noch kein festes Bett und keine Ufer kennt, – und dieses Product in der Sprache rein von allem Rohen und Wilden, was sonst die Naturpoesie immer
5   mit sich zu führen pflegt, durchaus objectiv, niemals pathetisch, außer wo die in der Erzählung betheiligten Personen ihr Pathos auszusprechen haben, aber dann auch hochhin in der Beredtsamkeit gewaltiger Leidenschaft brausend (z.B. 2,576), durch Wohlklang, Reinheit, Milde, die Durchsichtigkeit, worin alles Stoffartige getilgt ist, nur der Göthischen vergleichbar! Es ist zwar nicht dieselbe
10 Intensität in der höchsten Einfachheit, nicht derselbe Grad von Plastik, die durch die geringsten Sprachmittel ein Unendliches in den Reif weniger anspruchslosen Worte faßt, Mörike braucht mehr Worte, hält mit Bildern weniger Haus, vergißt aber wie Göthe niemals, daß der Dichter nicht stoffartig selbst in Leidenschaft sprechen, sondern ganz die Sache sprechen lassen soll.

ÜBERLIEFERUNG

E¹ *(Bd 3, S.11–414):* Maler Nolten. | Novelle | in zwei Theilen | von | Eduard
Mörike. | Mit einer Musikbeilage. | I. *(bzw.* II.*)* | Stuttgart. | E. Schweizer-
bart's Verlagshandlung. | 1832. *Vortitel zu beiden Bänden:* Maler Nolten.
640 (recte 642) S., 1 Bl. mit zehn Corrigenda auf der Vorderseite unter der Über-
schrift Zu verbessern. *8°.*

Die Seiten 323 und 324 sind zweimal vorhanden, da Teil I mit S.324 auf hört, Teil II
wieder mit S.323 beginnt (vgl. die Entstehungsgeschichte S. 15 f). Die Vortitel und
das Blatt mit den Corrigenda sind eingeklebt, finden sich daher nicht in allen Exem-
plaren (Faksimile des Titelblattes von Teil I in Bd 3 hinter S.96).

Es gibt Exemplare ohne die Musikbeilage und mit textlich und typographisch ab-
weichenden Titelblättern: Maler Nolten. | Novelle | in zwei Theilen | von |
Eduard Mörike. | Erster *(bzw.* Zweiter*)* Theil. | Stuttgart. | E. Schweizerbart'-
sche Verlagshandung.

Das Fehlen der Jahreszahl und die geänderte Verlagsbezeichnung lassen ein spä-
teres Auslieferungsjahr der Exemplare mit diesem Titelblatt vermuten. Wahr-
scheinlich sind sie erst 1841 oder später ausgeliefert worden, nachdem Emanuel
Schweizerbarts Neffe Friedrich Schweizerbart alleiniger Verlagsinhaber geworden
war (vgl. Alfred Druckenmüller, Der Buchhandel in Stuttgart, 1908, S.254 f). Der
Text der Exemplare mit neuem Titelblatt und ohne die Musikbeilage ist aber ein-
schließlich der Vortitel und der Corrigenda hinter S.640 völlig unverändert. Zwei-
fellos handelt es sich um den gleichen Satz. Neu gedruckt sind nur die Titelblätter.

Inkonsequenzen der Rechtschreibung sind in E¹ besonders häufig. Es finden sich neben-
einander Jedermann *und* Jederman, Widerhall *und* Wiederhall, sechzehn *und*
sechszehn *u. ä. Mit sonst nicht üblicher Konsequenz wird* jetzo *stets mit tz, aber* jezt
ohne t gedruckt. Neben Feen *begegnet gelegentlich* Feeen, *wenn der Versrhythmus*
zwei Silben verlangt (z.B. S.137,4, aber inkonsequenterweise Feenbrut *S. 110,27).*

83

E^{1m} Musikbeilage | zu | Maler Nolten | von | Eduard Mörike. | Stuttgart. | E. Schweizerbart's Verlagshandlung. *32 S. quer-8°. Umschlag aus dünnem Karton.*

Haupt- und Umschlagtitel sind gleichlautend. Die Titelblätter sind wie das ganze Heft nicht gedruckt, sondern lithographiert, die den Melodien unterlegten Liedertexte handgeschrieben und mit den Noten zusammen lithographiert.

Inhalt: S.1–12 Romanze, vom wahnsinnigen Feuerreiter (»Der Feuerreiter«), Komponist: Louis Hetsch (Bd 3, S.36–37); S.13–14 Lied der Feenkinder (»Die Geister am Mummelsee«), Komponist nicht angegeben, vermutlich Karl Mörike (Bd 3, S.132–133); S.15–20 Elfenlied, Komponist: Louis Hetsch (Bd 3, S.144); S.21–24 Lied (»Das verlassene Mägdlein«), Komponist: Louis Hetsch (Bd 3, S.182 bis 183); S.25–26 JESU BENIGNE (»Seufzer«), Komponist: Karl Mörike (Bd 3, S.400–401); S.27–32 ohne Überschrift (»Agnes«), Komponist: Louis Hetsch (Bd 3, S.287–288).

Alle Lieder sind durchkomponiert mit Ausnahme des als Strophenlied komponierten »Die Geister am Mummelsee«, wo nur die erste Textstrophe der Melodie unterlegt ist, während sonst stets der ganze Text wiedergegeben ist.

(Faksimile der Musikbeilage am Schluß dieses Bandes).

B *(Bd 3, S.99–148):* Iris. | Eine Sammlung | erzählender und dramatischer Dichtungen | von | Eduard Mörike. | Mit zwei Darstellungen nach Zeichnungen von Fellner und Nisle. | Stuttgart. | E. Schweizerbart's Verlagshandlung. | 1839. *Darin auf S.173–234:* Der lezte König von Orplid. | Schattenspiel.

Der eine der beiden Stahlstiche (J.⟨ulius⟩ Nisle del.⟨ineavit⟩ A.⟨dolph⟩ Gnauth sc.⟨ulpsit⟩) ist vor S.175 eingeheftet und stellt König Ulmon und Thereile in einer orplidischen Phantasielandschaft dar, der andere (hinter S.92) hat eine Szene aus dem Singspiel »Die Regenbrüder« zum Gegenstand.

H^1 *(Bd 5, S.104–144):* LBS Cod. hist. 8° 94,1–2

Erstausgabe des Maler Nolten (E¹) mit eigenhändigen Eintragungen Mörikes. Sehr stockfleckiges Exemplar der Ausgabe ohne Jahreszahl und Musikbeilage in späteren Leinenbänden (Bibliotheksbänden). Auf dem Titelblatt von Bd 1 eigenhändige Widmung Mörikes: Meinem edlen Freunde Emil Kuh verschreibe ich hiermit dies

Exemplar der ersten Ausgabe zum Andenken an unsere persönliche Bekanntschaft. Bebenhausen d.⟨en⟩ 24.Juni 1874. *Vorbesitzer: Julius Klaiber, der
das Exemplar nach dem Tode Emil Kuhs (30.12.1876) von Margarethe Mörike als
Geschenk erhalten hat. Vgl. ihren Brief an Klaiber vom 21. Januar 1877 (LBS Cod.*
5   *hist. 8° 94,4).*

*Die meist sehr flüchtig an die Ränder und zwischen die Zeilen geschriebenen Noti-
zen sind zum Teil nur noch schwer lesbar und bieten keine Anhaltspunkte für
Datierungen. Bd 2 enthält wesentlich mehr Eintragungen des Dichters als Bd 1.
Die Änderungen sind teils mit spitzem, meist mit weichem Bleistift, an wenigen*
10 *Stellen auch mit Rotstift oder Tinte vorgenommen worden. Oft sind zuerst einzelne
Wörter, Sätze oder Satzteile geändert worden, die dann durch die Streichung der
ganzen Partie oder durch ausführlichere, umfangreichere Eintragungen ersetzt
wurden. Unter einer Reihe von Zusätzen sind Reste gleichlautender früherer Bleistiftnotizen, gelegentlich auch Rasuren erkennbar. Mitunter sind generelle Ände-*
15 *rungsabsichten nur gleichsam als »Regieanweisungen« an den Rändern fixiert.*

*Eine Reihe von beabsichtigten Änderungen hat fragmentarischen Charakter, zu
manchem Verweisungszeichen fehlt der entsprechende Text, hier und da ist eine
Klammer nicht geschlossen, die Zuordnung dieser oder jener Eintragung nicht ganz
eindeutig. Oft beschränkt sich Mörike auf Fragezeichen oder senkrechte Striche an*
20 *den Rändern. Bei senkrechten Strichen zwischen einzelnen Wörtern im Text ist
meist nicht zu erkennen, ob hier ein stärkerer Sinnabschnitt gekennzeichnet oder
gleichsam ein Ausrufungszeichen zur eigenen späteren Berücksichtigung gesetzt
werden soll, senkrechte Striche vor und hinter einer kleineren oder größeren Anzahl
von Wörtern haben möglicherweise die Funktion von Klammern. Vielleicht sollten*
25 *die betreffenden Stellen gestrichen oder zumindest für eine Streichung vorgemerkt,
vielleicht auch anderswohin versetzt werden. Sicherheit ist hier nicht zu gewinnen.
Der Apparat gibt in jedem Einzelfall genaue Rechenschaft über den Befund.*

*Die Eintragungen Mörikes in diesem Exemplar reichen vermutlich von 1854 bis
in die 70er Jahre. Vgl. auch die Entstehungsgeschichte der Umarbeitung (oben S. 23).*

30 H^2 *(Bd 5, S. 104–144): SNM I, 262*

*Erstausgabe des Maler Nolten (E¹) mit eigenhändigen Eintragungen Mörikes in
Bd 2. Verhältnismäßig sauberes Exemplar der Ausgabe mit der Jahreszahl 1832.
Abgegriffene Original-Pappbände.*

Auf dem Titelblatt hat Mörike das Wort Novelle *gestrichen und* Roman *darüber-*
geschrieben, zwei in gleicher Weise durch drei *ersetzt,* Mit einer Musikbeilage
gestrichen. Auf der Innenseite des Einbandes gegenüber dem Titelblatt findet sich
eine eigenhändige Notiz Mörikes Siehe Seite 363?. *Es handelt sich offenbar um eine*
Gedächtnisstütze im Hinblick auf eine nicht mehr zu erkennende Änderungsab-
sicht. Der Vorbesitzer, im Schiller-Nationalmuseum nicht festgehalten, ist vermutlich 5
Klara Mörike.

Die sehr flüchtigen Striche und Notizen sind an einigen Stellen kaum noch zu lesen,
die Änderungen zahlreicher als in H¹. Die Eintragungen sind meist mit verschie-
denen Bleistiftarten, gelegentlich mit Grün- oder Rotstift oder Tinte vorgenommen
worden. Einzeländerungen in später gestrichenen Absätzen oder Kapiteln sind 10
häufig, nicht selten auch Versuche, ein mißliebiges Wort durch mehrere andere zu
ersetzen, ohne daß immer eine eindeutige Entscheidung fällt. Eine bestimmte Rei-
henfolge der Korrekturen festzustellen hat sich als unmöglich erwiesen. Eine relativ
kleine Anzahl von Änderungen deckt sich in H¹ und H², die meisten Textstellen
sind in ganz verschiedener Weise bearbeitet. Die Eintragungen in beiden Hand- 15
schriften sind also unabhängig voneinander vorgenommen worden. Möglicher-
weise hat Mörike H² erst ab 1871 als Handexemplar benutzt (vgl. die Entstehungs-
geschichte der Umarbeitung, S. 23). Auf jeden Fall stammen die auf den zweiten
Band sich beschränkenden Eintragungen in H² im Gegensatz zum Großteil derer
in H¹ aus einer Zeit, als der erste Teil des »Maler Nolten« vom Dichter bereits ganz 20
oder teilweise umgearbeitet war.

H³   *(Bd 4, S.162,2.3 und S.383–393): LBS Cod.hist. 8° 94,3*
11 Bl. unterschiedlichen Formats, von Julius Klaiber mit Blaustift als Bl. A-K be-
zeichnet und später von anderer Hand mit Bleistift als Bl. 1–11 durchnumeriert.
Zwei Blätter sind mit dem Buchstaben D bezeichnet; Bl. E fehlt; außer Bl. F gibt 25
es ein Blatt mit der Bezeichnung F². Alle Blätter sind, an Falze gehängt, eingebun-
den in einen braunen Leinenband (Bibliotheksband) mit weißem, schwarz um-
randetem Aufklebeschildchen: »Hist. 8° Nr.94,3 | Mörike. Maler Nolten. | Zettel
mit Entwürfen.« Ein vorgebundenes Blatt trägt Julius Klaibers Notiz: »Möri-
kiana. | Hingeworfene Entwürfe zu der Lücke im Nolten. | (bes.⟨onders⟩ wichtig).« 30
Die in Klammern darunterstehende Bemerkung »von der Hand Jul.⟨ius⟩ Klaibers«
hat Margarethe Mörike geschrieben. Acht der elf Blätter stammen von der Hand

Eduard Mörikes, die anderen drei von der Hand Klara Mörikes (A = 1), Marga-
rethe Mörikes (D = 5) und Julius Klaibers (F² = 7). Vorbesitzer: Julius Klaiber.

Die Schrift Mörikes ist auf allen Notizzetteln durchweg sehr flüchtig; Abkürzungen
sind besonders häufig (vgl. das Faksimile in Bd 4 hinter S.392). Die Entstehung der
5 *meist fragmentarischen Notizen erstreckt sich vermutlich auf die ganze Dauer der*
Umarbeitung des »Maler Nolten«. Für eine genauere Datierung der einzelnen
Paralipomena fehlen alle äußeren Anhaltspunkte.

Genauere Beschreibung der einzelnen Blätter:

Bl. A = 1 (Paralipomenon K): 1 Bl. 21,2 × 13,5 cm, 1¼ S. beschrieben. Ursprünglich
10 *Beilage von der Hand Klara Mörikes zu ihrem Brief vom 14.März 1876 (LBS Cod.*
hist. 8° 94,5) an Julius Klaiber, in dem es heißt: »Über eine Schwierigkeit konnte
er ⟨Mörike⟩ besonders schwer hinwegkommen – es war die Frage in welcher Weise
er den Larkens von der Liebe des Nolten zur Constanze in Kenntniß setzen solle?
Plötzlich während er eine kleine mechanische Arbeit verrichtete, kam ihm der lichte
15 *Gedanke, und er diktierte ihn mir auf beifolgendem Blättchen.« Der Text der Bei-*
lage deckt sich wörtlich und in der Anordnung des Textes auf dem Blatt mit Möri-
kes eigenhändiger Niederschrift H⁹. Wie sich die beiden Handschriften wirklich
zueinander verhalten, ob H³ Bl. A tatsächlich ein Diktat ist oder (wahrschein-
licher?) eine Abschrift von H⁹, muß ungeklärt bleiben.

20 *Bl. B = 2 (Paralipomena D und Q): 1 Bl. 5,7 × 14 cm. Oben ungleichmäßig abgeris-*
sen. 2 S. beschrieben. Auf der einen Seite Paralipomenon D (mit Bleistift), auf der
anderen Paralipomenon Q.

Bl. C = 3 (Paralipomena F, I, M): 1 Bl. 15,5 × 16 cm. Oben ungleichmäßig abgeris-
sen. 2 S. teilweise beschrieben. Auf der einen Seite Paralipomenon I im oberen Drittel,
25 *auf der anderen Seite Paralipomenon M links oben mit einem Zusatz rechts daneben*
(Zeile 9.10) und Paralipomenon F in der rechten unteren Ecke.

Bl. D = 4 (Paralipomenon L): 1 Bl. 4,5 × 16,5 cm. Abgeschnittener unterer Teil eines
Blattes. 1¼ S. beschrieben. Auf der ganz beschriebenen Seite Paralipomenon L, auf
der anderen Seite oben die S. 185 zu Bd 4, S.162,2.3 mitgeteilte Variante von 2½ Zei-
30 *len.*

Bl. D = 5: 1 Bl. 6 × 9 cm. 1 S. beschrieben, 1 Zeile auf der Rückseite. Abschrift der
Zeilen 7–11 des Paralipomenon L von der Hand Margarethe Mörikes, ohne text-
kritischen Wert.

Bl. F = 6 (Paralipomenon P): 1 Bl. 17 × 6,5 cm. 1 S. mit Bleistift beschrieben.

Bl. F² = 7: 1 Bl. 22 × 14 cm. ½ S. beschrieben. Abschrift des Paralipomenon P von der Hand Julius Klaibers, ohne textkritischen Wert.

Bl. G = 8 (Paralipomenon B): 1 Bl. 14,4 × 11,5 cm. 1 ¼ S. mit Bleistift beschrieben.

Bl. H = 9 (Paralipomena E und T): 1 Bl. 17,1 × 10,5 cm. 1 ¼ S. beschrieben. Auf der einen Seite Paralipomenon E, mit Bleistift in 2 Spalten geschrieben (die linke etwa 5 *bis zur Mitte, die rechte, deren letzte 3 Zeilen mit Tinte geschrieben sind, bis ins zweite Drittel reichend). Auf der anderen Seite oben das 3 Zeilen umfassende Paralipomenon T.*

Bl. I = 10 (Paralipomena C, G, R, S): 1 Bl. 16,7 × 20,5 cm, in der Mitte längs gefaltet. 2 S. teilweise beschrieben. Auf der einen (inneren?) Seite das Paralipomenon R 10 *(Zeile 1–12 auf der linken, zu etwa drei Vierteln beschriebenen Hälfte, Zeile 13–18 auf der rechten, zu etwa einem Drittel beschriebenen Hälfte). Auf der anderen (äußeren?) beiderseits der Knickfalte ganz beschriebenen Seite links oben das Paralipomenon C (die Zeilen 1–5 mit Ausnahme des Wortes Favorit Schlößchen in etwas kleinerer, dünnerer Schrift), links unten das Paralipomenon S (Zeile 1–3 mit Blei-* 15 *stift, Zeile 4 mit Rotstift, Zeile 5–10 mit Tinte; 1–4 wohl später über 5–10 gesetzt, da möglicherweise zu Larkens' Tagebuch gehörig), rechts das Paralipomenon G (offenbar in drei Etappen geschrieben, da die Zeilen 1–14 und 25–26 stärker ver-blaßt sind als 15–24). Kurze waagrechte Striche unter den Anfängen der Zeilen 3, 5, 7, 9, 11, 13, 14, 15 von Paralipomenon R; 8 und 10 von Paralipomenon C; 1, 2, 3,* 20 *7 von Paralipomenon S; 3, 5, 7, 15, 21, 24 von Paralipomenon G.*

Bl. K = 11 (Paralipomenon A): 1 Bl. 21,4 × 17 cm. ⅓ S. mit Bleistift beschrieben.

H⁴   (Bd 4, S. 96,12–129,33): GSA I,12

11 Doppelbl. (Bl. 11 in 10 eingelegt) 8°. 41 S. beschrieben, 3 S. (vor der Vierten und der Achten Szene und am Schluß) leer. Verschiedene Papiersorten, Doppelbl. 6–7 25 *(Rüpelszene) aus wesentlich bräunlicherem und vergilbterem Papier als die übrigen Doppelbl. Überschrift am Kopf von S. 1: Der letzte König von Orplid. | Schatten-spiel. Vorbesitzer: Klara oder Margarethe Mörike.*

Flüchtige Schrift mit vielen Abkürzungen und Verbesserungen, auffällig wenig Satzzeichen. Auf einige Doppelbl. sind Einzelbl. an- oder aufgeklebt wie in H¹³. 30 *Gelegentlich finden sich ebenfalls wie in H¹³ an den Rändern Anweisungen Mörikes für den Setzer wie frische Linie oder Kleine Schrift, die im Lesar-ten-Apparat zu Bd 4 nicht im einzelnen verzeichnet wurden. Für die Verbesserun-*

gen, soweit sie nicht mit Blei- oder Rotstift vorgenommen sind, hat Mörike meist eine andere, schwärzere Tinte verwendet als für die ursprüngliche Niederschrift. In der Rüpelszene ist der Name Gumbrecht stets mit dieser dunkleren Tinte über oder neben das gestrichene bzw. radierte Wort Buchdrucker geschrieben, ohne daß diese Änderungen im Lesarten-Apparat jedesmal besonders verzeichnet wurden. Sieben Szenen beginnen jeweils auf einem neuen Doppelbl., während die Seiten davor nicht immer bis unten beschrieben sind. Das spricht ebenso wie die leeren Seiten und die häufigen Änderungen der Szenen-Zählung dafür, daß diese Fassung des Zwischenspiels in Etappen, meist wohl szenenweise und oft nicht dem Ablauf des Geschehens entsprechend niedergeschrieben ist. Der Hauptteil ist vermutlich um die Jahreswende 1861/62 zu Papier gebracht worden (vgl. die Entstehungsgeschichte der Umarbeitung, oben S. 20 f), die späteren Tintenkorrekturen dürften das Ergebnis einer erneuten, zeitlich nicht bestimmbaren Durchsicht in einem Zuge sein.

H^5 (Bd 4, S.87,6–88,15): GSA I,11

1 Doppelbl. 8°. 2½ S. beschrieben. Am Kopf der ersten Seite rechts eigenhändige Notiz Mörikes mit lateinischen Buchstaben In den lezten schweren Tagen meines Aufenthalts in Nro 67 der Reinsburgstraße geschrieben auf Claras Zimmer (also Anfang Juli 1873; vgl. die Entstehungsgeschichte der Umarbeitung, oben S. 24). Vorbesitzer: Klara oder Margarethe Mörike. Flüchtige Schrift mit Verbesserungen und Abkürzungen.

H^6 (Bd 4, S.90,27–94,22): GSA I,11

1 Doppelbl. und 1 Bl. 8°. 6 S. beschrieben. Der Text endet mit den Worten unnatürliche Verbindung. Vorbesitzer: Klara oder Margarethe Mörike. Flüchtige Schrift mit zahlreichen Abkürzungen und Verbesserungen.

H^7 (Bd 4, S.154,16–157,7): GSA I,11

1 Doppelbl. 8°. 4 S. beschrieben. Der Text beginnt mitten im Satz ihn vom Dach herab und endet ebenfalls mitten im Satz Und gibst Du denn [dem Herzog auch] die (vgl. die Lesarten zu S.157,6.7). Vorbesitzer: Klara oder Margarethe Mörike.

Deutliche Schrift ohne viele Abkürzungen, nur auf S.4 zahlreiche Verbesserungen. Die Seiten sind am oberen Rand von 43–46 durchgezählt. Es handelt sich also um einen Teil eines größeren Manuskripts. Da sich die Seitenzahlen ungefähr, aber

nicht genau mit denen der hinter dem Zwischenspiel beginnenden zweiten Zählung
von H¹³ decken (vgl. unten S. 91, 11 f), haben wir zweifellos das Bruchstück einer
Niederschrift des auf den »Letzten König von Orplid« folgenden Teils der Hand-
lung vor uns, die Mörike später noch einmal mit geringfügigen Änderungen für
die Einreihung in H¹³ abgeschrieben hat. 5

H⁸ *(Bd 4, S.177,31–182,19): GSA I,11*

    2 Bl. und 1 Doppelbl. 8°. 8 S. beschrieben. Der Text beginnt Die jungen Leute
    und endet *ein zweiter. Vorbesitzer: Klara oder Margarethe Mörike. Flüchtige*
    Schrift mit zahlreichen Abkürzungen und Verbesserungen.

H⁹ *(Bd 4, S.390, Paralipomenon K): GSA I,11* 10

    1 Bl. 8°. 1⅓ S. beschrieben. Auf der Vorderseite des Blattes ein Brief Mörikes ohne
    Jahreszahl Montag d.⟨en⟩ 16.Nov.⟨ember⟩ Morgens, *beginnend* Lieber Herr
    Doktor! Ich bin mit den drei Bändchen fertig, *der offensichtlich nie abgesandt*
    oder wieder zurückgeschickt worden ist, und dessen Empfänger wir nicht kennen.
    Vorbesitzer: Margarethe Mörike. 15
    Flüchtige Schrift mit einigen Abkürzungen und Verbesserungen. Die Angaben von
    Friedrich Seebaß zu der Mitteilung auf der Vorderseite (Eduard Mörike, Unver-
    öffentlichte Briefe, ²1945, S.603 zu Nr 379) sind falsch, was den Eigentümer, frag-
    würdig, was Ort, Jahreszahl und Empfänger, irreführend, was die Beziehung
    zum »Maler Nolten« betrifft, mit dem die kurze Nachricht möglicherweise gar 20
    nichts zu tun hat.
    Gleicher Text wie H³ Bl. A (vgl. die Beschreibung oben S. 87, 9).

H¹⁰ *(Bd 4, S.388–389, Paralipomenon H): GSA I,11*

    1 Doppelbl. 8°. 3 S. beschrieben. Vorbesitzer: Klara Mörike. Flüchtige Schrift mit
    Abkürzungen und zahlreichen Korrekturen, besonders auf S.2. 25

H¹¹ *(Bd 4, S.391, Paralipomenon N): SNM I,261*

    1 Bl. 7 × 13 cm. An den Rändern ungleichmäßig abgerissen. 1 S. bis an alle 4 Ränder
    mit Bleistift beschrieben, die 4 letzten Wörter auf der Rückseite. Vorbesitzer un-
    bekannt. Flüchtige Schriftzüge.

H¹² *(Bd 4, S.391, Paralipomenon O): Stadtarchiv Stuttgart, Nr 215* 30

    1 Bl. 5,5 × 9 cm. Oben ungleichmäßig abgerissen. 2 S. beschrieben, auf der einen

Seite mit Bleistift Paralipomenon O, auf der anderen Seite Bruchstücke eines Ge-
burtstags-Glückwunschbriefes der Luise Walther an Mörike oder ein Mitglied seiner
Familie. Vorbesitzer: Hanns Wolfgang Rath. Flüchtige Schriftzüge. Viele Abkür-
zungen.

5 H¹³ *(Bd 4, S.11–213): SNM I,261*

155 Bl. 8°. 303 von 310 S. beschrieben, durchgezählt von Mörike selbst mit Bleistift
(von S.169 an mit Rotstift) 1–291, die folgenden Schluß-Seiten des Manuskripts
von unbekannter (Weiberts?) Hand 1–12. Sieben Seiten des Manuskripts sind leer
geblieben: 1 hinter S.65 (Bd 4, S.52,26); 2 hinter S.125 (Bd 4, S.90,26); 1 hinter
10 *S.132 (Bd 4, S.96,11); 2 hinter S.164 mitten im Dialog (Bd 4, S.126,27); 1 hinter*
S.291 (Bd 4, S.205,10). Hinter dem dramatischen Zwischenspiel (S.169; Bd 4,
S.130) beginnt eine frühere Seitenzählung Mörikes 1–72 (mit Bleistift), bei »Ein
Tag aus Noltens Jugendleben« (S.249; Bd 4, S.175,16) eine weitere 1–26 (mit
Tinte). Diese beiden Folgen von Seitenzahlen sind später ersetzt (aber nicht getilgt)
15 *worden durch die Rotstift-Zahlen 169 bis 291 von Mörikes durchlaufender Nume-*
rierung. Verschiedene weiße, graue, gelbliche und leicht rötliche Papiersorten.

Vor S.1 ein aufgezogenes Titelblatt der Klaiberschen Ausgabe (E²). Am unteren
Rand eigenhändige Notiz des Verlegers Ferdinand Weibert: »Eigenhändiges, vom
Verfasser 1875 hinterlassenes Manuscript. Ferd. Weibert«. Ganz unten links
20 *Notiz von unbekannter Hand »Enthält S.1–291 u. S.1–12«. Vorbesitzer im Schiller-*
Nationalmuseum nicht mehr feststellbar, vermutlich Klara Mörike.

Meistens sind 2 Bogen (Doppelbl.) gefaltet und zu einer Einheit von 8 Seiten in-
einandergelegt, daneben gibt es einfache gefaltete Bogen (4 Seiten), halbe Bogen (2
Seiten), drei ineinandergelegte Bogen (12 Seiten). Oft ist an einen Bogen links,
25 *rechts, oben oder unten ein weiteres Blatt angeklebt, mitunter auf ein beschriebenes*
Blatt ein anderes bzw. ein Streifen mit neuem Text aufgeklebt.

Im einzelnen sind folgende Seiten zu kleinen Konvoluten zusammengefügt oder als
Einzelblätter dazwischengelegt: 1–8 (Bd 4, S.11–15); 9–16 (15–19); 17–24 (19–23);
25–26 (23–24); 27–30 (24–27); 31–38 (27–32); 39–42 (32–36); 43–46 (36–39);
30 *47–54 (39–45); 55–61 (45–51); 62–65 (51–52); 66–73 (53–58); 74–81 (58–63);*
82–89 (63–67); 90–93 (67–69); 94–101 (70–74); 102–115 (75–83); 116–123
(83–89); 124–125 (89–90); 126–132 (90–96); 133–140 (96–104); 141–148
(104–111); 149–156 (111–120); 157–162 (120–125); 163–164 (125–126);

165–168 (126–129); 169–176 (130–132); 177–182 (133–136); 183–192 (137–142);
193–196 (142–144); 197–198 (144–145); 199–200 (145–146); 201–204 (146 bis
148); 205–208 (148–150); 209–210 (150–151); 211–218 (152–157); 219–226
(157–162); 227–234 (162–167); 235–236 (167–168); 237–240 (168–171); 241–248
(171–175); 249–256 (175–181); 257–264 (181–186); 265–272 (186–192); 273–280   5
(192–197); 281–290 (197–205); 1-8 (205–210); 9–12 (210–213).

Neue Kapitel oder Absätze beginnen am Anfang von Blättern oder Blattkonvoluten,
die durch folgende Seitenzahlen bezeichnet sind: 17 (Bd 4, S.19,20); 25 (23,33);
39 (32,20); 43 (36,5); 47 (39,10); 66 (52,27); 94 (70,1); 102 (75,1); 126 (90,27);
133 (96,12); 169 (130,1); 183 (137,1); 209 (150,34); 211 (152,1); 227 (162,4);   10
237 (168,16); 249 (175,16); 1 (205,11). In allen anderen Fällen beginnen die neuen
Blätter oder Blatt-Konvolute mitten im Abschnitt, im Satz oder gar im Wort.

Sauber geschriebene, fast druckfertige Partien wie »Der letzte König von Orplid«,
»Ein Tag aus Noltens Jugendleben« und das »Diarium des Onkels Friedrich«
(S.96–129, 175–205) wechseln mit flüchtig hingeworfenen und wegen vieler Ände-   15
rungen oft schwer zu entziffernden Teilen. Dazu gehören fast alle Partien mit
Constanze als Hauptfigur.

Das Manuskript ist nach dem Handschriftenbefund weder eine Reinschrift noch
in einem Zuge niedergeschrieben, noch sind die einzelnen Teile in der dem Hand-
lungsablauf entsprechenden Reihenfolge aufgezeichnet. Vielmehr hat Mörike ganz   20
offensichtlich alle ihn befriedigenden Niederschriften einzelner, zu verschiedenen
Zeiten umgearbeiteter Teile in den letzten Lebensjahren nach nochmaliger Durch-
sicht oder Abschrift rein äußerlich zu einem fortlaufenden Manuskript zusammen-
gefügt, das an sich noch einer letzten Überholung bedurft hätte.

Der Dichter schreibt mit Tinte, verbessert aber gelegentlich auch mit Blei-, Kopier-   25
oder Grünstift, je nachdem, was ihm gerade zur Hand war. Eine Durcharbeitung
des gesamten Manuskripts mit einem bestimmten Stift läßt sich nicht feststellen.

Korrekturen mit Blaustift (Streichungen, Verweisungszeichen, Schleifen, Ziffern,
Striche und Textveränderungen) stammen offensichtlich nicht von Mörike selbst,
der auch in den anderen Nolten-Handschriften keinen Blaustift verwendet, sondern   30
von dem Redaktor, der das Manuskript für den Druck vorbereitet hat. Soweit es
sich dabei um Buchstaben oder ganze Wörter handelt, ist Julius Klaibers Schrift
unverkennbar. Von ihm stammen daher mit größter Wahrscheinlichkeit auch alle
übrigen Blaustift-Korrekturen. Daß sie nicht in die Abschrift h² übertragen wor-

den sind (vgl. die Beschreibung S. 95 f), ist ein zusätzlicher Beweis dafür, daß sie nicht von Mörike selbst stammen. Gewöhnlich sind die ausnahmslos im Lesarten-Apparat verzeichneten Blaustift-Änderungen orthographische Korrekturen, mitunter auch Ersetzungen von dem Bearbeiter offenbar nicht genehmen Wörtern durch andere, meist im Sinne einer Modernisierung der Sprache. *In anderen Fällen sind es notwendige Verbesserungen, die Mörike selbst vorgenommen hätte, wenn er den Text noch einmal durchgesehen hätte, und die der Herausgeber auch ohne Klaibers Vorgang hätte vornehmen müssen (z.B. S.26,21; 36,2; 41,16). Gelegentliche Blaustift-Zahlen an den Rändern und -Haken im Text sind für den Setzer bestimmt und* nicht im Apparat verzeichnet.

An den Rändern der Handschrift finden sich häufig, meist in lateinischer Schrift, eigenhändige Anweisungen Mörikes für den Verleger bzw. den Setzer wie frische Linie, Gewöhnlicher Zwischenraum, Kein Zwischenraum, Kleine Schrift, Kleiner Absatz *usw., die in Bd 4 berücksichtigt, aber im Lesarten-Apparat nicht verzeichnet wurden. Am oberen Rand von S.169 (Bd 4, S.130) und von S.183 (Bd 4, S.137) findet sich jeweils eine eigenhändige Notiz Mörikes:* Anfang des IIten Th⟨ei⟩ls? *An den rechten Rand des Manuskripts hat Mörike auf S.74 (Bd 4, S.58,28) in runden Klammern* April *geschrieben, auf S.80 (Bd 4, S.62,6–8)* 1.Febr.⟨uar⟩ 74 *gelesen, auf S.82 (Bd 4, S.63,9.10) mit lateinischen Buchstaben* Lorch 1.Maerz 69 *(vgl. die Entstehungsgeschichte oben S. 22).*

Den letzten Bogen (Bd 4, S.210,20ff) hat nicht Mörike, sondern der Verleger Ferdinand Weibert beschrieben, von dem auch die Bleistiftnotiz rechts oben auf der ersten Seite dieses Bogens stammt: »Diplomatisch genaue Abschrift. Original in Händen der Frau Prof.⟨essor⟩ Mörike.« *(Vgl. dazu die Beschreibung von H¹⁴).*

Daß der Blaustift auch auf diesem letzten Bogen, hingegen nicht in H¹⁴, der eigenhändigen Niederschrift Mörikes, verwendet wird, kann als weitere Bestätigung dafür dienen, daß die Blaustift-Korrekturen in H¹³ nicht vom Autor selbst stammen.

Inkonsequenzen der Rechtschreibung sind in dieser Handschrift noch auffälliger als in E¹. Besonders häufig finden sich z *und* tz *(z.B.* jezt *und* jetzt*),* s *und* ß *(*Mismuth *und* Mißmuth*),* k *und* ck *(*erschrak *und* erschrack*),* y *und* i *(*seyn *und* sein*),* ie *und* i *(*gieng *und* ging*) nebeneinander, ebenso die Frauennamen* Fernanda *(Genitiv* Fernandas*) und* Fernande *(Genitiv* Fernandens*),* Antonia *und* Antonie*. Mit ähnlicher Inkonsequenz hat der Dichter nicht selten Korrekturen*

vorgenommen, z.B. hier ein t in jetzt fortgestrichen, dort in jezt eingefügt, hier
Alles *in* alles, *dort* recht *in* Recht *verbessert. Im Text von Band 4 findet sich je-*
weils die veränderte Form, ohne daß diese Änderungen einzeln im Lesarten-Apparat
vermerkt würden, was bei der Häufigkeit dieser Korrekturen zu einer ungerecht-
fertigten und verwirrenden Aufschwemmung des Apparats geführt hätte. Schlüsse   5
auf die Entstehungszeit der Niederschrift einzelner Teile der Umarbeitung sind
von der Rechtschreibung her nicht möglich, da die orthographischen Inkonsequen-
zen in allen Teilniederschriften gleich groß sind.

H^{14} *(Bd 4, S.210,20–213,9): GSA I,11*

    1 Bl. mit schmalem Falz vor 1 Doppelbl. geklebt. 8°. 4½ S. beschrieben. Auf der   10
Vorderseite des ersten, angeklebten Blattes eine kleine, ohne Zerstörung des Textes
nicht ablösbare Überklebung (von S.210,28 treuherzigsten *bis S.211,1 fort). Das*
Manuskript beginnt mit dem Satz Larkens hatte die Äußerung hingeworfen, *
also genau dort, wo in H^{13} Ferdinand Weiberts Abschrift Mörikes eigene Hand-
schrift ablöst. H^{14} ist daher ohne Zweifel der in Weimar aufbewahrte Schluß des in   15
Marbach befindlichen Manuskripts H^{13}, eben jenes »Original in Händen der Frau
Prof. Mörike«, das Weibert in H^{13} am Kopf von S.9 des 2.Teils erwähnt (vgl. auch
die Entstehungsgeschichte der Umarbeitung, S.27). Papierart und -größe bestäti-
gen diese Schlußfolgerung. Vorbesitzer: Margarethe Mörike. Verhältnismäßig gut
lesbare Schrift. Wenig Abkürzungen.   20

h^1 *GSA I,13b*

    Erstausgabe des »Maler Nolten« (E^1) mit eigenhändigen Eintragungen der Mar-
garethe Mörike in Bd 2. Verhältnismäßig gut erhaltenes Exemplar der Ausgabe
ohne Jahreszahl. Schwarze Halblederbände der Zeit mit Rückenvergoldung. Auf
dem Vorsatzblatt von Bd 1 rechts oben eigenhändige Widmung Mörikes Dem   25
lieben Gretchen von Eduard M. *Auf dem Vorsatzblatt von Bd 2 rechts oben*
eigenhändige Eintragung der Margarethe Mörike: Gretchen Speth. *Vorbesitzer:*
Margarethe Mörike, die das Exemplar vom Dichter offensichtlich vor der Hochzeit
als Geschenk erhalten hat.

    Margarethe hat Mörikes Korrekturen aus H^2 mit Bleistift in h^1 übertragen. Die   30
beiden Exemplare unterscheiden sich im Eintragungsbefund nur dann, wenn Mar-
garethe in H^2 etwas übersehen hat, was nicht selten vorkommt, wenn sie eine
Änderungsabsicht verkannt hat, oder wenn sie die Handschrift des Gatten ganz

offensichtlich nicht hat lesen können. Besonders auffallende, mit den Bearbeitungs-Ansätzen zu vergleichende Beispiele für falsche Lesungen Margarethes, die oft gar keinen Sinn ergeben, sind folgende: Bd 3, S.228,9 versprach *statt* versicherte die-ser; *238,23* zu müssen *statt* menschen; *251,2* führt *statt* sicherlich; *277,8–11* kränken *statt* verkennen; *293,14* erdenkliche *statt* ordentlich; *318,1.2* redete *statt* bedurfte; *320,25* meinem *statt* Manier; *338,30* warm *statt* bizarre. *An einigen Stellen hat Margarethe nicht zu entziffernde Schnörkel zwischen die Zeilen gesetzt, so S.275,5, wo sie vielleicht, oder S.333,30, wo sie Todte nicht hat lesen können. Auf den Seiten 275,9 und 365,24 sind von einer anderen, uns unbekannten Hand Korrekturen Mörikes nicht aus H², sondern aus H¹ übertragen worden, in diesen beiden einzigen Fällen mit Tinte.*

Margarethe hat die Abschrift so gut wie sicher erst nach Mörikes Tod angefertigt, bevor sie die eigenhändigen Niederschriften des Dichters an Klaiber geschickt hatte zur Bearbeitung der Neufassung des »Maler Nolten« (vgl. die Entstehungsgeschichte der Umarbeitung oben S. 26 f).

Die handschriftlichen Eintragungen in h¹ sind als unselbständige, dazu lücken- und fehlerhafte Abschriften ohne textkritischen Wert nicht in den Lesarten-Apparat aufgenommen worden.

h²   *(Bd 4, S.11–210,20): GSA I,10*

78 Doppelbl., meist 2 ineinandergelegt, und 5 Bl. 8°. 319 S., von 4 verschiedenen Schreibern beschrieben. Die Seitenzählung beginnt sechsmal mit S.1 (Bd 4, S.11,1; 52,27; 96,12; 130,1; 162,4; 175,6). Vorbesitzer: Margarethe Mörike.

Das Manuskript erweist sich beim Vergleich einwandfrei als Abschrift von H¹³. Kopist 1 (Margarethe Mörike) hat Bd 4, S.14,29–15,17 (mitten im Satz beginnend und endend); 51,17 (beginnend mit brich) bis 52,26; 96,12–162,3; 175,16–210,20 (endend mit Sprache) geschrieben; Kopist 2 (Klara Mörike) S.15,17 (beginnend mit bei) bis 24,30 (endend mit Rath); Kopist 3 (wohl Fanny Mörike) S.11,1–14,29 (endend mit Zeichner); 95,17 (beginnend mit daß) bis 96,11; Kopist 4 (unbe-kannte Schreiberhand) S.24,30 (beginnend mit Schon) bis 51,17 (endend mit Fäl-len); 52,27–95,16; 162,4–175,15. Falsche Lesungen sind in Anbetracht der besser lesbaren Vorlage nicht so häufig wie in h¹. Am wenigsten zuverlässig ist der Teil der Abschrift von Klara Mörike. Zahlreiche Abweichungen von H¹³ haben ihren Grund darin, daß die mit Blaustift vorgenommenen Änderungen des Redaktors *(vgl. die Beschreibung von H^{13}) natürlicher Weise nicht in h^2 übertragen worden sind.*

Das Manuskript endet mitten im Absatz mit dem Wort Sprache. (S.210,20). Mit dem nächsten Wort Larkens beginnt H^{14} bzw. der von Ferdinand Weibert ge-schriebene Schlußteil von H^{13} (vgl. die Beschreibung dieser beiden Handschriften und die Entstehungsgeschichte der Umarbeitung). Entstanden ist die Kopie mit hoher Wahrscheinlichkeit ebenso wie h^1 zwischen Mörikes Tod und Klaibers Be-arbeitung der unvollendeten Neufassung. 5

Die Handschrift ist ohne textkritischen Wert und daher nicht in den Lesarten-Apparat aufgenommen. 10

E^2 *(Bd 4, S.215–382):* Maler Nolten. | Roman | von | Eduard Mörike. | Zweite überarbeitete Auflage. | Erster *(bzw. Zweiter)* Band. | Stuttgart. | G.J. Gö-schen'sche Verlagshandlung. | 1877. 8°.

Der erste Band ist nicht berücksichtigt in unserer Ausgabe, die für den von Mörike selbst vollendeten Teil der Neufassung des »Maler Nolten« die Handschrift H^{13} als Textgrundlage benutzt. 15

Im zweiten Band findet sich auf S.4–302 die in Bd 4 unserer Ausgabe gedruckte Fortsetzung der Umarbeitung in der Fassung Julius Klaibers, des posthumen Her-ausgebers der beiden Bände (vgl. die Entstehungsgeschichte der Umarbeitung oben S. 26 ff). 20

LESARTEN

LESARTEN ZUR ERSTEN FASSUNG

Band 3 Seite 11–414

Dem Text liegt die Erstausgabe von 1832 (E¹) zugrunde. Eine Handschrift ist nicht bekannt.

Vorlage für den Drucker von E¹ war vermutlich die Abschrift von Mörikes Manuskript

5   *durch einen Kopisten (Provisor), die der Dichter in dem Brief an Mährlen vom 20.(?)Sep-*

tember 1830 erwähnt: Meine Novelle hat in einer ziemlich gedrängten Abschrift

von Provisor-Hand 25 Bogen und wohl 12 kommen noch dazu. *Verglichen wurde*

der Druck des dramatischen Zwischenspiels »Der letzte König von Orplid« in der »Iris« (B).

Die Namen der handelnden Personen, die in E¹ stets gesperrt gedruckt sind, wurden, den

10   *Grundsätzen dieser Ausgabe entsprechend, nicht durch Schrägdruck gekennzeichnet. Das*

gilt auch für die Form Agnesiana *S. 240,30, nicht hingegen für* Agnes *S. 30,15 und für*

Theobald *S. 155,6, da es sich in beiden Fällen offensichtlich um eine der vom Dichter beab-*

sichtigten Hervorhebungen handelt, die stets in Schrägdruck wiedergegeben sind. Bei an-

*deren Personennamen (*Napoleon, Lichtenberg, Novalis *u.ä.) und sämtlichen Orts-*

15   *namen, die in E¹ uneinheitlich behandelt, d.h. einmal gesperrt, ein anderes Mal ohne*

Sperrung gedruckt sind, wird der Vorlage entsprechend verfahren, da immerhin die Mög-

lichkeit besteht, daß in allen Fällen einer solchen gesperrten Namensform tatsächlich eine

Hervorhebung beabsichtigt war.

Der Genitiv des Personennamens Larkens *ist in E¹ mit Apostroph und folgendem s (*Lar-

20   kens's *für »Larkensens«) gedruckt, nur an drei Stellen findet sich ein Genitiv* Larkens*:*

S. 48,32; 71,26; 404,31. In unserer Ausgabe wird bei der Änderung in Larkens's *von der*

Annahme ausgegangen, es sei dem Autor, Kopisten oder Setzer gar nicht bewußt gewesen

und bei der Korrektur überlesen worden, daß es sich tatsächlich um den Genitiv zu dem

Nominativ Larkens *handelt.*

25   *In den Regie-Anweisungen innerhalb und am Schluß der einzelnen Szenen des Zwischen-*

spiels sind die Personennamen in E¹ gewöhnlich nicht durch Sperrungen herausgehoben,

doch sind die Namen Thereile *viermal (S. 114,9; 114,27; 118,30; 119,18),* Wispel *zwei-*

mal (S. 132,10; 132,13) und Kollmer *einmal (S. 136,6) ohne erkennbaren Grund gesperrt.*

In den szenischen Anweisungen von B sind sämtliche Namen gesperrt gedruckt, nicht dagegen Personen ohne Namen (König, Buchdrucker, Feen, Kinder). In unserer Ausgabe sind die Namen oder Bezeichnungen der im Zwischenspiel handelnden Personen nur am Kopf der einzelnen Szenen der Vorlage entsprechend kursiv gedruckt, innerhalb und am Schluß der Szenen wird ohne Einzelvermerke im Lesarten-Apparat einheitlich auf 5
Sperrungen verzichtet.

Bei den Ortsangaben am Kopf der Szenen sind in E¹ mitunter einzelne Wörter ohne erkennbaren Grund gesperrt oder mit größeren Lettern gedruckt. Diese Unausgeglichenheiten wurden stillschweigend vereinheitlicht.

Die von E¹ abweichende typographische Gliederung der szenischen Anweisungen in B und 10
die hier übliche Verwendung runder Klammern in diesen Anweisungen wurden ebensowenig einzeln im Apparat verzeichnet wie die konsequente Schreibung Schmied *(B) statt* Schmid *(E¹).*

Die Textvarianten in E¹ᵐ sind offensichtlich Flüchtigkeitsfehler des Schreibers der Musikbeilage, zum Teil vielleicht auch Eigenmächtigkeiten der Komponisten. Diese Varianten 15
sind gleichwohl im Apparat verzeichnet wegen der Lesarten zu S. 37,8 und 37,10: Die Lesart stiller *(37,10) ist die wahrscheinlichere und besser bezeugte, das* doch *(37,8) findet sich in allen späteren Gedichtausgaben und in der Umarbeitung des »Maler Nolten« im Gegensatz zu* Und *in der Handschrift für Dorchen Mörike und in der Erstausgabe des Romans. Ein Eingreifen Mörikes selbst in die Textgestaltung der Musikbeilage ist also zumindest in* 20
Einzelfällen möglich. Keine Notiz wird im Lesarten-Apparat davon genommen, daß Großbuchstaben, die in E¹ den Anfang eines neuen Verses markieren, im fortlaufenden Text von E¹ᵐ durch Kleinbuchstaben ersetzt werden, falls nicht am Satzbeginn ohnehin ein Großbuchstabe erfordert wird.

Die Seitenzahlen von E¹ sind in Bd 3 am Kopf jeder Seite links bzw. rechts außen neben den 25
lebenden Kolumnentiteln mit schrägen kleinen Ziffern wiedergegeben, die jeweiligen Seitenschlüsse durch einen dünnen senkrechten Strich im Text selbst gekennzeichnet (z. B. S. 12,10 Land-|schaft; *S. 12,32 und* |*).*

Die im folgenden wiederholt erwähnten Corrigenda befinden sich auf einem besonderen Blatt am Schluß des zweiten Bandes der Erstausgabe (vgl. die Beschreibung des Druckes 30
oben S. 83).

11,13 Fauteuil] Fauteil *E¹ (wohl orthographische Unbekümmertheit, bei Fremdwörtern besonders häufig; vgl. S. 34,20; 126,18; 131,13; 132,9; 325,16)* **15**,12 man] mau

(Druckfehler) E¹ **17**,27 daß] das *(Druckfehler) E¹* **22**,5 so gar] sogar *E¹ (so gar schon
bei Leffson)* **33**,20 Farce] Farçe, *dafür in den Corrigenda* Farce *E¹* **34**,20 Intriganten]
Intriguanten *E¹ (vgl. oben zu S.11,13)* **37**,2 Rennt] rinnt *(Schreibfehler) E¹ᵐ* **37**,8
Und] doch *E¹ᵐ* **37**,10 stiller] stille *E¹* stiller *E¹ᵐ (vgl. die Lesarten zu »Der Feuerreiter« in Bd 1)* **41**,27 Tagesanbruch] Tagesbruch, *dafür in den Corrigenda* Tagesanbruch *E¹* **42**,4 Besemen] Besen, *dafür in den Corrigenda* Besemen *E¹* **63**,6 ver-
sichert] versicherte, *dafür in den Corrigenda* versichert *E¹* **74**,2 konnte] kann,
dafür in den Corrigenda konnte *E¹* **74**,4 ruhte] ruht, *dafür in den Corrigenda* ruhte *E¹*
74,9 Lustschloß] Lustschluß *(Druckfehler) E¹* **76**,2 nicht] mich *(Druckfehler) E¹*
(vgl. auch die Bearbeitungs-Ansätze zu S.76,2) **90**,15 an] an an, *dafür in den Corrigenda*
an *E¹* **95**,16 Ich hatte] Ich hatte – so erklärte sich der Autor dieses Schattenspiels
bei dessen erstmaliger Producirung – ich hatte *B* **95**,16 Schule] Hochschule *B*
95,26 heiteres] heitres *B* **95**,27 reiferen] reifern *B* **95**,30 mitbrachte] mitnahm *B*
96,2 auch] *fehlt B* **96**,3 den] seinen *B* **96**,30 heutiges] *fehlt B* **97**,10 spucken]
spucken. *E¹* **99**,1.2: *fehlt B* **99**,17 sechszig] sechzig *B* **103**,2 Öder Strand. Im
Norden] (Öder Strand.) *B* **109**,1 fließt –)] fließt – *E¹* **109**,19 Ich muß –] *fehlt B*
113,7 in] im *E¹ B (vgl. die Erläuterung zu dieser Stelle)* **113**,29 heller] leichter *B*
113,31 Elfen] Feen *B* **115**,26 jedes] edes *(Druckfehler) E¹* **117**,14 neun] ein Tausend *B* **117**,17 wo *bis* wächst] wo wir uns immer Pfeifchen holen *B* **117**,28 unge-
rathene] ungerathne *B* **117**,29 duckmäuseriges] tuckmäuseriges *B* **118**,6.7 diese
heillose Beschäftigung] diesen heillosen Unfug *B* **118**,28 *Pfuldararaddada*]
Hollaloh B **118**,29 Kinder hängen] Kinder, außer Silpelitt, hängen *B*
119,1–9 ᴋÖɴɪɢ *bis* Habt gute Ruhe]

Silpelitt

Horch!

Thereile

Dieß ist der Widerhall davon; das Echo, das durch die Krümmen des
Bergs herumläuft. Habt gute Ruhe *B*

119,12–17:   Und streut, noch eh' der Morgen wach,

Mit Rosen aus mein Schlafgemach

Im kühlen Bergkrystalle! *B*

119,19: Heut magst du weder Sang noch Tanz *B* **120**,29 Wenn] Wann *B* **123**,7
Schnicklich wie von Zucker, und] schnicklich, wie von Zucker und *E¹* **124**,5 Man

red't nicht gern davon] *fehlt* B   **124**,15 Kopf, Nickel verfluchter?] Kopf? B   **125**,8.9

Zähnebürstchen, das Zäh – – die] Zähnebürstchen – die B   **125**,12 Diktion] Pro-

nunciation B   **125**,25 Kamaschen] Gamaschen B   **126**,16.17 weil *bis* Kapillen]

weil wir der Pomade ermangeln B   **126**,18 Elegance] Elegançe *E¹* (*vgl. oben zu*

S.11,13)   **127**,1.2 einzugehen, recht mit ihm zu conserviren.] einzugehen. B   5

127,4–7 Nein *bis* zu] Hum B   **127**,13 (für sich)] *fehlt* B   **127**,14.15 So *bis* Rock.]

Hum! – B   **127**,28–30 drei Butten *bis* Kettlein] vier Maltern Weizen und den zwei

Käse-Laiben B   **128**,26 gleich! du hundsföttischer neidischer Blitz!] gleich? ver-

dammter Nickel, infamer! B   **129**,2.3 Du Krötenlaich! Du Stinkthier!] *fehlt* B

129,4 Ein' Kamm her! Ein' Kamm!] Ein Handtuch her! einen Lumpen! B   **129**,5   10

mit einem Tuch] ab B   **129**,15 übel aus, gar] übel, gar B   **129**,23 Ooper] Ohper B

130,3–5 wir seyen *bis* schreiben?] wir seyen – B   **130**,7 Dummer Hund! – Herein!]

Reis' zum – Herein! B   **130**,10 von] vom B   **131**,13 associiren] assoçiiren *E¹* (*vgl. oben*

zu S.11,13)   **131**,23.24 werden, und ergib dich nur gutwillig drein.] werden. B

131,28 Bei meiner armen Seele, und so] So B   **131**,30 stillschweigend] gutwillig B   15

132,9 ADDIO] ADIO *E¹* (*vgl. oben zu S.11,13*)   **133**,19 Mitten] Mitte *E¹* (*Mitten in B*

und den meisten anderen Textzeugen; vgl. die Lesarten zu »Die Geister am Mummelsee«

in Bd 1)   **134**,13 Freilich *bis* Leben –] *fehlt* B   **137**,15 spiele dann] spiele, *dafür in den*

Corrigenda spiele dann *E¹* spiele oft B   **144**,20 meint'] meynt *E¹ᵐ*   **144**,26 drin

wird] drinn muß *E¹ᵐ*   **144**,27 beim] am *E¹ᵐ*   **147**,23 Du *bis* mir,] *fehlt* B   **148**,23 un-   20

mächtig] *fehlt* B   **150**,24 Vesten's] Vestin's *E¹* (*vgl. S.149,29; Vestens schon bei Leffson*)

168,14 so reizend] fo reizend *(Druckfehler) E¹*   **174**,18 auf] anf *(Druckfehler) E¹*

176,30 daß er,] daß, er *(Druckfehler) E¹*   **183**,1 Flammen Schein] Flammenschein

E¹ᵐ   **183**,11 So kommt der Tag heran –] so bricht der Tag mir an, *E¹ᵐ*   **187**,13 Nol-

ten'schen] Nolten'sche *(Druckfehler) E¹*   **189**,33 eigene] einige, *dafür in den Corri-*   25

genda eigene *E¹*   **228**,30 Verhältnisses.] Verhältnisses *E¹*   **231**,34 in's] n's *(Druck-*

fehler) E¹   **236**,4 Und] Uod *(Druckfehler) E¹*   **236**,31 Wesens] Wesen *(Druckfehler) E¹*

264,33 Wohnung] Wohnuung *(Druckfehler) E¹*   **274**,6 Geschlaggien] Geschag-

gien *E¹* (*vgl. die Bearbeitungsansätze zu S.274,6*)   **283**,2 nehmen] nehmn *(Druck-*

fehler) E¹   **288**,7 An dem Hut] in der Hand *E¹ᵐ* (*von Mörike eigenhändig berichtigt*   30

in einem Exemplar der Musikbeilage in der Sammlung Kauffmann)   **295**,2 malerischen]

malerischer *(Druckfehler) E¹*   **297**,27 wegen] *fehlt E¹* (*wegen schon bei Maync er-*

gänzt)   **297**,32–35 *Möglicher Irrung *bis* gegeben.] *fehlt unter dem Text, ist aber in*

den Corrigenda mit folgenden Worten nachgetragen: Seite 450 Zeile 15 v.o. verweis't

das Zeichen * auf folgende Note, welche unter den Text zu stehen käme: *E¹*
325,16 GRÂCES] GRACES *E¹ (vgl. oben zu S. 11,13)* **343**,26 sinnreichsten] sinnreisten
(Druckfehler) E¹ **382**,27 etwa] etwa *E¹ (richtiger etwas?)* **384**,35 du] du du *(das erste*
du am Zeilenende, das andere am Anfang der nächsten Zeile) E¹ **385**,28 euch] auch

5 *(Druckfehler) E¹ (vgl. die Bearbeitungs-Ansätze zu S. 385,28)* **401**,1 Cur] Car *(Druck-*
fehler) E¹ᵐ **412**,32 sie] Sie *E¹ (Seit Klaiber ist in allen Ausgaben nicht Sie in sie, sondern*
erwartet in erwarten geändert) **413**,16 Götter] Götter, *E¹* **414**,1 Orte,] Orte *E¹*

ANSÄTZE ZUR BEARBEITUNG DER ERSTEN FASSUNG

Band 3 Seite 34–414

Die eigenhändigen Marginalien Mörikes in 2 Exemplaren der Erstausgabe seines »Maler Nolten« (hier als H¹ und H² bezeichnet) sind zwar Schritte auf dem Wege zur zweiten Fassung, können im Apparat aber nicht als Lesarten zur Umarbeitung, sondern zwangs- 5
läufig nur als Lesarten zur Fassung von 1832 verzeichnet werden. Sie unterscheiden sich von den »echten« Lesarten zu Bd 3 auf S. 99 ff dadurch, daß hier der Text des Dichters ledig-lich Ausgangspunkt später vorgenommener Veränderungen ist. Weitere Schritte auf dem Wege zur zweiten Fassung sind die »echten« Lesarten zu Bd 4 auf S. 145 ff und die Parali-pomena Bd 4, S. 385–393. 10
Wo im Apparat nichts anderes bemerkt ist, handelt es sich in beiden Handexemplaren um Eintragungen mit Bleistift. Die Verwendung von Rot- und Grünstift oder Tinte ist jeweils besonders erwähnt.
Die Gliederung in Absätze entspricht der Einteilung des Textes in Kapitel bzw. Szenen.

34,20–23 hatte *bis* war] *Fragezeichen am linken Rand H¹* **36**,2 unserer Stadt] *einge-* 15
klammert H¹ **36**,2.3 kleines Haus] *darüber* Häuschen *H¹*
41,27 Tagesanbruch] Tagesbruch *geändert in* Tagesanbruch *H¹ (vgl. die Lesart zu dieser Stelle)*
47,36–**48**,1 für *bis* verlieren] *Kreuz am linken Rand H¹*
49,17–19 Um *bis* erzählen] *am linken Rand* Von hier bis S. 97 mehrfach abzuän- 20
dern *H¹* **55**,13–16 denken *bis* würdig] *durch Streichungen und Zusätze geändert in* denken, daß er ihr gar gleichgültig werden sollte, sie hätte, meinte sie, wofern es dahin käme, ihr eigen Selbst zerstört, sie müßte Allem, was nur würdig *H¹*
63,6 versichert] e *am Ende von* versichere *gestrichen H¹ (vgl. die Lesart zu dieser Stelle)* **63**,27 ohne Vorwissen des Försters] *gestrichen H¹* 25
74,2 konnte] kann *geändert in* konnte *H¹ (vgl. die Lesart zu dieser Stelle)* **74**,4 ruhte] ruht *geändert in* ruhte *H¹ (vgl. die Lesart zu dieser Stelle)*

104

75,6: *gestrichen; am rechten Rand* Und Wald und Burg zumal *H¹ (vgl. hierzu und zu den nächsten Lemmata die Lesarten zu »Sehnsucht« in Bd 1)* **75**,8 in dem Thale hin] *gestrichen; darunter* jäh hinab das Thal *H¹* **75**,9–12: *gestrichen H¹* **76**,2 nicht] mich *geändert in* nicht *H¹ (vgl. die Lesart zu dieser Stelle)* **76**,3 Hast, Närrchen, ganz] *geändert in* Hast du mit eins *H¹* **85**,10 Der fremde Künstler] *senkrechter Strich am rechten Rand; am oberen Rand der Seiten 124 und 125 in lateinischer Schrift* Statt des verkleideten Wispel wird ein ächter Italiener beiläufig eingefügt, ein untergeordneter Künstler der die Aufstellung der Bildwerke besorgt *H¹* **85**,19–**89**,23 Constanze *bis* Aufbruch an] *diagonal durchgestrichen H¹*

90,15 kamen Briefe] *unterstrichen; am linken Rand* Später während der Gefangenschaft. Durch das Schreiben des Barons von Neuburg erhält Theobald-Larkens die Geschichte von der Geisteskrankheit derselben *H¹* an] *das erste* an *in E¹ gestrichen H¹* **90**,24–27 In der That *bis* auszuschließen] *senkrechte Striche am linken Rand H¹* **93**,4–9 Wie viel *bis* konnte] *senkrechter Strich am linken Rand H¹*

93,31 Es gingen] *darüber am oberen Rand ein Kreuz und Radierspuren H¹*

99,1: *darüber und daneben am linken Rand* Personen Ulmon, der König. Thereile, junge Feeenfürstin. Feeenkinder. Anselmo. Sundrard der Fischer. Löwener, Schmied. Wispel, Barbier. Gumbrecht, gewes.⟨ener⟩ Buchdrucker. *darunter:* ist umgearbeitet und fertig geschrieben *H¹* **126**,15 ä–ä] *das zweite* ä *gestrichen H¹*

137,15 spiele dann] dann *hinter* spiele *eingefügt H¹ (vgl. die Lesart zu dieser Stelle)*

149,1: *darüber am rechten Rand* 2ter Th⟨ei⟩l *H¹*

151,10 Komödie] *gestrichen; darüber* Posse *H¹* **151**,11 Ei aber] *gestrichen H¹*

153,16: *daneben am linken Rand über Radierspuren* 2ter Th⟨ei⟩l? *H¹* **155**,33 wie viel Uhr ist] *gestrichen H¹*

164,1.2 Dießmal *bis* Larkens] *eingeklammert H¹*

173,21 auf die Finger sahen] *geändert in* aufpaßten *H¹* **177**,16.17 Um *bis* hinreichen] *gestrichen H¹* **177**,21 dennoch *bis* ästhetische] *durch Streichungen und Zusätze geändert in* fast ausschließlich ästhetische *H¹* **177**,22–24 Eine Reise *bis* weihen] *gestrichen; am rechten Rand über Radierspuren* Er wurde Schauspieler aus; *am oberen Rand der Seite 257* Eine gute Gestalt, ein äußerst glückliches Organ *H¹* **177**,25 angesehensten Schauplätze] *unterstrichelt, darüber* besseren Bühnen *H¹* **177**,25–32 und *bis* müsse] *diagonal durchgestrichen; am unteren Rand* das er bei zunehmendem Ruf nach wenigen Jahren mit einem der angesehensten Schauspiele des nördlichen Deutschland vertauschte *H¹* **177**,32–**178**,3 Dazu kam *bis* konnten] *durch*

Streichungen und Zusätze geändert in Bald aber zeigte sich der Übelstand, daß ihm
die Neigung zu poetischer Produktivität im Wege stand; er lebte im Reiche seiner
eigenen Dichtung und empfand es übel, wenn ihn mitten in dieser das Handwerk
störte *H¹* **178**,5–9 aus Verdruß *bis* rasen] *Striche im Text; am linken Rand der Dichter*
die Zügel schießen ließ *H¹* **178**,10 die eigene] *gestrichen, darüber* jene *H¹* **178**,16 lei-   5
dige Nebensache] *eingeklammert; am linken Rand* zur Last *H¹* **178**,18 allem Genie]
darüber sein ganzes Talent *H¹* **178**,19 seiner Leute] *gestrichen, darüber* des Publi-
kums *H¹* an sich] *davor über der Zeile* wieder *H¹* Schmerzen] *gestrichen; am linken*
Rand Bedauern *H¹* **178**,20 freiwillig] *gestrichen H¹* **178**,21 Versunkenheit] *ge-*
strichen H¹ **178**,24–27 Aber *bis* hatte] *durch Streichungen und Zusätze geändert in*   10
Doch leider hinterließ jene wilde Zeit einen bleibenden Schatten *H¹* **178**,28 tiefe]
darüber quälende *H¹* **178**,29 glaubte] *dahinter über der Zeile* selbst *H¹* **178**,31 Pro-
ben] *dahinter über der Zeile* des Gegentheils *H¹* **178**,31–33 Wie oft *bis* entgegen]
diagonal durchgestrichen; am rechten Rand Er konnte, wenn ihm Nolten in diesem
Sinne widersprach, in allem Ernste sagen *H¹* **178**,34 desperates] *gestrichen H¹*   15
Vexir-Lichtchen] chen *gestrichen H¹* **178**,35 verschönert] *gestrichen, darüber* ge-
färbt *H¹* **178**,36 Mit] *darüber* Unter *H¹* **179**,1 konnte *bis* erhitzen] *durch Streichun-*
gen und Zusätze geändert in stritt er wohl ganze Stunden mit Theobald *H¹* **179**,3–5
wobei *bis* soll] *diagonal durchgestrichen H¹* **179**,7 er *bis* verbergen] *gestrichen H¹*
179,9 war *bis* mißkennen] *durch Streichungen und Zusätze geändert in* machte sich   20
der gute Einfluß geltend *H¹* **179**,10 kräftiger Sinn] *unterstrichen H¹* **179**,12 leiden
mochte] *gestrichen, darüber* litt *H¹* war] *gestrichen; am linken Rand* blieb *H¹* Grund-
charakter] charakter *gestrichen H¹* unerschütterlich] *geändert in* unerschüttert *H¹*
179,13.14 beurkundete] *gestrichen, darüber* bethätigte *H¹* **179**,16.17 Larkens *bis*
Quelle] *geändert in* Mit Lust schöpfte Larkens aus diesem Quell *H¹* **179**,19 ohne   25
bis vielmehr] *gestrichen; am linken Rand* und *H¹* **179**,20 er] *gestrichen, darüber* dabei
H¹ **179**,21 durch *bis* geworden] *eingeklammert H¹* **179**,22 rechte Spur] *unter-*
strichen H¹ **179**,23 Und indem] *geändert in* Indem *H¹* so] *daneben am linken Rand* so
bis zu Noltens Zerfall mit seinem Beruf *H¹* **179**,24 ein] *davor am linken Rand* un-
versehens *H¹* **179**,30–34 Mögen *bis* bei der] *diagonal durchgestrichen H¹* **179**,35   30
Triumph] *darüber* Genugthuung *H¹* welcher] *darüber* die *H¹* **180**,1 engelreinen]
geändert in so reinen *H¹* **180**,3.4 und *bis* mochte] *gestrichen H¹* **180**,4–6 Gerne *bis*
versöhnen] *daneben am rechten Rand* gefiel sich in guter Handlung *H¹* **180**,8.9 aus
einem *bis* Daseyns] *zwischen senkrechte Striche gesetzt H¹* **180**,8 gesellig zerstreuen-

den Leben] *unterstrichelt H¹* **180**,9–21 gefoltert *bis* heiterer] *diagonal durchge-strichen H¹* **182**,11 schleuderten] *gestrichen; am rechten Rand* warfen *H¹*
187,31.32 sodann *bis* muß] *eingeklammert H¹*

189,33 eigene] einige *geändert in* eigene *H¹ (vgl. die Lesart zu dieser Stelle)* **193**,18.19 in

5   dem] *geändert in* im *H¹* **193**,21 eine geraume Zeit] *gestrichen H¹* **193**,22 Sängerin]
dahinter über der Zeile nun *H¹* **195**,36–**198**,29 Er schwieg *bis* lachen!] *diagonal durchgestrichen H¹* **199**,25.26 oder das alte *bis* Preußen] *eingeklammert H¹* **200**,18
wenn *bis* hergelaufen] *gestrichen H¹* **202**,1 schien] *darüber* war *H¹ als* beküm-mert] *gestrichen H¹*

10   **204**,25 genauern] *darüber* nähern *H¹* **205**,4 jeder] *davor über der Zeile* ein *H¹* **205**,7
unbefangene] *gestrichen H¹*

206,29.30 mit guter Art] *gestrichen, darüber* gern *H¹* **206**,32 kann] *darüber* sehe *H¹*
206,33 ansehen] sehen *gestrichen H¹*

217,29–34 In hohem Grade *bis* fand] *diagonal durchgestrichen H¹* **217**,35 Elisabethen]

15   *geändert in* Elisabeth *H¹* **221**,1: *darüber am oberen Rand in lateinischer Schrift* Folgen-des bis 346 wird noch zum I Theil geschlagen *H²* **221**,1–**222**,30 Leopold *bis* an-klagte] *diagonal durchgestrichen nach vorherigen Einzeländerungen H²* **221**,2 kommt]
gestrichen, darüber kam *H²* **221**,3 sizt] *gestrichen, darüber* saß *H²* Spitz-Dache] *ge-ändert in* Spitzdache *H²* **221**,4 neigt] *geändert in* neigte *H²* **221**,5 stimmt] *geändert*

20   *in* stimmte *H²* will] *gestrichen, darüber* wollte *H²* **221**,6 gilt] *geändert in* galt *H²*
221,7 gepuderte] *gestrichen, darüber* weiß frisirte *H²* **221**,15 es] *gestrichen, darüber*
Sies *H²* **222**,10 Junge] *gestrichen; am linken Rand* Patron *H¹ davor ein Rotstifthaken
am unteren Zeilenrand H²* **222**,16 wohl aber] *gestrichen, darüber* wenn auch *H²*
222,19–23 Sämmtliche *bis* Jubel.] *senkrechter Strich am linken Rand H¹* **222**,19 in

25   der] *gestrichen H²* Regel] *mit Rotstift eingeklammert H²* **222**,24 zum Erstenmale
wieder, obgleich] *gestrichen H¹* **222**,30.31 Zum *bis* Arzt] *mit Strichen und Ziffern
geändert in* Der Arzt versprach *H²* **222**,31 Nolten] *darüber, wieder ausradiert*
Maler *H²* **222**,32 selber schwur] *geändert in* selbst betheuerte *H¹ gestrichen, dar-über* meinte *H²* **222**,33 hätte] *über dem* ä *ein* a *H²* wohl] *gestrichen, darüber* fast

30   große *H²* **222**,36–**223**,2 nahm *bis* von] *flüchtig diagonal durchgestrichen H²* **223**,1
weisen] *dahinter senkrechter Strich H²* **223**,3 Nichts] *darüber* keins *H²* gehe] *da-hinter ein kreuzförmiges Zeichen ohne Entsprechung H²* Rittersaal] *geändert in* Saal *H²*
223,5 der vielfach verzierten] *darüber (mit Einweisungsschleife zwischen* der *und*
vielfach) eichenen, mit Schnitzwerk *am rechten Rand mit* Wappen *H²* **223**,6.7 eine

Reihe *bis* Herzogen] *gestrichen; am oberen Rand mit Verweisungszeichen* [im Stock-werk] *auf dem Flügel bei der Wohnung des Commandanten H²* **223**,7 ihren] *gestrichen H²* **223**,10 zwei] *gestrichen, darüber einen H²* riesenhafte] *gestrichen, nach oder vor Anfügung eines* n *am Wortende H²* die] *gestrichen, darüber den H²* **223**,16.17 Sprach *bis* ihm] *gestrichen H¹* **223**,17 mit] *geändert in* Mit *H¹* Saal] *da-* 5 *hinter über der Zeile* war ihm *H¹* **223**,19 Verwalters] *gestrichen H²* **223**,22 so] *da-vor über der Zeile* eben *H²* **223**,27 haben] *dahinter (notiert am oberen Rand und mit Verweisungszeichen eingeordnet) mehrere radierte Wörter, davon nur lesbar* Schreiben des Barons von Neuburg *H¹* **223**,29.30 Tillsen *bis* Jaßfeld] *gestrichen H²* und der alte Baron] *unterstrichelt H²* Baron] *darüber* Hofrath *H²* **223**,30.31 Beide *bis* er-* 10 füllen] *senkrechter Strich am rechten Rand H¹* **223**,30 Beide] *gestrichen, daneben am rechten Rand* [der] *H²* hatten] n *am Wortende gestrichen H²* **223**,30–35 Gefangen-schaft *bis* Zarlin'schen] *flüchtige Striche im Text H²* **223**,34 um so wichtiger] *gestri-chen, darüber* insofern wichtig *H²* **223**,36 gar] *gestrichen H²* **224**,5 freundlich] *ge-ändert in* freundliches *H²* **224**,7–17 Unter *bis* könne] *diagonal durchgestrichen nach* 15 *Einzeländerungen H²* **224**,8 gereizt] *darüber* verlezt *H²* **224**,13–17 Er glaubte *bis* könne] *senkrechter Strich am linken Rand H¹* **224**,14 entschieden] *gestrichen H²* **224**,16 was noch] *gestrichen H²* **224**,17 eigentlich] *gestrichen H²* **224**,20 Eindrücke] *gestrichen, darüber* Reste *H²* **224**,25 Übrigens] *gestrichen; am linken Rand* Sonst *H²* gar] *gestrichen H²* **224**,26 – **225**,16 entlassung *bis* denken] *senkrechte Striche an den* 20 *äußeren Rändern H²* **224**,29 Gründe] *unterstrichelt H²* **224**,30 über] *gestrichen; am rechten Rand* vom *H²* **224**,33 Rechtssache] *gestrichen H¹ unterstrichelt; am rechten Rand* Process *H²* **224**,34 Herzog] *davor über der Zeile* der *H²* **224**,35 Adolph] *ge-strichen H²* **225**,7 überzeugt] *unterstrichelt H²* **225**,10 guten Grund haben mochte] *gestrichen, darüber und am rechten Rand* Ursache hatte *H²* **225**,12 könnte gewirkt 25 haben] könnte *mit Schleife umgestellt hinter* haben *H²* **225**,17 findet] *gestrichen, dar-über* fand *H²* **225**,25.26 wovon *bis* wollen] *gestrichen H¹·²* **225**,35: *gestrichen H¹* **226**,5 ergingen] *gestrichen H²* **226**,5.6 so beredt *bis* Schauspieler] *durch Streichun-gen und Zusätze geändert in* beredter als heute, der Andere nie *H²* **226**,7.8 und ernst] *gestrichen H²* **226**,9 er] *dahinter über der Zeile* ihm *H²* des Andern] *gestrichen* 30 *H²* **226**,10 ich] *dahinter über der Zeile* es *H²* **226**,10.11 der glücklichste Tag meines Lebens] *durch Streichungen und Zusätze geändert in* mein glücklichster Tag seit [vielen Jahren] meinen Kinderjahren *H²* **226**,13 Welt] *dahinter über der Zeile und am rechten Rand mit Verweisungszeichen* da draußen, die sich mir wieder aufthat *H²*

226,14.15 lag *bis* mir] *gestrichen H²* **226**,18.19 mein *bis* Spiegel] *gestrichen; am unteren Rand mit Verweisungszeichen* nach ihrem wahren (wahren *über gestr.* eigentlichen) Sinn zum ersten Mal *H¹* **226**,19–22 und *bis* seyn] *gestrichen H¹* **226**,20 die Bedeutung] *mit roter Tinte gestrichen; am rechten Rand mit Tinte hinzugesetztes* Absicht

5 und Endzweck *mit Bleistift wieder eingeklammert H²* **226**,20.21 von *bis* an] *mit Tinte eingeklammert H²* **226**,23 durchleben] *geändert in* durchlaufen *H²* **226**,23.24 und *bis* so] *gestrichen H¹·²* **226**,25 wurde] *gestrichen, darüber ist H²* **226**,27 freue mich, daß] *gestrichen H²* **226**,27.28 ich *bis* bewußt bin] *durch Streichungen, Rasuren und Zusätze geändert in* bin ich nur des eigenen Willens mir bewußt *H²* **226**,28 eigent-

10 lich] *gestrichen H¹* Willens] *davor über der Zeile* [selbsteigenen] *H¹* mir] *davor am linken Rand als eines selbsteigenen H¹* **226**,28–35 Die Macht *bis* zurück] *gestrichen H¹* **226**,28–32 Die Macht *bis* wollen] *diagonal durchgestrichen und senkrechter Strich am linken Rand H²* **226**,31 wohin] *gestrichen, darüber mit Tinte* welche Wege *H²* **226**,32–35 nur durch *bis* zurück] *nach vorherigen Bleistiftkorrekturen mit Tinte ge-*

15 *ändert in* indessen nur meinem endlichen Gedächtniß ganz entfallen *H²* **226**,33.34 gerückt] *geändert in* entrückt *H²* **226**,34.35 die dunkle wunderbare] *gestrichen, darüber* [eine] die *H²* **227**,1–3 So *bis* lassen] *diagonal durchgestrichen und zwischen senkrechte Striche gesetzt H²* **227**,2 gestrebt hatte] hatte *gestrichen H¹* niemals] mals *gestrichen H¹* **227**,3 schien ich so weit] *durch Streichungen und Zusätze geändert in*

20 wie weit schien ich *H¹* **227**,5 Glücks, meines vollendeten] *eingeklammert H¹ gestrichen H²* erschienen war] *gestrichen; am linken Rand* galt *H¹ geändert in* erschien *H²* **227**,5–7 was ich *bis* abgefallen] *durch Streichungen und Zusätze geändert in* was ich noch jüngst mit Heftigkeit an mich gerissen, liegt nun wie todte Blüthe von mir abgefallen *H¹* **227**,6 Leidenschaft] *darüber* Liebe *H²* **227**,10 hauptsächlich]

25 *gestrichen H¹ darüber* doch eigentlich erst *H¹·²* **227**,14 fühle] *darüber* weiß *H²* **227**,19 nun kommen sollen] *unterstrichen, darüber* mir aufbehalten war⟨en⟩ *H²* **227**,19–21 Eine *bis* erleben] *eingeklammert H¹ eingeklammert und diagonal durchgestrichen H²* **227**,23 ergreifen] *darüber* nehmen *H¹* ergreifen werde] *gestrichen, darüber* zu nehmen *H²* Viel hundert] *gestrichen; am rechten Rand* Ganz *H¹ gestri-*

30 *chen, darüber* Tausend *H²* **227**,24.25 wecken die Sehnsucht] *darüber* stacheln das Verlangen *H¹* **227**,25.26 Befreit *bis* Affekt] *senkrechter Strich am rechten Rand H¹* **227**,27.28 Fast *bis* gekniet] *diagonal durchgestrichen nach Einzeländerungen H²* **227**,27 auf des Vaters Bühne] *darüber* am oberen Boden *H²* **227**,28 Gemälde] *gestrichen; am rechten Rand* Bilde *H¹ gestrichen; am rechten Rand* Bild *H²* **227**,29 jezt

meine Inbrunst] jezt *mit Schleife hinter* Inbrunst *gestellt* H¹ **227**,30 göttlichen] *ge-*
strichen und unterpunktet H² **227**,31 empfunden] *geändert in* empfinde, dann *Ände-*
rung rückgängig gemacht und hinter empfunden *über der Zeile* habe *hinzugefügt* H²
227,35.36 ich *bis* kann] *diagonal durchgestrichen* H² **227**,36 gemäß] *gestrichen, dar-*
über zukommen H² **228**,5 auf's Äußerste] *geändert in* auf das Tiefste H¹ **228**,5.6 5
mit Unwillen] *gestrichen; am linken Rand erst jezt* H¹ Unwillen] *gestrichen, darüber*
Verdruß H² **228**,6 eines Freundes, so wie sein] *gestrichen, darüber* das H² **228**,7
Lächeln] *dahinter über der Zeile* des Freundes H² **228**,7.8 jedoch *bis* sollte] *diagonal*
durchgestrichen H² **228**,7 jedoch weniger Spott als] *gestrichen, darüber* wirklich
nur H¹ **228**,8 Theobalds höchst] *gestrichen, darüber* d⟨ie⟩se H¹ erwidern sollte] 10
geändert in zu erwidern habe H¹ **228**,9.10 Darf *bis* vor] *durch Streichungen und Ein-*
weisungsschleifen geändert in Mir kommt es vor, vers⟨icherte⟩ d⟨ie⟩s⟨e⟩r H² darf
ich] *gestrichen* H¹ **228**,11 selber] *geändert in* selbst H² **228**,16 willkürlich] *geändert*
in willkürliches H¹·² **228**,18 Denn *bis* zu] *gestrichen* H¹·² **228**,19–31 Hör' *bis* Ver-
hältnisses] *senkrechter Strich am rechten Rand* H¹ **228**,19–24 Hör' *bis* liefe] *diagonal* 15
durchgestrichen H¹ **228**,19.20 Hör' *bis* Ton] *gestrichen, darüber* [Ich weiß schon, was
Du sagen] H² **228**,20 dir *bis* aufgeschlossen] *mit Tinte gestrichen, über* aufgeschlossen
mit Bleistift das Wort gezeigt, das beim Tilgen der ganzen Stelle mit Tinte wieder gestri-
chen wurde H² **228**,21 dir] *gestrichen* H² bloßgestellt] *darüber* entdeckt H² Mensch]
davor über der Zeile anderer H² **228**,22 von den Lippen] *unterstrichen* H² gelockt] 20
davor über der Zeile ab H² **228**,22–24 wenn *bis* liefe] *gestrichen* H² **228**,24–31 Höre
bis Verhältnisses] *nach Einzeländerungen diagonal durchgestrichen* H² **228**,25 verstän-
digen] *darüber* erfahrenen H¹ **228**,26 Dinge] *gestrichen, darüber* Seiten H¹ *unter-*
strichen, darüber Seiten H² **228**,27 jeher] *geändert in* je H¹·² drüber] *geändert in*
darüber H¹·² **228**,28 von diesem Punkte] *durch Streichungen und Zusätze geändert* 25
in davon denn H² **228**,29 nicht] *darüber* kaum H¹ da ich] *dahinter über der Zeile* wer
uns immer H² **228**,33 stillschweigend einer Grille überlassen] *durch Striche und*
Zusätze mit Blei- und Rotstift geändert in einer Einbildung stillschweigend überlassen H² **228**,33–34 dir *bis* kann] *darüber* mir gefährlich scheint H¹ **228**,34 Vor *bis*
verzeihlich] *durch Streichungen und Zusätze geändert in* Dein Irrthum ist verzeih- 30
lich H² Vor der Hand] *gestrichen; am rechten Rand* Zwar H¹ verzeihlich] *davor über*
der Zeile sehr H¹ **228**,36 den Zaun dann gern] *geändert in* alsdann gern den Zaun H²
229,4–7 du legst *bis* spuckt] *daneben am linken Rand vor senkrechtem Strich* Dieß nicht
so geradezu! H¹ **229**,6 glaubst dich] *gestrichen; am oberen Rand mit Verweisungs-*

zeichen wirst insgeheim wohl gar H² wunderlichen] *dahinter (notiert am linken Rand und mit Verweisungszeichen eingeordnet)* imaginären H² **229**,7 in deines] *ge-ändert in* auf deines H² **229**,8 mischen] *gestrichen, darüber* weiter einlassen H² **229**,8.9 leuchtet *bis* dir] *gestrichen* H² **229**,11–13 In allem *bis* verträgt] *am linken Rand* Deine Natur war [erst] weit entfernt dich zum Sonderling zu stempeln H¹ **229**,12 um *bis* bewahren] *eingeklammert* H² **229**,13–**230**,21 Eben die *bis* fortfuhr] *senkrechte Striche an den äußeren Rändern* H¹ **229**,13.14 Eben die edelsten Keime deiner Originalität erforderten] *gestrichen, darüber mit Tinte* Von jeher brauchtest du H² Eben die *bis* Originalität] *gestrichen, davor über der Zeile* Sie *nach offenbar vorangegangener Änderung von* die in der *und von* Keime in Keim H¹ **229**,16 eine heimlich] *davor am linken Rand* daß zeitweise H² **229**,17 unerklärbar] *gestrichen* H² so recht] *mit Tinte gestrichen* H² **229**,18 unseres Selbst] *geändert in* unserer selbst H¹ **229**,18–**230**,2 Im Ganzen *bis* Possen] *diagonal durchgestrichen nach Einzeländerun-gen* H² **229**,19 Künstler von Genie] *geändert in* wahren Künstler H² ich *bis* Faches] *gestrichen* H¹ **229**,20 mehr] *darüber* besser H² **229**,21.22 Was *bis* anbelangt] *mit Tinte diagonal durchgestrichen, darunter am unteren Rand ebenfalls mit Tinte* Die soge-nannte großeWelt! – mir, *davor mit Bleistift offenbar später hinzugefügtes* Vollends H² **229**,21 aber namentlich] *darüber* insbesondere H¹ *gestrichen* H² **229**,22 anbelangt] *geändert in* anlangt H² war es] *davor ist über der Zeile mit Tinte das* mir *vom unteren Rand der Seite 336 (vgl. die Lesart zu S.229,21.22)* wiederholt H² gleich Anfangs] *ge-ändert in* von Anfang H¹ gleich] *darüber mit Tinte* v⟨on?⟩ H² Anfangs] *geändert in* anfangs H² **229**,23 nie] *davor ein Kreuz, das möglicherweise auf dem abgerissenen oberen Rand der Seite 337 aufgenommen war und vor einem verloren gegangenen Zusatz stand* H² plötzliche] *gestrichen, darüber mit Tinte* rasche H² **229**,24 mit] *davor nach rechts geöffnete, später wieder gestrichene Klammer* H² der Bekanntschaft des Herzogs] *durch Streichungen geändert in* dem Herzog H² Bekanntschaft des Herzogs] *gestri-chen* H¹ schien] *mit Tinte gestrichen* H² **229**,26 mit erhabnen Kräften] *gestrichen* H¹ erhabnen] *gestrichen, darüber* besondern, *am rechten Rand* edelsten H² **229**,28 in jene blendenden Zirkel] *gestrichen, darüber mit Tinte* auf fremden Boden H² hin-einzöge] hinein *gestrichen* H² Geschmeidigkeit] *davor über der Zeile* große H² **229**,30 doch höchst auffallend, und] *gestrichen, darüber aber* H² höchst auffallend] *ge-strichen, darüber* fast ängstlich H¹ **229**,31 in die Länge] *unterstrichen* H² **229**,31.32 wär' es möglich] *mit Tinte gestrichen* H² **229**,33.34 Richtung] *unterstrichen* H² **230**,1 die sein] die *gestrichen; am rechten Rand mit Verweisungszeichen* welche H²

III

230,2.3 Aber du siehst nur daraus] *gestrichen H²* Aber *und* nur daraus *gestrichen H¹*
230,4 und] *gestrichen, dafür ein Komma eingefügt H²* **230**,5 dein Wesen] *unterstri-*
chelt H¹ so liebevoll] *gestrichen H¹·²* darüber seine *H²* **230**,7–21 und – Nolten! *bis*
fortfuhr] *nach Einzeländerungen diagonal durchgestrichen H¹* **230**,8 seit der ganzen]
geändert in die ganze *H¹ gestrichen; am linken Rand* die ganze lange *H²* **230**,11–20   5
Aber *bis* erwiedern] *nach Einzeländerungen diagonal durchgestrichen H²* **230**,12 ernste
Betrachtung] *gestrichen H²* gleichsam] *gestrichen H²* **230**,13–16 daß *bis* scheinst] *da-*
neben am linken Rand Du könntest ohne daß ich es sage wissen *H¹ diagonal durch-*
gestrichen; am linken Rand mit Tinte etwas dergl.⟨eichen⟩ sagen *H²* **230**,13 daß die
Zunge sich] *durch Zusätze über der Zeile mit Einweisungsschleifen geändert in* daß   10
mir die Zunge sich einmal etwas *H²* **230**,15 zugeschaut] *gestrichen, darüber* zu-
schaute *H²* **230**,22 Laß] *davor über der Zeile* Aber *H²* **230**,22.23 Du *bis* hatten]
am linken Rand Der ganz naturgemäße Gang deiner Bildung – *H²* **230**,23.24 der
köstlichste Abend mitten] *geändert in* ein köstlicher Abend *H²* **230**,25 Weites]
unterstrichen; am linken Rand Langes *H¹* **230**,26–28 Mit *bis* vertiefen] *diagonal*   15
durchgestrichen H¹ nach Einzeländerungen eingeklammert H² **230**,26 schlossest du]
dahinter über der Zeile mir *H²* wollen] *dahinter über der Zeile* und zu wissen *H²*
230,27 mir] *gestrichen H²* Erstenmal durft'] *geändert in* Erstenmale durfte *H²*
230,28.29 Es frug sich] *dahinter über der Zeile* unter Anderm *H¹* **230**,29 über das]
gestrichen, darüber vom *H¹* tief religiösen und namentlich] *gestrichen H²* und na-   20
mentlich] *gestrichen, dafür ein Komma eingefügt H¹* **230**,30 und der] *gestrichen; am*
rechten Rand mit Einweisungsschleife vielmehr der ganzen *H²* **230**,31 über die] *ge-*
strichen; am rechten Rand von der *H¹* **230**,32 beider] *davor über der Zeile* der *H¹·²*
230,33.34 Ich *bis* kann] *diagonal durchgestrichen H¹·²* **230**,34 denn] *gestrichen, dar-*
über ja *H²* **230**,34–**231**,3 Ich *bis* wittern] *diagonal durchgestrichen; am rechten Rand*   25
Wie gerne erkannte ich es an, daß d⟨eine⟩r Kunst von Seiten der Romantik die
dir einmal von Haus aus im Blute sitzt kein Schaden erwachse *H¹* **230**,34 über-
zeugte mich] *unterstrichelt, darüber* gab dir zu erkennen *H²* **231**,1–3 selbst *bis*
wittern] *nach Einzeländerungen diagonal durchgestrichen H²* **231**,1.2 sich noch recht-
fertigen] *gestrichen, darüber* zuletzt noch Recht bekommen *H²* **231**,2 katholischen]   30
darüber römischen *H¹·²* **231**,3–5 Du *bis* blüht] Du *bis* Mal *und* rein *bis* abgepflückt
gestrichen; die Stelle sollte also vermutlich geändert werden in Die Blume der Alten
blüht *H²* **231**,6 malen] *gestrichen, darüber* schaffen *H¹ darüber* bilden *H²* **231**,7
nichts Enges] nichts *gestrichen; an den Rändern* nichts Ungesundes *H¹* jemals] mals

gestrichen $H^{1.2}$ **231**,8 all'] *gestrichen* $H^{1.2}$ **231**,9 deiner] *davor* all H^1 **231**,9.10 sich
deine Natur] *mit Umstellungsschleife geändert in* deine Natur sich $H^{1.2}$ **231**,11–14
denk' ich *bis* aufzustellen] *diagonal durchgestrichen* H^1 **231**,11–13 das unschätzbare
bis ein] *gestrichen; dahinter am unteren Rand* erstes H^2 **231**,14 glücklichsten] *darüber
gestrichen* voll H^2 **231**,17–19 Ich rede *bis* aber] *diagonal durchgestrichen* H^1 *eingeklammert und mit Tinte diagonal durchgestrichen* H^2 **231**,18 allgemeinen Welt] *gestrichen, darüber* Gesellschaft H^1 **231**,20 entsagen] *geändert in* absagen H^1 **231**,21–31
Zwar *bis* ehrenwerthes] *diagonal durchgestrichen* H^1 **231**,22 ganz] *gestrichen* H^2
231,22.23 ich *bis* Agnes] *mit Rotstift eingeklammert und* läugne nicht *mit Bleistift gestrichen* H^2 **231**,24–32 »Ach *bis* bekannt] *nach Einzeländerungen diagonal durchgestrichen* H^2 **231**,24 auf Einmal] *gestrichen* H^2 **231**,25 die Absicht] *darüber* das
Ziel H^2 **231**,27 bisher] *gestrichen* H^2 **231**,28 mag] *gestrichen* H^2 aufrichtiger] *gestrichen* H^2 **231**,31 .–Wo] *geändert in* und wo H^2 **231**,32 eigentlich] *gestrichen* H^1
ganz] *gestrichen* H^1 bekannt] *dahinter (notiert am unteren Rand und mit Verweisungszeichen eingeordnet)* Darf ich [dir] frei v.⟨on⟩ d.⟨er⟩ Leber weg sprechen H^2 **231**,33
den] *gestrichen, darüber* diesen $H^{1.2}$ ein wenig] *gestrichen, darüber* begreiflich H^1
mit Rotstift eingeklammert und gestrichen H^2 revoltirt] *davor am linken Rand* gewal-
tig H^2 **231**,34 schmerzhaft und gekränkt] *geändert in* gekränkt, schmerzhaft H^1
und] *gestrichen, dafür ein Komma eingefügt* H^2 in's] n's *verbessert in* in's H^2 **232**,1 Zum
Teufel] *gestrichen* H^1 **232**,1–3 was *bis* laden] *durch Streichungen und Zusätze am
oberen Rand geändert in* Wo war denn je ein großer Künstler, der [der] dieses
Beides in seinem höchsten Maß auf sich genommen hätte H^2 **232**,1.2 was *bis* ist]
gestrichen; am rechten Rand ist der Künstler nicht ganz eigentlich dazu gemacht H^1
232,3 all] *gestrichen* $H^{1.2}$ ihrer] *geändert in* ihren; *am rechten Rand* Reizen H^2 **232**,4
Wonne und Pein] *mit Umstellungsziffern geändert in* Pein und Wonne $H^{1.2}$ **232**,5
wollest *bis* leiden] *geändert in* dich mitfreun (mitfreuen H^2) und leiden wollest $H^{1.2}$
232,10 glaub'] *geändert in* glaube H^2 sich drehen] *gestrichen, darüber* es halten H^2
232,12 was anders] *geändert in* etwas anders H^2 **232**,13 zum wenigsten] *gestrichen,
darüber* zugl.⟨eich⟩ $H^{1.2}$ doppelt] *geändert in* gedoppelt H^2 **232**,17 *freiwillig]
unterschlängelt, die Sperrung also wohl aufgehoben* $H^{1.2}$ eh' ich verliere, eh' ich's]
geändert in bevor ich verliere, bevor ich es H^1 **232**,19 blühend] *gestrichen nach
vorheriger Änderung in* blühendes H^2 **232**,20 dastehe – arm –] *geändert in* dastehe,
arm, H^2 **232**,24 Und was gilt es] *darüber am oberen Rand ohne nähere Zuordnung,
aber offenbar hierher gehörig* Eine mönchische Philosophie, nimm mirs nicht übel H^2

232,25 tollen] *unterstrichen H¹ gestrichen, darüber* verr⟨ückten?⟩ *H²* **232**,27 gutes
natürliches] *darüber* heiteres *H²* **232**,36 einen entfernten Stuhl] *unterstrichelt H¹*
233,1–8 Der *bis* scheiden] *gestrichen; am linken Rand über Radierspuren S.* 258 *H¹*
233,3 Begierde] *gestrichen; am linken Rand* Eifer *H²* **233**,5–8 bemerkte *bis* schei-
den] *diagonal durchgestrichen; am unteren Rand der vorhergehenden Seite* 342 *in lateini-*
scher Schrift die Notiz Unterbrechung *H²* **233**,7 man mußte] *geändert in* und
mußte *H²*
233,9–22 Seit *bis* sagen] *daneben am rechten Rand quer von oben nach unten in lateinischer*
Schrift Hier Näheres über L⟨arkens⟩ und sein Leben *in deutscher Schrift (Seite* 256–62
im 1. *Theil?) H²* **233**,10 noch gegen Nolten] *noch mit Einweisungsschleife hinter*
Nolten *gestellt H²* **233**,13 Schauspielkontrakt] Theater *über* Schauspiel *H²* hiesige]
unterstrichelt H² **233**,19.20 so weit *bis* fand] *unterstrichen H²* **233**,20–22 obgleich
bis sagen] *diagonal durchgestrichen, dahinter am Absatzende* dieser glaubte noch nicht
daran *H²* **233**,20 höchst unangenehm] *gestrichen H¹* überrascht] *darüber* erschreckt
H¹ unterstrichelt, darüber betroffen *H²* **233**,27 besorgte] *geändert in* bestellte *H¹*
233,29 auf alle Art] *gestrichen H²* **233**,30.31 so wie *bis* aufzuputzen] *am linken Rand*
Fragezeichen vor senkrechtem Strich H² **233**,32–**234**,3 Was *bis* erwies] *diagonal durch-*
gestrichen H¹ **233**,34 höchst] *gestrichen H¹·²* **234**,8 gleich] *gestrichen H²* **234**,9 hatte]
dahinter kurzer senkrechter Strich H² **234**,12 abspringend] *gestrichen H²* **234**,13 ja]
gestrichen H¹ **234**,19 Zug] *unterstrichelt H²* **234**,23 verborgen] *gestrichen H²* **234**,24
mit Leichtigkeit] *gestrichen H²* **234**,25.26 wodurch *bis* mußte] *eingeklammert H¹*
gestrichen H² **234**,27 äußerstes Genüge] *unterstrichen H²* ward] *geändert in* wurde *H²*
235,1 gleichsam] *gestrichen H²* **235**,2 glaubte] *gestrichen, darüber* sah *H²* **235**,3–6
verbürgte *bis* Fest] *senkrechter Strich am rechten Rand H²*
235,9 ernstlichsten] *darunter kurzer Strich H²* **235**,10 die Neigung *bis* Braut] *ge-*
strichen und unterstrichelt H² **235**,11–13 wenn *bis* Verstande] *diagonal durchge-*
strichen H² **235**,16 die *bis* Constanzens] *gestrichen H¹* **235**,18.19 Sein Plan] *davor*
ein Zeichen, das auf die Notiz am unteren Rand schon Alles dazu eingeleitet *verweist H¹*
235,21 gewissermaßen] *gestrichen H²* **235**,22.23 dachte nur ungerne daran] *ge-*
strichen; am rechten Rand sagte sich ungern *H¹* **235**,27 bilde] *geändert in* bildete *H¹*
235,30 Gluth] *gestrichen H²* lezte, mühsam angefachte Kohle] *geändert in* lezten
mühsam angefachte Kohlen *H²* **235**,31 auf dieß Papier] *darüber* vor ihr aus *H²*
235,32 O] *gestrichen H¹* **235**,32.33 närrischer Teufel du] *gestrichen; am rechten Rand*
Geck der du bist *H²* **235**,33 du!] *gestrichen H¹* gestorben, begraben] *gestrichen;*

am rechten Rand aus der Welt H^1 begraben] *gestrichen, darüber eingescharrt* H^2
236,1.2 sie half *bis* Augenblicken] *mit Umstellungsziffern und -schleifen geändert in*
in hundert schwülen Augenblicken half sie mir H^2 **236**,3.4 Es fragt *bis* Gefühle]
gestrichen; am unteren Rand Vermuthlich täuschen wir uns tausendfältig auf ähn-
l⟨iche⟩ Weise eben in unsern herrlichsten Gefühlen H^2 **236**,3 eben] *darüber*
gerade H^1 **236**,4.5 es scheint in Allen etwas] *geändert in* in allen scheint etwas H^2
236,7 es bliebe ihr all] *geändert in* ihr bliebe all H^2 warme Theilnahme] *gestrichen,*
darüber Liebe, *darüber am oberen Rand* thätige Theilnahme H^2 **236**,11 Unveräußer-
liches] *darüber* ⟨Unver⟩lierbares H^2 **236**,13 jezt] *gestrichen* H^2 dem Mädchen] *ge-*
strichen, darüber ihr H^2 **236**,14 schon] *gestrichen, aber durch Unterstrichelung wieder-*
hergestellt; am linken Rand gestrichen bereits H^2 **236**,18.19 bei dem] *geändert in* beim
H^2 **236**,19.20 heftige Bewegung] *unterschlängelt* H^2 **236**,22 unheimliches] *unter-*
strichen H^2 **236**,25–28 Übrigens *bis* dieser] *senkrechter Strich am rechten Rand* H^2
236,25 welche] *davor ein senkrechter Strich* H^2 **236**,28–**237**,3 Veränderung *bis* hin-
dere] *senkrechter Strich am rechten Rand* $H^{1.2}$ **237**,2 er ward verdrießlich] *unter-*
strichelt H^1 **237**,4 man] *darüber ein Fragezeichen, rechts daneben und am rechten Rand*
Tillsen im Auftrag v.⟨on⟩ Lark⟨ens⟩ H^1 **237**,7 dann] *geändert in* alsdann H^2
237,20 Bewegung] *darüber* ⟨Be⟩stürzung H^2 **238**,5 traurigen] *gestrichen; am rechten*
Rand verworrenen H^1 **238**,9 viele Meilen] *geändert in* manche Meile H^2 **238**,11 *auf*
immer] *darunter Schlängellinie, wohl um die Sperrung aufzuheben* H^2 **238**,12 vielleicht]
gestrichen; am rechten Rand wo nicht für immer doch gewiß H^2 **238**,16 Leben] *da-*
hinter am rechten Rand nach seinem besten Theil H^1 ausgespielt] *darüber* nachgerade H^1 **238**,17 so] *davor mit Grünstift über der Zeile* nun H^2 **238**,17.18 so *bis* Zeit]
unterstrichelt H^1 lezten Zeit] *unterstrichelt* H^2 **238**,19.20 Ich *bis* vorsingen] *durch*
Striche und Zusätze geändert in Ich singe Dir die alte Litanei nicht wieder vor $H^{1.2}$
238,20.21 eignen] *gestrichen, darüber* alten H^1 **238**,21 mir weiß machen] *unter-*
strichelt H^1 **238**,23 Theater-Rock] *geändert in* Theatermenschen $H^{1.2}$ und] *ge-*
strichen H^2 Eine] e *am Wortende gestrichen* H^2 **238**,24 was *bis* brauche] *gestrichen* H^1
ich *bis* brauche] *gestrichen, darüber* Du Dir selber denken magst H^2 Mancher] *davor*
über der Zeile So H^2 **238**,25.26 gottgefälliger] *geändert in* gottwohlgefälliger $H^{1.2}$
238,27 Am End' ist's] *durch Striche und Zusätze geändert in* Vielleicht ist es am Ende
H^1 End'] *geändert in* Ende H^2 freilich] *gestrichen, darüber radiertes* vielleicht H^2
nur] *davor am linken Rand* vielleicht H^2 Fratze] *gestrichen, darüber* Mummerei H^2
worin] daran, *wohl versehentlich, ein* e *angehängt* H^2 selber] *geändert in* selbst $H^{1.2}$

238,28 hintergehen möchte] *geändert in* hintergehe *H¹·² vielleicht] gestrichen H¹*
238,30 denn] *gestrichen H²* gar] *gestrichen H²* **238**,31 erlass'] *geändert in* erlasse *H²*
238,31.32 ich *bis* still] *gestrichen H²* **238**,32 herrlicher] *gestrichen H¹* weißt] *dahinter*
über der Zeile es *H²* **238**,33 gehegt habe] *geändert in* hege *H¹ geändert in* hegte *H²*
238,34 ist] *dahinter über der Zeile* bei Gott *H²* gar] *gestrichen H²* **238**,35 an irgend]   5
geändert in irgend noch an *H²* **239**,1 reichen] *darüber* schütteln *H²* **239**,1.2 als
keine zu betrachten] *darüber* ganz außer Rechnung zu lassen *H²* **239**,2 Übrigens]
gestrichen; am linken Rand Auch *H²* **239**,5 ich darf] *davor am linken Rand* und *H²*
239,6 betrifft] *gestrichen; am rechten Rand* ist *H¹* Agnesen] *geändert in* Agnes *H²*
239,7 einzig] *gestrichen; am oberen Rand mit Verweisungszeichen* Tag für Tag *H²*   10
239,7.8 Mein *bis* dich] *gestrichen H²* **239**,9 gewissesten] *geändert in* gewissen *H²*
239,13 gewißlich nicht] *gestrichen, darüber* auf keine Weise *H²* glaubte] *dahinter*
ein senkrechter Strich H² **239**,18 Episteln] *unterstrichen; am rechten Rand* Maske *H²*
Fahre] e *am Wortende gestrichen H²* **239**,20 jemals] mals *gestrichen H²* **239**,21 ir-
gend] *darüber* einzig mal *H²* **239**,22 richtiger] *gestrichen H²* **239**,23 dießmal] *ge-*   15
strichen, darüber jezt *H²* **239**,24 Gottes] *unterstrichen H²* **239**,25 um] *gestrichen H²*
239,29 indem] *gestrichen; am linken Rand* wie *H²* **239**,32 die Seele dieses Kindes]
unterstrichelt; am oberen Rand diese aus – – Zerrüttung hell und rein wieder ger.⟨et-
tete?⟩ Kinderseele *H¹ geändert in* diese Kindes-Seele *H²* ist] *gestrichen H²* **239**,34.35
namentlich des Vaters] *geändert in* des Barons namentlich *H²* **239**,35.36 Dann *bis*   20
fasse Dich] *gestrichen H²* **240**,1 weiß] *dahinter über der Zeile* und ahnet *H²* **240**,2.3
das *bis* euch] *eingeklammert H²* Feld] *unterstrichen H²* rein] *dahinter über der Zeile*
und taghell *H²* **240**,5 vorüber] *geändert in* darüber hin *H²* kaum] *gestrichen, dar-*
über nicht *H²* **240**,6 in einem] *gestrichen, darüber* im *H²* **240**,11 dürfen] *gestri-*
chen H²   25
240,12–**241**,11 Auf *bis* ihn] *senkrechte Striche an den äußeren Rändern H¹* **240**,14–25
Schon *bis* wagen] *nach Einzeländerungen diagonal mit Blei- und Rotstift durchgestri-*
chen H² **240**,16 mir] *davor (notiert am rechten Rand und mit Verweisungszeichen ein-*
geordnet) hingegen *H²* aber] *gestrichen H²* **240**,17 dienen konnte] *geändert in* diente
H¹·² Ein *bis* Gräfin] *gestrichen H²* **240**,17–20 Ein *bis* hatte] *diagonal durchgestrichen*   30
H¹ senkrechter Tintenstrich am rechten Rand H² **240**,20–22 Constanze *bis* avertirt]
am rechten Rand in lateinischer Schrift Anders! *H¹* **240**,20–25 Constanze *bis* wagen]
am rechten Rand Ich habe Grund zu glauben daßdie Gräf.⟨in⟩ meine Correspondenz
etc. *H²* **240**,25–**241**,6 Wenn *bis* anderes] *senkrechte Rotstiftstriche an den Rändern H²*

Auf einem besondern Zettel befand sich noch folgende

Nachschrift.

„Schon war mein Brief geschlossen, als es mir nachgerade gewaltigen Skrupel machte, Dir einen Umstand verschwiegen zu haben, der Dich vielleicht verdrießen mag, mir aber ad inclinandam rem nicht wenig dienen konnte. Ein Winkelzug gegen die Gräfin. So höre denn, und fluche mir die ganze Hölle auf den Hals und heiß' mich einen Schurken, wenn Du das Herz hast — ich weiß doch, was ich zu thun hatte. Constanze wurde durch mich, oder vielmehr durch einen angelegten Zufall (hinter welchem sie weder mich noch sonst Jemand vermuthen kann) avertirt, daß ein gewisser Freund bereits irgendwo auf der Liste der glücklichen Bräutigame stehe. — Ich hoffe nicht, Dich durch den Coup zu stark kompromittirt zu haben, und ein Weniges war schon zu wagen. Wenn ihr die Neuigkeit nicht schmeckte, so ist das in der Regel; nicht, weil sie in Dich verliebt, sondern weil sie ein Weib ist. Wir haben die Ungnade, worein sie uns gleich auf jenes Possenspiel hat fallen lassen, einer elenden Konvenienz gegen die Hofsippschaft zugeschrieben, und eines Theils bin ich noch jezt der Meinung; gesteh' ich Dir nun aber zugleich, daß sie um die nämliche Zeit auch die Agnesiana zu schlucken bekam, so seh' ich schon im Geist voraus, an was für neuen verzweifelten Hypothesen nun plötzlich Dein

Seite 355 von Mörikes Handexemplar H²

240,26 sie in] *dazwischen zwei senkrechte Striche H²*   **240**,27 jenes] *darüber das H²*
240,29.30 und *bis* zugleich] *mit Bleistift und Tinte gestrichen H²*   **240**,30–32 um die *bis*
Dein] *daneben ein Tintenkreuz am rechten Rand; am unteren Rand mit Tinte der mit
Grünstift wieder gestrichene Satz* Ich war entschlossen ihr [das] die Entdeckung

5   selbst zu machen – das Schicks.⟨al⟩ ist mir zuvorgekommen *H²* **240**,33–34 wenn
bis hätte] *gestrichen H²* **241**,4 Liebe.] *Punkt in Ausrufungszeichen verwandelt H²*
241,6 anderes.–] *Gedankenstrich getilgt H²* **241**,6–8 In *bis* summt] *Fragezeichen mit
Rotstift am linken Rand H²* **241**,7.8 ein fröhlich Liedchen summt] *gestrichen H²*
241,8 Myrthen] *geändert in* Myrten *H¹·²* Man *bis* an] *zwischen senkrechte Striche ge-*

10   *setzt H²* **241**,13–18 Der Rückweg *bis* gewonnen] *senkrechter Rotstiftstrich am linken
Rand H²* **241**,20 Bank] *geändert in* Bänkchen *H²* **241**,23.24 das wimmernde] *unterstrichelt, davor senkrechter Strich H²* **241**,24 ich] *dahinter (notiert am rechten Rand und
mit Verweisungszeichen eingeordnet)* vielleicht *H¹*
241,30 Wer *bis* Maler] *eingeklammert H²* **241**,31 als er] *gestrichen H²* **241**,33 Haupt]

15   *gestrichen; am linken Rand* Kopf *H²* **242**,8 schnurrte, vom Takte des Reitens unterstützt, unbarmherzig] unbarmherzig *mit Schleife unmittelbar hinter* schnurrte *gestellt H²* Takte] *gestrichen H²* **242**,10 gegönnt] *gestrichen, darüber* möglich *H²*
242,11 doch] *gestrichen H²* **242**,14.15 Und *bis* weiter] *gestrichen H²* **242**,15 so ganz
mich] *geändert in* mich so *H²* **242**,16.17 Nichts, gewonnen – Nichts –] *geändert in*

20   Nichts! wohl gar gewonnen? – *H²* **242**,18 Sanspareil] *dahinter mit Grünstift ein
Ausrufungszeichen H²* **242**,23 Sucht] *gestrichen H²* **242**,24.25 Seine *bis* Schnelligkeit]
mit Umstellungs-Schleifen und -Ziffern geändert in Mit unbegreiflicher Schnelligkeit
führte ihm seine aufgeregte Einbildungskraft *H²* **242**,25 malerischer] *davor über
der Zeile von H²* **242**,30 vielmehr] *gestrichen und unterpunktet, am rechten Rand ge-*

25   *str. Tilgungszeichen H²* **242**,32 noch] *davor (notiert am rechten Rand und mit Verweisungszeichen eingeordnet)* später *H²* in der Folge] *gestrichen H²* mit Vergnügen]
unterstrichelt H² **242**,33 selbst] *geändert in* selber *H²* mit Recht] *gestrichen H²*
242,36 umwickelt] *darüber* umgiebt *H²* **243**,2 gefährliche] *geändert in* gefährlichen *H²* Augenblick] *gestrichen, darüber* Stöße *H²* ist] *gestrichen H²* **243**,4 ehe] e

30   *am Wortende gestrichen H²* **243**,5 anmuthigen] *gestrichen, darüber* grün umbusch-
ten *am linken Rand* buschigen *H²* **243**,9–32 In *bis* Familie] *nach Einzeländerungen
diagonal durchgestrichen H²* **243**,11–14 so *bis* lesen] *gestrichen H²* **243**,15 auf] *darüber* um *H²* Zwecke] *gestrichen, am linken Rand* Hoffnungen *H²* **243**,16 sehr] *gestrichen H²* **243**,20 denn] *gestrichen H²* **243**,21 ganz] *gestrichen H²* **243**,22 mit

guter Art] *gestrichen H²* **243**,23.24 denselben fühlen ließ] *darüber überführ-
te H²* **243**,26 ward] *darüber wurde H²* **243**,32 Familie] *dahinter ein Doppelkreuz
ohne Entsprechung H²* **244**,3 Wie *bis* Nachricht] *geändert in* Erwünschte Nachricht *H²* **244**,30 gefesselt] *darüber ergriffen H²* **244**,33 ganz unnöthigerweise]
darüber unwillkührlich *H²* **244**,34 aber] *gestrichen H²* vom] *geändert in* von   5
dem *H²* **245**,3.4 zufällig] *geändert in* zufälligerweise *H²* **245**,12 strömte] *dahinter
(notiert am rechten Rand und mit Verweisungszeichen eingeordnet)* jezt *H²* **245**,20 mit]
darüber nach H¹ **245**,21 übereinstimmend zu vergleichen] *eingeklammert, darüber zu messen H¹ Fragezeichen am rechten Rand H²* man] *darüber er H¹·²* **245**,23
man] *darüber er H¹·²* an ein bestimmtes Ziel] *unterstrichen; am rechten Rand mit*   10
Grünstift *S.*476 *H²* gelangen] *dahinter (notiert am unteren Rand und mit Verweisungszeichen eingeordnet)* Nimmt das Paket wieder vor u.⟨nd⟩ findet e⟨ine⟩ 2.Nach-
schrift zu Larkens Briefen v.⟨on⟩ etwas späterem Datum *H²* **245**,24 an diesem
Ort] *gestrichen, darüber* Er raffte sich auf *H²* schnell] *gestrichen H²* **245**,27 dachte]
gestrichen H² **245**,35 des theuren Kindes] *gestrichen H²* **246**,3 Försters] *unterstri-*   15
chen, darüber Barons *H²* **246**,4 Tagebuch] *dahinter (notiert am unteren Rand und
mit Verweisungszeichen eingeordnet)* Gewisse Stellen, namentl.⟨ich⟩ Agnes betref-
fend waren in Chiffern geschrieben, wozu der Schlüssel nicht fehlte *H¹* **246**,5
überall] *unterstrichelt H²* **246**,12 alle Nerven Theobalds] *geändert in* alle seine
Nerven *H¹·²* **246**,13 Herzens] *gestrichen; am rechten Rand* Gefühls *H²* **246**,14 Ihm]   20
mit Grünstift geändert in ihm *H²* **246**,16 gedrungen] *geändert in* gedrängt *H²*
246,17.18 zurücklassend] zurück *gestrichen H²* **246**,28 räthselhafte Person der
Zigeunerin] *unterstrichelt H¹* **246**,30–32 der Gedanke *bis* Anwesenheit] *mit Grünstift diagonal durchgestrichen H²* **246**,30 ohn'] *geändert in* ohne *H²* **247**,3 geneigt]
darüber versucht *H²* **247**,13 in's Geld gesezt] *geändert in* in Geld umgesezt *H²*   25
247,16 Aber wenn] *geändert in* Wenn aber *H²* **247**,17 verjährter Schmerz] *unterstrichelt H²* **247**,20–**248**,12 Eine dritte *bis* erschiene] *nach Einzeländerungen diagonal
durchgestrichen; Grünstiftstriche an den äußeren Rändern H²* **247**,22 durch Larkens]
eingeklammert H¹ zwischen senkrechte Striche gesetzt H² **247**,24–31 Nicht *bis* Ver-
bindung] *senkrechte Striche im Text und am rechten Rand H¹* **247**,24 Nicht] *dahinter*   30
(notiert am rechten Rand und mit Verweisungszeichen eingeordnet) zwar *H²* **248**,1
Abende] e *am Wortende gestrichen H²* **248**,3 keine *bis* ruhen] *gestrichen H²*
248,13–15 Am *bis* Weg] *diagonal durchgestrichen H²* **248**,17 sehr] *gestrichen H²*
248,19–24 Außer *bis* öffnete] *nach Einzeländerungen diagonal durchgestrichen H²*

248,19 Briefträger] Brief *gestrichen; am linken Rand* Post H^2 **248**,22 jemals] *ge-strichen* H^2 **248**,23 das *bis* umgab] *gestrichen* H^2 **248**,24 Im] *davor mit Grünstift eine nach rechts geöffnete Klammer ohne Entsprechung* H^2 **248**,25.26 wo sich *bis* an-kündigte] *gestrichen* H^2 **248**,27 unscheinbar] *darüber* ärmlich H^2 **248**,28.29 der *bis* scheint] *durch Striche, Ziffern und Zusätze geändert in* Er schien hier ganz zu Hause zu seyn H^2 **248**,29 unglaublich] *darüber* höchst H^1 *mit Grünstift gestrichen* H^2 **248**,30 hellsten] *gestrichen, darüber* schwärzesten H^2 lachen] *geändert in* lach-ten H^2 **248**,32 unsern Freund] *gestrichen, darüber und am rechten Rand* den Frem-den H^2 ruhig] *mit Grünstift gestrichen* H^2 **248**,33 Thüre] *davor über der Zeile* Haus H^2 tüchtigen] *gestrichen* H^2 **248**,34 Du] *dahinter über der Zeile* mir H^2 artiger] *gestri-chen* $H^{1.2}$ *am linken Rand* mein H^1 ob] *gestrichen, darüber* ist H^2 ist] *gestrichen* H^2 **249**,1 antwortete nicht] *daneben am linken Rand* besann sich einen Augenblick H^1 **249**,1.2 sondern *bis* folgen] *durch Zusätze und Schleifen geändert in* sondern winkte, indem er die Treppe hinaufging, dem Maler, ihm zu folgen H^2 **249**,2 Theobalden] *gestrichen, darüber* nur, ihm H^1 **249**,2–7 Oben *bis* zeigt] *durch Streichungen, Ver-weisungszeichen und größere Zusätze am rechten und unteren Rand geändert in* Oben angelangt führte er ihn seitwärts über ein Treppchen in einen engen dunkeln Gang, deutete schalkhaft auf ein kleines in der Wand befindl.⟨iches⟩ Fenster und verschwand. Der Vorhang d⟨ie⟩s⟨e⟩s Fensterchens, von innen nur nachlässig zu-gezogen, erlaubte dem Maler die wunderbarste stumme Scene zu belauschen. H^2 **249**,2 eine] *darüber (vor Neufassung der ganzen Stelle)* die H^2 **249**,7 einer] *ge-strichen* H^2 gespannten] *geändert in* gespannter H^2 **249**,9 Stellung] *darüber* Hal-tung H^2 **249**,10 unter'm] *geändert in* unter dem H^2 **249**,12 und der Tücher] *ge-strichen* H^2 **249**,14 blicken] *darüber* sehen H^2 **249**,17 Hinterhaupts vom starken Nacken an] *geändert in* Hinterhaupts, der starke Nacken H^2 rührend] *darüber* eigen H^2 **249**,18–20 das Kindliche *bis* schiene] *nach Einzeländerungen gestrichen; am rechten und oberen Rand mit Verweisungszeichen* die weichen Züge des lieblichen Gesichts, das einen bänglichen Ausdruck hatte H^2 **249**,19 zur *bis* Ergebung] *dar-über am linken Rand* verschämt H^2 **249**,21 das] *daneben am rechten Rand* d⟨ie⟩s⟨e⟩s H^2 **249**,22.23 Sollte *bis* machen] *gestrichen, darüber* Wie kommt das nur H^2 **249**,24 befinden mußte] *geändert in* befand H^2 **249**,28–31 Nolten *bis* ergriffen] *nach Einzeländerungen diagonal durchgestrichen* H^2 **249**,29 ein Gerücht] *gestrichen* H^2 **249**,30 wollten nicht Einige] *geändert in* Einige wollten H^2 **249**,32 daher] *gestri-chen, darüber* nun H^2 Maler] *gestrichen; am oberen Rand mit Verweisungszeichen* un-

gebetenen Zuschauer *H² **249**,35.36 Theobald bis einen] teils unterstrichen, teils
gestrichen, an den Rändern und über der Zeile* Es war der *H² **250**,1.2 den er bis
seyn] gestrichen H² **250**,2–5 Doch bis war] diagonal durchgestrichen; am rechten
Rand und zwischen den Zeilen* Eiligst und so leise wie möglich zog sich jezt N.⟨ol-
ten⟩ zurück *H² **250**,5–8 Kaum bis Saale, und] gestrichen; am rechten und unteren
Rand mit Verweisungszeichen* Allein eben indem er das Fenster verläßt, streckt
der Hofr.⟨ath⟩ den Kopf aus der Thür eines anderen Zimmers, in das er ihn
sofort stillschweigend eintreten läßt. *H² **250**,9–13 die denn bis nachkam]
durch Streichungen und Zusätze zwischen den Zeilen und am rechten Rand geändert
in* Der Maler war befangen u.⟨nd⟩ seine Wangen glühten *H² **250**,14 schmun-
zelte er] geändert in* sagte der Alte schmunzelnd *H² **250**,15 ein wilder Eber]
darüber* wie Sie wissen *H² Raymund] geändert in* Raimund *H² **250**,17 wissen]
darüber* hören *H² **250**,18 Alles zusammenhängt] mit Rotstift gestrichen; an den
Rändern mit Bleistift* das ist *H² **250**,19.20 an der bis haben] eingeklammert; am oberen
Rand mit Verweisungszeichen* die er nach ihrem eigentl.⟨ichen⟩ Werth vor kurzem
noch sehr wenig kennen mochte *H² **250**,21 Mädchen] dahinter (notiert am linken
Rand und mit Verweisungszeichen eingeordnet)* bürgerlicher Leute Kind *H² **250**,23
Raymund] geändert in* Raimund *H² **250**,24 Mädchen] dahinter mit Grünstift ein kreuzförmiges Zeichen ohne Entsprechung H² **250**,25 unbändig] gestrichen, darüber* von
Herzen *H² überdieß bis ist] gestrichen H² **250**,29 ganz] gestrichen H² **250**,29.30 von
bis Mädchens] gestrichen H² **250**,34 artistischen Grille] unterstrichelt H² Raymund]
geändert in* Raimund *H² **250**,34.35 durch bis Künstler] gestrichen H² **251**,1 gerne]
unterstrichen H² **251**,2 Sitzung.] dahinter (notiert am oberen Rand und mit Verweisungszeichen eingeordnet)* Er ist das ehrlichste Blut v.⟨on⟩ d.⟨er⟩ Welt u.⟨nd⟩
sicherlich e.⟨in⟩ eminentes, aber noch wildes Talent *H² dabei] gestrichen H² ist]
dahinter über der Zeile* nun⟨?⟩ *H² sich bis kann] gestrichen, darüber* selten voraus
weiß *H² **251**,3 soll] gestrichen, darüber* will *H² **251**,4 und den] gestrichen; an den
Rändern* geradezu den *H² mitunter] gestrichen H² **251**,5 häufig] gestrichen H²
251,7.8 wenn bis würde] gestrichen, darüber* doch muß das s.⟨eine⟩ Gränze haben.
[Und] Dann unternimmt er auch zu vielerlei *H² **251**,10 unter den Betteljungen]
dünn unterstrichen H² **251**,12 eingestellt] dahinter über der Zeile* hat *H² **251**,16 recht
ein* CUPIDO DIRUS] *gestrichen H² **251**,17 rief] darüber* meinte *H¹ gestrichen, darüber*
sagte *H² lachend gestrichen H¹·² **251**,18–21 Suchen bis Talent] diagonal durchgestrichen; am unteren Rand in lateinischer Schrift* Nolten und Raym.⟨und⟩ kennen

sich bereits wiewohl nicht näher H^2 **251**,22 indessen] *gestrichen* H^2 *doch* *dahinter*
unter der Zeile immer H^2 **251**,23 Bildung] *dahinter (notiert am oberen Rand mit Ein-*
weisungsschleife) und eine gewisse Fahrlässigkeit H^2 *genug bis sie] gestrichen* H^2
251,24 *und bis beistimmen] gestrichen* H^2 **251**,31.32 Charakteristik der] *ge-*
strichen; am linken Rand die H^2 **251**,34 kömmt] *geändert in* kommt *dahinter*
über der Zeile nun H^2 **251**,35 Raymund] *geändert in* mein Raimund H^2 **252**,3
wollt'] *geändert in* wollte H^2 **252**,8 *sprechen und malen] unteɪschlängelt, über der*
Zeile am oberen Rand mit lateinischen Buchstaben NB nicht gesperrt H^2 **252**,9 und] *
gestrichen* H^2 **252**,10 so eben] *geändert in* soeben H^2 **252**,19 süße] *gestrichen,
darüber stille* H^2 **252**,24–**253**,36 Nun *bis ein Ge-] senkrechte Striche an den äußeren
Rändern* H^1 **252**,24–**262**,17 Nun *bis beten] nach zahlreichen Einzeländerungen
diagonal durchgeʃtrichen* H^2 **252**,25 eigentlich] *gestrichen* H^2 **252**,31 auszusetzen.]
dahinter (notiert am oberen Rand und mit Verweisungszeichen eingeordnet) Aber
Sie bleiben doch hier? H^2 **253**,1 Raymund] *geändert in* Raimund H^2 **253**,23
meine Gnädige] *gestrichen* H^2 **253**,26 dreier] *unterstrichen* H^2 vielfach zu erfreuen]
gestrichen, darüber machte *hinter unleserlichem Wort* H^2 **253**,29 verehrten] *gestri-*
chen H^2 **253**,30–32 das *bis* sezte] *eingeklammert* H^2 **254**,1 Verehrteste] *gestrichen*
$H^{1.2}$ **254**,3 Herrn] *gestrichen* H^2 **254**,9 sah man ihr an] *geändert in* war ihr anzusehn H^2 **254**,10 herzlich] *gestrichen* H^2 **254**,10.11 gewann *bis* fortzufahren] *ge-*
strichen H^2 **254**,16 Ihnen ein Mann] *mit Umstellungs-Schleife geändert in* ein Mann
Ihnen H^2 **254**,17 ganz] *gestrichen* H^2 **254**,19 Entferntes] *darüber, am linken Rand
beginnend* Leben und Kunst H^2 lebendig] *unterstrichelt* H^2 **254**,21–24 der eben *bis*
mitzutheilen] *senkrechte Striche am rechten Rand* H^2 **254**,25.26 Ihnen *bis* auszu-
drücken] *eingeklammert* H^2 **254**,26 möcht'] *geändert in* möchte H^2 **254**,36 Dame]
darüber Freundin H^2 **255**,1 heitern] *gestrichen* H^2 **255**,5 emsige] *gestrichen; am
rechten Rand* [willige] H^2 **255**,10 Aber] *gestrichen; am linken Rand* Doch H^2 **255**,16
welche sich] *gestrichen, darüber* die H^2 gelegt hat] *darüber* entstand H^2 **255**,25 zu-
gegeben] *darüber* dargestellt H^2 Mime] *gestrichen* H^2 **255**,26 und wie er es] *gestri-*
chen H^2 **255**,27 that] *gestrichen, darüber kaum noch lesbar* und wie er es gethan H^2
255,30 wie *bis* war] *gestrichen* H^2 **256**,9 Gnädigste] *gestrichen, darüber* edelste
Frau H^2 **256**,13–17 Leider *bis* nicht] *am linken Rand kaum noch lesbar, da radiert* Dieß
Motiv dürfte durchaus wegfallen H^1 **256**,15 Kränzchen haben] *darüber* völlig *vor
gestrichenem* lange H^2 **256**,16.17 Niemand die Ursache] *mit Umstellungs-Schleife ge-*
ändert in die Ursache Niemand H^2 **256**,17.18 körperlichem] *davor (notiert am linken*

Rand und mit Verweisungszeichen eingeordnet) nur H² **256**,27–**257**,20 Ich *bis* Gedächtniß] *senkrechte Striche an den äußeren Rändern H¹* **257**,22 nicht eben sonderlich viel] eben sonderlich *gestrichen H¹ geändert in* nichts [weiter] H² **257**,27.28 Sie *bis* schien] *unterstrichelt und eingeklammert* H² **257**,28.29 durchaus Geheimniß] *gestrichen* H² **257**,30 nach] *dahinter über der Zeile* einem Pfeiler beim H¹ **258**,1.2 ungeheure] *gestrichen* H² **258**,13 dieses] *über dem s am Wortende ein r* H² **258**,14 Weibes] *darüber* Frau H² **258**,20.21 Ein *bis* Er] *gestrichen; am rechten Rand* Theob. H² **258**,28 widerwärtigsten] *unterstrichelt* H² **259**,3 so viel wie] *gestrichen, darüber* gar H² **259**,4–11 Am *bis* müsse] *senkrechte Striche am linken Rand* H² **259**,4.5 welch lezterer] *davor Verweisungszeichen, das auf eine vermutlich als Anrede des Hofrats an Nolten gedachte Notiz am unteren Rand verweist:* Ist es denn wirklich an dem daß H² **260**,26–**262**,17 Nicht *bis* beten] *senkrechte Striche an den äußeren Rändern H¹* **261**,15 von Göttern und Geistern] *unterstrichen, Fragezeichen am linken Rand H¹* **261**,33 harmonisch] *gestrichen H¹*

262,18 Wir] *davor am linken Rand* 3ter Theil *H¹ davor am linken Rand und darüber* (3.Theil? S.434 H² **262**,31–33 Er *bis* man] *senkrechter Strich am rechten Rand; am oberen Rand* Zwei volle Tage war er mit der Post gefahren und hatte mit dem dritten Morgen d.⟨ie⟩ lezte Station erreicht, von wo er H¹ **263**,5 reiche] *geändert in* reich bebaute H¹ **264**,10 Collier] *gestrichen, darüber* Armband H² **264**,17 dem vierten] *gestrichen H¹* **264**,19 Auf dieser lezten Station] *eingeklammert H¹* **264**,24 Freundes] *gestrichen; am rechten Rand* Wanderers H² **264**,33–**265**,1 mit ihren *bis* aufnahmen] *Striche im Text und Fragezeichen am linken Rand* H² **265**,5 Freudeschrecken] *geändert in* freudigem Schrecken H¹ **265**,10.11 gleich die köstliche Überraschung] *mit Zusätzen, Streichungen und Schleifen geändert in* die Überraschung gleich allein H² **265**,11 nicht] *gestrichen, darüber* zwar kaum H² **265**,13 so gar] *gestrichen* H² **265**,19 über'n] *geändert in* über den H² **265**,27 die Gestalt Agnesens] *geändert in* rings die geliebte Gestalt H² **266**,4 ein paar] *geändert in* einige H² **266**,5–12 und *bis* pflegte] *diagonal durchgestrichen* H² **266**,36 eben jezt ihm das] *unterschlängelt* H² **267**,8 gegönnt] *unterstrichelt* H² **267**,10 so eben] *gestrichen* H² **268**,1 diese] *geändert in* die H² ziehend] *geändert in* beziehend H² **268**,17 zurückging] zurück *gestrichen* H² **268**,17–19 daß *bis* sey] *gestrichen* H² **268**,19 da er *bis* sey] *gestrichen, dahinter* Er (offenbar sollte der Nebensatz durch einen Hauptsatz ersetzt werden) H¹ **268**,27 mächtiger] *gestrichen; am linken Rand* kerniger H² **268**,31 die von] *hinter* die *über der Zeile* sich H² übrigen] *gestrichen, darüber*

ihm bekannten *H²* **268**,32 hin] *gestrichen H²* **269**,1 Indessen das Wundersamste]
geändert in Das Wundersamste aber *H²* selber] *davor am linken Rand* [wohl] *H²*
269,8 sonderbare] *gestrichen H²* **269**,9 Agnes] *gestrichen, darüber* Sie *H²* **269**,18 gewisse Verlegenheitspunkte] *geändert in* manche verfängliche Punkte *H²* **269**,18.19

5 so *bis* Verhaftsgeschichte] *eingeklammert H²* **269**,34 mußten] *dahinter über der Zeile*
noch *H²* **270**,2 behaglich] *gestrichen; am linken Rand* umständlich *H²* **270**,5–19 Es
bis glauben] *diagonal durchgestrichen H²* **270**,13–15 so *bis* Denn] *mit Rotstift gestri-*
chen H² **270**,21 vor freudiger Bewegung Keins] *mit Umstellungs-Schleife geändert in*
Keins vor freudiger Bewegung *H²* **270**,22.23 doch in jungen Jahren] *mit Umstel-*

10 *lungs-Schleife geändert in* in jungen Jahren doch *H²* **270**,25 mag's] *dahinter (notiert*
am linken Rand und mit Einweisungsschleife zugeordnet) seyn *H²* **270**,30 so] *gestri-*
chen H² dann] *darüber* wohl *H¹ gestrichen H²* **270**,30.31 stelle *bis* wie's] *geändert in*
Ich sehe das Wild, wie es *H¹* **270**,30 stelle] *gestrichen H²* mir vor] *gestrichen H²*
270,32 Fried' *bis* Schöpfer] *durch Zusätze und Streichungen geändert in* halt auch Fried'

15 und Freude von seinem Schöpfer hat *H²* **270**,34 denn] *gestrichen H²* **270**,36 so]
gestrichen H² **271**,2 Zipfelmütze] Zipfel *gestrichen H²*
271,3.4 Forsthauses] Forst *gestrichen H²* **271**,4 die] *darüber* seine *H²* **271**,5 seit *bis*
behaupten] *gestrichen H¹ eingeklammert H²* Stelle] *gestrichen, darüber mit Rot- und*
Bleistift Pflichten *H²* behaupten] *mit Rotstift gestrichen H²* **271**,6 ersten] *darüber*

20 frühesten *H¹ gestrichen, darüber* frühesten *H²* **271**,7–9 Ein *bis* ward] *eingeklammert*
H² **271**,12 und] *gestrichen H²* **271**,13 küßt'] *beide Male mit Rotstift geändert in*
küßte *H²* küßt' er die] er *mit Rot- und Bleistift gestrichen H²* **271**,21–25 es sucht
bis mochte] *nach Einzeländerungen diagonal durchgestrichen; am oberen Rand mit*
Verweisungszeichen an den man sich auch gerne durch die Farbe ihrer Kleidung

25 erinnert sehen mag *H¹* **271**,21 es sucht überdieß] *geändert in* und dabei sucht *H²*
271,22 solche Ideen] *mit Grün- und Bleistift gestrichen, darüber* d⟨ie⟩se Vorstellung
senkrechter Strich mit Grünstift am linken Rand der Zeile H² **271**,27–30 Das Gespräch
bis Hochzeit] *Schlängellinie am rechten Rand H²* **271**,29.30 der Sohn *bis* Vergnügen]
gestrichen H¹ eingeklammert H² **271**,30 seine] *gestrichen; am rechten Rand* ihre *H¹ ge-*

30 *strichen, darüber* die *H²* **271**,31.32 selbst *bis* gemacht] *gestrichen; am rechten Rand*
genähert *H²* **271**,32 ernsten] *gestrichen H¹* **271**,34 darüber] *gestrichen; am unteren*
Rand mit Verweisungszeichen davon, brachen aber *H¹* **271**,34–272,19 Auf *bis* ver-
rathen] *diagonal durchgestrichen H¹ nach Einzeländerungen eingeklammert und mit*
Grün- und Bleistift diagonal durchgestrichen; vor der ersten Klammer ein Kreuz, das am

unteren Rand von S.407 wiederholt ist, es fehlt aber der offenbar beabsichtigte Zusatz H² **272,**13.14 eine gemischte *bis* Reiz] *daneben am linken Rand* Sie trat H¹ **272,**15 die *bis* beißen] *die Wörter* gespizten *und* zu beißen *mit Bleistift, dann der ganze Passus mit Rotstift eingeklammert H²* **272,**16 das Kind] *gestrichen, darüber* sie H² **272,**19 dazwischen] *gestrichen H²* **272,**22.23 wirklich furchtbar] *gestrichen, darüber* erschreckend, *am nahen unteren Rand* für den Zeugen fast ist *(gemeint ist vermutlich* für den Zeugen fast erschreckend ist*) H²* **272,**23–29 er kam *bis* aufzulösen] *nach Einzelstreichungen diagonal durchgestrichen und eingeklammert H²* **272,**25.26 und *bis* bemerkt] *gestrichen H¹* **272,**27–29 man *bis* aufzulösen] *gestrichen H¹* **272,**29 spielte] *geändert in* spielten *H²* **272,**33 der] *darüber* ihr *H²* **272,**34 das *bis* sagen] aufrichtig zu sagen *mit Schleife umgestellt vor* das nicht mehr erwartet *H²* **272,**35 ja nicht stören] *geändert in* ja nur nicht drängen *H²* **272,**36–**273,**7 Das Mädchen *bis* Tassen] *diagonal durchgestrichen H²* **273,**14–16 Sie *bis* Amandus] *am linken Rand über Radierspuren* Die 3 Stadtschüler *H²* **273,**18 mein] *gestrichen H²* **273,**23 Rede] *dahinter über der Zeile* von dir *H²* **273,**25 mein] *unterstrichen, darüber* Fritzens *H²* **273,**27 Rektors] *zwischen senkrechten Strichen H²* **273,**29 ich] *gestrichen, darüber* wir *H²* wurde] *geändert in* wurden *H²* Ich] *gestrichen, darüber* Er *H²* **273,**31–33 Ach *bis* an] *gestrichen, über den Zeilen, vermutlich vor der Streichung* Am Montag und Fr⟨ei⟩tag wo kein Zeichen-Unterricht *dafür am oberen Rand mit Verweisungszeichen* im ersten halb⟨en⟩ Jahr *H²* **273,**34–36 Aber *bis* mehr] *senkrechte Striche am linken und rechten Rand H²* **274,**5–7 Ei *bis* gehört] *senkrechter Strich am rechten Rand H²* **274,**6 Geschlaggien] Geschaggien *geändert in* Geschlaggien *H¹ (vgl. die Lesart zu dieser Stelle)* Geschaggien *geändert in* Geschlanggien *(*gien *mit Grünstift gestrichen, mit Bleistift unterpunktet) H²* **274,**10 besonders schön seyn sollende] *gestrichen H²* **274,**11 entstellte] *dahinter* [Kegelkugel] *H²* **274,**18 habe] *gestrichen, darüber aber H² ver-*sezte] *darüber* sagte *H²* **274,**20 an *bis* wie] *gestrichen H²* eben war ich] *mit Umstellungsziffern geändert in* ich war eben *H²* **274,**24 'mal] *geändert in* einmal *H²* **274,**25 superb, ganz excellent] *gestrichen H¹ hinter* superb *ein Ausrufungszeichen H²* ganz excellent] *unterstrichen H²* Da hört nur] *gestrichen H²* **274,**28 Edikts] *daneben am linken Rand mit Grünstift* Ukas *H²* **274,**31 Lebhafteste] *mit Grünstift unterstrichen H²* **274,**32 Seeligkeit] *das zweite* e *mit Grünstift gestrichen H²* **274,**34 treue] *gestrichen H²* **274,**35 das eigne] *davor über der Zeile* nur *H²* unersättliche] *mit Grünstift unterstrichelt H²* **275,**4 Und] *gestrichen H²* Gott] *davor über der Zeile* Großer *H²* **275,**5 wenn er] *dahinter über der Zeile* vielleicht *H¹* Augenblick] *dahinter über der Zeile* vielleicht H^2 **275**,8 pflegt] *dahinter über der Zeile* uns H^1 **275**,9 in solchen Momen-

ten uns] *geändert in* in einem solchen Momente oft H^1 **275**,17–19 Er *bis* befällt ihn]

mit Umstellungs-Schleifen geändert in Die süße Nähe Agnesens beklemmt ihn wun-

derbar, eine unerklärliche Angst befällt ihn, er ertrug's nicht mehr, stand auf von

seinem Sitze, und ging im Zimmer umher H^2 **275**,19–27 ihm *bis* gesehen] *diago-*

nal durchgestrichen H^2 **275**,24–27 wäre *bis* gesehen] *senkrechte Striche am linken*

Rand H^1 **275**,29–31 der *bis* üben] *diagonal durchgestrichen* H^2 **275**,32–34 Unser *bis*

haben] *diagonal durchgestrichen, senkrechter Strich und Fragezeichen am linken Rand* H^2

275,35–**276**,2 Wie *bis* als] *nach Einzeländerungen diagonal durchgestrichen* H^2 **275**,35

nun] *gestrichen* H^2 **275**,36 zur natürlichen Empfindung] *unterstrichen, darüber* zum

Andern H^2 **276**,1 eine] *gestrichen, darüber die* H^2 Fertigkeit] *darüber* Fähigkeit H^2

276,2.3 die Thüre *bis* eintrat] *mit Umstellungsziffern und -Schleifen geändert in* Die

Thüre ging auf und unerwartet trat der gute alte Baron ein H^2 **276**,3 selbst zu-

rückgegeben] *unterstrichen* H^2 **276**,5 schluchzend] *gestrichen* H^2 **276**,6.7 dessen

bis deckt] *gestrichen* H^2 **276**,12 begrüßen] *dahinter* Wie *(vermutlich sollte der fol-*

gende Abschnitt nach Änderung des Satzbaus und einigen Streichungen mit diesem Wie

beginnen, dem dann das So *S.* 276,21 *entsprochen hätte)* H^2 **276**,13–21 Es *bis* bestärkt]

senkrechte grüne Schlängellinie am rechten Rand H^2 **276**,16 gewohnte Liebhabereien]

gestrichen H^1 *mit Grünstift gestrichen* H^2 **276**,16–21 dieß *bis* bestärkt] *diagonal durch-*

gestrichen $H^{1.2}$ **276**,23 noch] *dahinter über der Zeile mit Grünstift* jezt H^2 **276**,32 be-

deutend] *gestrichen* H^1 **276**,34 konnte] *darüber mit Grünstift* ließ H^2 Betrachtungen]

en *mit Grünstift gestrichen* H^2 machen] *mit Grünstift gestrichen* H^2 **276**,35–**277**,13

Während *bis* vom Her-] *senkrechter Strich und Fragezeichen am linken Rand* H^1

277,1.2 durch *bis* aber] *gestrichen* H^1 **277**,2 unbeschreibliche] *gestrichen* $H^{1.2}$

277,4 bei diesem Zusammentreffen] *eingeklammert* H^1 **277**,5 unser Freund] *ge-*

strichen, darüber der Maler H^1 **277**,7 das schöne Haupt] *unterstrichen, am linken*

Rand reinen Scheitel H^2 **277**,8–18 Nolten *bis* kam] *diagonal durchgestrichen; am*

unteren Rand von Seite 416 Wie viel *(darüber* so schien er*)* ist über dich ergangen

am oberen Rand von Seite 417 Man kam auf die ältere Zeit, auf Theob.⟨alds⟩ Jugend-

jahre – heitere Erinnerungen H^1 **277**,8–11 Nolten *bis* vielleicht] *mit Grünstift*

diagonal durchgestrichen; am unteren Rand Wie viel ist über d⟨ie⟩s⟨e⟩s edle H⟨au⟩pt

ergangen, wie war es möglich d⟨ie⟩sen Engel so schwer zu verkennen H^2 **277**,10

mit] *davor (notiert am linken Rand und mit Verweisungszeichen eingeordnet)* gewisser-

maßen H^2 **277**,13–15 Der *bis* abzuschneiden] *diagonal durchgestrichen* H^2 **277**,14 übrigens] *gestrichen, darüber aber H²* **277**,18 *entfernt.*] *dahinter und am rechten Rand* Der Förster [gibt Veranlassung zum folgenden] spielte lächelnd auf einige selts.⟨ame⟩ Liebhabereien s⟨ei⟩n⟨e⟩s Pflegesohnes an wodurch sich dieser veranlaßt sah dem Baron *darunter ein Fragezeichen H¹ dahinter (notiert am oberen Rand und mit Verweisungszeichen eingeordnet)* Schachspiel: bei dem guten Th.⟨eobald⟩ [prädom] präpon⟨derirt⟩ u.⟨nd⟩ prädom⟨in⟩irt eben leider d.⟨as⟩ Ph.⟨ilosophische⟩ *(oder d.⟨ie⟩ Ph.⟨ilosophie?⟩) H²* **277**,19 *noch bis* Gesicht] *gestrichen, darüber nach H¹·²* **277**,21.22 *Zu bis* nicht] *geändert in* Gewiß ist *H¹* **277**,22 nun] *darüber mit Grünstift* es *H²* Streiche] *unterstrichelt H¹* sechzehn] *gestrichen, darüber* 14 *H²* **277**,23 Eilfjährigen] Eilf *gestrichen, daneben am linken Rand* 10 *H²* Liebhabereien] *darüber* Thun und Treiben *H¹* **277**,25 Bedeutung] *dahinter (notiert am unteren Rand und mit Verweisungszeichen eingeordnet)* der meisten Knabenspiele nicht *H¹* derentwillen] t *gestrichen H²* **277**,25–27 um *bis* kann] *gestrichen H¹* **277**,26 sie auch leidenschaftlich] *unterstrichen H²* **277**,26.27 noch *bis* kann] *unterstrichelt H²* **277**,27 sich zu unterhalten] *darüber* der Unterhaltung *H¹* **277**,30 öfters] *darüber mitunter H¹* **277**,35 hätte nennen können] *geändert in* nennen könnte *H¹* **278**,2 dabei] *gestrichen, darüber mit H¹* **278**,2–6 ausgeschlossen *bis* konnte] *diagonal durchgestrichen H¹·²* **278**,7 unaussprechlichen Vergnügen] *eingeklammert; am linken Rand* Behagen *H¹* **278**,8 oben] *davor über der Zeile ganz H¹ davor (notiert am linken Rand und mit Verweisungszeichen eingeordnet)* ganz *H²* **278**,9.10 vornehmen!] *dahinter (notiert am linken Rand und mit Verweisungszeichen eingeordnet)* Erst heute sah ich diesen Winkel *H¹* **278**,12 ander] *geändert in* anderes *H¹* **278**,13 dieß] *geändert in* dieses *H²* **278**,14 wohl] *gestrichen H²* **278**,16.17 damals *bis* Feuerspiel] *gestrichen; am linken und unteren Rand mit Verweisungszeichen* [um] um d⟨ie⟩se feuergefährliche Kurzweil gewußt *H¹* **278**,16 ein] *gestrichen H²* **278**,17.18 der *bis* war] *gestrichen H¹* **278**,20 mitmachte.] *(am oberen Rand notiert und vermutlich hier einzuordnen)* Dabei erinnere ich nur an jenen unschuldigen Mysticismus der Phantas.⟨ie⟩ des Knabenalters der den gemeinsten Gegenständen *H¹* **278**,22 mit Hülfe und Schrecken] *mit Grünstift gestrichen H²* **278**,23 Treppenwand] *dahinter (notiert am rechten Rand und mit Verweisungszeichen eingeordnet)* auf jenen oberen Boden *H¹* **278**,25 genagelt] *geändert in* gehängt *H¹* **278**,26.27 oder *bis* geschlossen] *durch Streichungen und Zusätze geändert in* worin der runde Knoten nur locker eingeschlossen stak *H¹* **278**,28 zu gewissen Tagszeiten] *gestrichen H¹* **278**,30 schien] *geändert in* erschien *H¹* **278**,32.33 ziemlich] *gestrichen H²* **279**,1 ich's] *geändert in* ich es H^1 **279**,2–7 Jedoch *bis* vernehmen] *diagonal durchgestrichen* H^2 **279**,7 wun-

derte] *geändert in* wundernahm H^1 **279**,13 weit] *gestrichen* $H^{1.2}$ zurückbleibt]

geändert in zurückgeblieben ist H^2 **279**,14 gewöhnlich] *gestrichen; am linken Rand*

sehr häufig H^1 **279**,14.15 durch die Umstände] *dünn gestrichen* H^1 **279**,16 dieses

5　Brüten] *geändert in* diese Zeit des Brütens H^2 **279**,17 ist] *gestrichen; daneben am*

linken Rand nenn' ich H^1 **279**,18–19 der *bis* ist] *eingeklammert* H^1 *vor der nach*

rechts geöffnete Klammer ohne Gegenklammer H^2 **279**,19 ist] *gestrichen, darüber* seyn

mag H^2 **279**,19.20 Ich *bis* vorstellen] *gestrichen; am unteren Rand* Ich denke mir gar

wohl – H^1 **279**,21 man] *gestrichen, darüber* er H^1 *darüber* er H^2 gewöhnlichsten]

10　*gestrichen, darüber* gemeinsten H^1 *geändert in* allergewöhnlichsten H^2 Gegenstän-

den] *gestrichen und unterpunktet* H^2 **279**,22.23 ein Geheimniß] *geändert in* irgend-

ein Geheimniß H^1 **279**,23 nur *bis* bedeuten] *gestrichen* H^1 **279**,24 sichtbaren] *ge-*

strichen, darüber gleichgültigen H^1 **279**,25 oder] *gestrichen* H^1 **279**,27 eignes] *ge-*

strichen, darüber besonderes H^1 *geändert in* eigenes H^2 andächtig abgeschlossen]

15　*gestrichen* H^1 hegt] *dahinter (notiert am oberen Rand und mit Verweisungszeichen ein-*

geordnet) auch wohl gleichsam bewußte u.⟨nd⟩ sehende Zeugen alles Menschen-

thuns u.⟨nd⟩ Treibens sind – Persönliches H^1 **279**,29–**280**,5 Nur *bis* war] *senk-*

rechte Striche im Text und am rechten Rand, daneben in lateinischer Schrift mit spitzem

Bleistift NB Dieß anders einzuleiten *darunter in deutscher Schrift mit weichem Bleistift*

20　Da fällt mir meine Agnes ein sagte der Förster H^1 *senkrechte Striche im Text und am*

rechten Rand; am oberen Rand Mir fällt hier, sagte der Vater der das eben Bespro-

chene [offenbar] nicht vollkommen gefaßt haben mochte H^2 **279**,29 Nur] *davor*

mit Grünstift Doch H^2 **279**,32 vortrage] *gestrichen, darüber* erzähle H^1 **279**,35.36

wie *bis* und] *eingeklammert* H^2 **280**,3 die frühere] *darüber mit Grünstift* jene H^2

25　**280**,6 etwa zehn Jahre] *geändert in* vielleicht acht Jahre alt H^1 **280**,7 Oberforst-

meister] *gestrichen* H^1 Ihren] *mit Grünstift gestrichen* H^2 **280**,14 lacht mich] *da-*

hinter (notiert am linken Rand und mit Verweisungszeichen eingeordnet) schalkhaft H^1

280,14–20 wie *bis* sagte] *diagonal durchgestrichen* H^1 **280**,19 hart] *gestrichen; am*

linken Rand [unwirsch] H^1 **280**,20 Gesteht es nur Papa] *gestrichen; am linken Rand*

30　Ich weiß H^1 **280**,22 um den Weg] *davor am linken Rand* gerade H^1 **280**,23 vorgehe

draußen in der Welt] *mit Umstellungsschleife geändert in* draußen in der Welt vor-

gehe H^1 nicht] *geändert in* garnicht H^1 **280**,24.25 deßwegen *bis* Neitze] *gestrichen* H^1

280,25 Neitze] *darüber* see H^1 *gestrichen; am linken Rand* in das Städtchen H^2

280,25.26 unsers *bis* und] *gestrichen; am linken Rand* [des Herzogs] H^1 **280**,25 Kö-

nigs] *unterstrichen, darüber* Fürsten *H²* **280**,26 noch viel viel] noch *gestrichen H¹*
das zweite viel *gestrichen H¹·²* geht] *dahinter (notiert am linken Rand und mit Verwei-*
sungszeichen eingeordnet) als unsers Herzogs Land, daß *H¹* **280**,30 ärgert's mich]
geändert in ärgerte michs *H²* **280**,30.31 ihr *bis* setzen] *gestrichen, darüber* sie zu
überzeugen *H¹* **280**,31.32 die sie *bis* hatte] *gestrichen, darüber* und so weiter *H¹*   5
280,32 lauschte sie] *gestrichen; am rechten Rand* sah sie mich fortwährend mis-
trauisch an *H¹* **281**,2 Mittelpunkt] *darüber* Gegenstand *H¹ unterstrichelt, am rechten*
Rand Gegenstand *H²* und Zweck] *gestrichen H¹* großen] *gestrichen, darüber* geheimen *H¹* **281**,3–6 die *bis* begriff] *durch Streichungen und Zusätze geändert in* welche
die Absicht hätte, allerlei lebhafte Ideen in des Kindes Kopfe in Umlauf zu setzen   10
und seinen Gesichtskreis durch d⟨ie⟩se methodische Täuschung zu erweitern,
wovon sie zwar den Nutzen nicht eigentlich begriff, doch wohl zu ahnen glaubte
H¹ **281**,6–12 Sie *bis* mögen] *nach Einzeländerungen diagonal durchgestrichen H¹*
281,6 vermuthete] *gestrichen, dahinter am rechten Rand* meinte *H¹* wohin sie kom-
me] *gestrichen, darüber* um ihre Schritte *H¹* **281**,12 Ich *bis* mögen] *gestrichen H²*   15
281,13–30 Indessen *bis* ist] *nach Einzeländerungen diagonal durchgestrichen; dafür an*
den unteren Rändern der Seiten 424 und 425 Sofort kam das Gespräch mit einer
kurzen Wendung von jenem unschuldigen Mysticismus auf die unglaubliche
Verschwisterung desselben mit dem Aberglauben, welchen der Maler als Grenz-
nachbar alles Tiefpoetischen erklärte. Er nannte dabei Napoleon und Lichten-   20
berg *H¹* **281**,13–16 Indessen *bis* Kapitel] *gestrichen H²* **281**,13 nach einigem Be-
sinnen] *gestrichen H¹* **281**,15 höchst] *gestrichen H¹ in bis* Kapitel] *gestrichen H¹* nicht]
dahinter (notiert am unteren Rand mit Einweisungsschleife) eben *H²* **281**,16 glück-
lichen] *gestrichen; am linken Rand* schönen *H¹* **281**,19 Subjekte] *darüber* Individuen *H²* **281**,21 und *bis* ist] *gestrichen H¹* Wenigsten] *dahinter (notiert am linken*   25
Rand und mit Verweisungszeichen eingeordnet) vorauszusetzen *H²* **281**,22 zusetze]
geändert in voraussetze *H¹* Individuen] *geändert in* Naturen *H²* jedesmal] *davor*
am linken Rand auch *H¹* **281**,23 sollte] *unterstrichen H²* **281**,24 Keineswegs] *ge-*
strichen; am linken Rand Gewiß nicht *H²* Ich habe mir] *gestrichen, darüber* Mir
sind *H²* **281**,25 der *bis* gehört] *gestrichen, darüber* und *am linken Rand* der himmel-   30
weit hier abzuliegen scheint *H¹ durch Striche und Zusätze geändert in* der scheinbar weit von hier abliegt *H²* **281**,26 gemerkt] *gestrichen; am linken Rand* aufgefallen *H²* **281**,27 eigenster] *darüber* eigenthümlicher *H²* nicht] *davor über der*
Zeile durchaus *H¹* **281**,28 eben] *gestrichen H²* jetzo] *geändert in* jetzt *H¹·²* **281**,29.30

aller Idiosynkrasien ist] *gestrichen, dahinter alles Poetischen* ? *ist; am linken Rand ein weiteres Fragezeichen H²* Idiosynkrasien ist] *gestrichen, dahinter* Poetischen *ist H¹* **281,**31 Baron] *dahinter über der Zeile verwundert H¹* wenn] *gestrichen, davor am linken Rand* wäre *H¹* **281,**32 wäre] *gestrichen, dahinter* gewesen *H¹* **281,**33 Machen] *davor* O *H¹·²* mir ihn] *mit Umstellungs-Schleife geändert in* ihn mir, *dann* mir *mit Tinte gestrichen H²* **282,**1.2 das *bis* erblickte] *durch Streichungen und Umstellungsschleifen geändert in* das ihm die Nothwendigkeit seiner Taten vorzuhalten schien *H¹* **282,**3.4 so *bis* Recht] *gestrichen H¹* **282,**6 bald] *gestrichen H¹* **282,**6.7 bald mit politischem Verstand] *gestrichen H²* **282,**7 bald] *gestrichen H¹* **282,**8 Sinn] *darüber* Genie *H¹* Subjekte] *unterstrichen, darüber* Geiste *H²* **282,**9.10 gaffend und kopfschüttelnd] *geändert in* mit Kopfschütteln *H¹ geändert in* verblüfft [und] mit Kopfschütteln *H²* wodurch] *gestrichen; am rechten Rand die H²* **282,**11 einen tüchtigen Schwung erhält] *durch Streichungen und Zusätze geändert in* in wohlthätigen Schwung versetzen *H²* tüchtigen] *darüber* gewaltigen *H¹* denn] *gestrichen; am rechten Rand* sich *H²* **282,**12 sich] *gestrichen H²* **282,**14–16 Zwei *bis* mich] *diagonal durchgestrichen H²* **282,**21 mir] *gestrichen; am linken Rand* einem *H¹* **282,**26.27 selbst *bis* sollte] *gestrichen H¹* **282,**27 kann] *gestrichen; am linken Rand* wird *H¹* **282,**28 ganz] *davor am linken Rand* nothwendig *H¹ davor am linken Rand* wohl *H²* **282,**29 ja *bis* nothwendig] *gestrichen H¹* **282,**31.32 Ihre *bis* schön] *durch Streichungen und Zusätze geändert in* Hiefür ist ihre Phantasie zu frei *H²* mir hiefür viel zu frei] *durch Schleifen und Striche geändert in* viel zu frei hiefür *H¹* **282,**32 und, möcht'] *gestrichen H¹·²* **283,**3 sahe] e *gestrichen H¹·²* **283,**5 Wege] *dahinter ein Kreuz, das am unteren Rand wiederholt ist; es fehlt jedoch der offenbar vorgesehene Zusatz H²* nämlich] *gestrichen H²* nämlich stärkender] *gestrichen; am linken Rand* erquicklicher *H¹* stärkender] *darüber* erquicklicher *H²* **283,**5.6 jonische *bis* Himmel] *durch Zusätze und Streichungen geändert in* jonische Luft oder der süßeste Himmel *H¹* **283,**9 Narciß] *mit Grünstift gestrichen; am oberen Rand ebenfalls mit Grünstift* König Rother *H²* **283,**17 rothes] *gestrichen; am rechten Rand* ledernes *H²* **283,**26 damals] *gestrichen H¹·² gedacht]* gestrichen *(wohl versehentlich zusammen mit dem unmittelbar davorstehenden Wort* damals*) und unterpunktet H²* Gräfin] *daneben am linken Rand* Prinz⟨essin⟩ *H²* **283,**27 Spenzer] *geändert in* Spencer *H¹* **283,**28.29 mit *bis* Litzen] *geändert in* mit runden goldenen Knöpfen und zarten Kettchen *H¹* **283,**29–31 Larkens *bis* gesendet] *senkrechte Striche an den äußeren Rändern H¹ diagonal durchgestrichen H²* **283,**35 Collier] *davor ein Haken am unteren Zeilenrand H²* **284,**4 auf den Boden]

gestrichen, darüber nieder *H¹* **284**,8 Kind] *darüber* Schatz *H²* leise] *gestrichen, dar-*
über so H¹ **284**,9 da *bis* hatte] *gestrichen H¹* **284**,28 Spenzer] *geändert in* Spencer *H¹*
284,33 ich's] *geändert in* ich es *H²* **284**,34 Johanniskäfer] *davor über der Zeile* [vie-
len] *H²* **284**,35 da hab' ich dich] *gestrichen H¹·²* es dir] *geändert in* dirs *H² dahinter*
über der Zeile denn *H²* **285**,8 kaum] *gestrichen, darüber* nicht *H²* **285**,15.16 wenig-   5
stens] *davor über der Zeile mit Blei- und Grünstift* doch *H²* **285**,22 innig] *gestrichen;*
am rechten Rand ernstlich *H²* **285**,22–25 überdem *bis* vorüber] *senkrechte Striche*
am rechten Rand H² **287**,15 vielleicht] *gestrichen H²*
288,15: *schräg darüber am linken Rand* [3ter Theil?] *am oberen Rand* Ausflug nach
der Stadt. Kloster *darunter waagrechter Strich H²* **288**,26.27 die Reise *bis* einge-   10
stand] *gestrichen H¹* **288**,28 verehrten] *unterstrichelt H¹* **289**,4 Narre] *unterstri-*
chelt H¹ **289**,6–8 AD *bis* aufhüpften] *diagonal durchgestrichen H¹* **289**,7.8 habe nicht
gelogen] *unterstrichen, darüber* weiß was ich sage *H²* **289**,18 kann] *gestrichen; am*
linken Rand konnte *H²* **289**,20 sucht] *geändert in* suchte *H²* **289**,21 bleibt] *gestri-*
chen; am linken Rand blieb *H²* **289**,30 das Höflichste] *unterstrichen H²* **290**,8 ohne   15
einige Bewegung] *darüber* ganz unbefangen *H²* **290**,12 welche *bis* machte] *ge-*
strichen H² **290**,15 Abenteuer] *mit Grünstift gestrichen; am rechten Rand mit Grünstift*
Rencontre *H²* **290**,18 uns] *gestrichen H²* **290**,24 doch] *gestrichen H²* Mal] *geändert*
in Male *H²* **290**,27 blitzschnell] blitz *gestrichen H²* **290**,28 S.] *gestrichen; am unteren*
Rand mit Verweisungszeichen Horst *H²* **290**,31 Rencontre] *mit Grünstift gestrichen H²*   20
290,35 ward] *geändert in* wurde *H²* **291**,1 S.] *mit Grünstift unterstrichen, mit Bleistift*
durchgestrichen; am rechten Rand mit Verweisungszeichen Horst *H²* seitdem] *dem*
gestrichen H² **291**,2 deßwegen *bis* konnte] *mit Grünstift eingeklammert und diagonal*
durchgestrichen H² **291**,14 und *bis* über] *mit Rotstift gestrichen; senkrechter Bleistift-*
strich am linken Rand H² **292**,5 höchst] *unterstrichen; waagrechter Strich am rechten*   25
Rand H¹ seltenen Charakter] *mit Grünstift unterstrichelt H²* **292**,11 höchst] *unter-*
*strichen; waagrechter Strich wie S.*292,5 *H¹* **292**,28 Bürschlein] *gestrichen; am linken*
Rand Kindlein *H¹ mit Grünstift unterstrichelt H²* **293**,2 jezt sich] *mit Umstellungs-*
schleife geändert in sich jezt *H¹·²* **293**,8 ihn wenigstens unterdrücken] *gestrichen H²*
gewissermaßen] *gestrichen, darüber* eigentlich *H²* **293**,12 armseligen] *mit Grün-*   30
stift gestrichen H² **293**,13 Ja] *gestrichen H²* **293**,14 Mühe] *davor über der Zeile* ordentlich *H²* **293**,16–18 Man *bis* dergleichen] *diagonal durchgestrichen H¹ mit Grünstift*
eingeklammert H² **293**,18 jene] *gestrichen; am rechten Rand* die *H¹* Gattung] *darüber*
Sorte *H¹* **293**,21 Niemand] *mit Grünstift geändert in* Niemanden *H²* eigentlich] *mit*

Grünstift gestrichen H^2 **293**,36 Alb] *mit Grünstift geändert in* Alp H^2 **294**,1 *]* *ge-*
strichen und Tilgungszeichen am linken Rand H^2 **294**,3.4 wie *bis* war] *geändert in*
wie die Sonne es stellenweise beschien H^1 **294**,13.14 dagegen *bis* mußte] *gestri-*
chen nach Umstellungsversuchen H^1 **294**,15 gar] *gestrichen* H^2 **294**,33–36 Die *bis*

5 Groß-Bettlingen] *diagonal durchgestrichen* $H^{1.2}$ **295**,2 malerischen Komposition]
unterstrichelt H^2 **295**,8 jezt] *gestrichen* H^2 **295**,13 gar] *gestrichen* H^1 gar häufig]
gestrichen, darüber mit Grünstift häufig H^2 Marmetin] *gestrichen; am linken Rand*
unter einem Fragezeichen anderer Name weil dieser zu sehr an Marwin erinnert H^1
295,21 wohlgefälligem] *mit Grünstift unterstrichen; am rechten Rand mit Grünstift*

10 nachsichtigem H^2 **295**,28 durchdringender] *mit Grünstift unterstrichelt* H^2 **295**,34
denn] *gestrichen* H^2 besondere] *geändert in* besondre H^2 **295**,35 hegte] *darüber*
hatte H^2 gängelt'] *darüber* [führte] H^2 **296**,1.2 und *bis* nein] *gestrichen* H^2 **296**,2.3
abgemagerte] *geändert in* magere H^1 *gestrichen; am rechten Rand* [magere]*, über der*
Zeile schlechte H^2 **296**,7 Seegen] *zweites e gestrichen* H^2 **296**,7.8 das Geigenspiel,

15 auch wohl] *mit Grünstift eingeklammert* H^2 **296**,20.21 Mitten *bis* er] *mit Umstel-*
lungs-Ziffern geändert in Er pflegte mitten selbst in der Gefahr H^2 **296**,24 Sperling]
mit Grünstift gestrichen; am linken Rand mit Grünstift Habicht H^2 **296**,32 dem Kaiser]
mit Grünstift gestrichen, darüber mit Grünstift deinem H^2 jedoch dem Armen] *mit*
Grünstift gestrichen, darüber mit Grünstift dir aber H^2 **296**,33 reicht] *geändert in*

20 reichte H^2 **296**,34 zuvor] *darüber* ⟨zu⟩erst H^2 **296**,35 Koller] *geändert in* Coller H^2
weil *bis* wollte] *mit Grünstift gestrichen* H^2 **297**,2 wunderliche] *mit Grünstift ge-*
strichen H^2 **297**,5 zierlich] *gestrichen; am rechten Rand* artig H^2 **297**,8 Wilde] *ge-*
strichen und Tilgungszeichen am rechten Rand H^2 **297**,26.27 ich *bis* gelernt] *durch*
Streichungen und Zusätze geändert in ich kann es Wort für Wort auswendig H^2

25 **297**,28 *] *gestrichen und Tilgungszeichen am linken Rand* H^2 (Die Fußnote S. *297,32–35*
sollte zweifellos ebenso fortfallen wie S. *294,33–36*) **298**,2 wunderbaren] *mit Grünstift*
geändert in wunderbarer H^2 **298**,5 sehr] *gestrichen* H^1 **298**,6 verbarmen] *v am*
Wortanfang gestrichen H^1 **298**,17 kunt] *gestrichen; am rechten Rand* mocht wohl H^2
an eim] *geändert in* am H^2 **298**,18 gewesen] *gestrichen und Tilgungszeichen am rech-*

30 *ten Rand* H^2 **298**,19 wohl] *gestrichen* H^2 **298**,20 all] *gestrichen und Tilgungszeichen*
am rechten Rand H^2 **298**,23 bitten] *gestrichen; am rechten Rand* Wort H^2 **298**,25
frumm] *am rechten Rand mit Verweisungszeichen* rechtschaffen H^2 **298**,27 rings-
umbher] umb *mit Grünstift gestrichen und unterpunktet* H^2 **298**,28 auf,] *Komma*
gestrichen H^2 **299**,1.2 frumm bescheidentlich] *mit Grünstift gestrichen* H^2 **299**,2

auf] a *gestrichen und Tilgungszeichen am linken Rand H²* 299,7 Theilnahme] *ge-strichen, darüber* Antheil *H²* 299,11 hingewendet] *geändert in* hinwendete *H²* 299,15 dem] *gestrichen; am linken Rand* seinem *H²* 300,2 mir wird] *gestrichen H¹* 300,3 Zauberwesen] Zauber *unterstrichelt H²* sehr] *davor (notiert am rechten Rand und mit Verweisungszeichen eingeordnet)* zu *H²* 300,9 Ich *bis* vorige] *gestrichen H²* 300,10 Plötzlich wurde] *geändert in* Hier wurde plötzlich *H²* 300,12.13 Die *bis* gerichtet] *durch Streichungen und Zusätze geändert in* Alles erschrak und richtete die Augen nach dem Baume *H²* 300,14 Platze;] *Semikolon in Komma verwandelt H²* tiefe Stille herrschte] *gestrichen H²* während] *dahinter über der Zeile* daß *H²* 300,15 lebhafter] *gestrichen; am linken Rand mit Grünstift* kräftiger *H²* 300,21: *gestrichen H²* 300,29: *gestrichen H²* 301,1: *gestrichen; am unteren Rand mit Verweisungszeichen* Der Feind kommt! Da stößt er ins Pfeifchen und ruft *H²* 301,2 los] *unterstrichen, darüber ein H²* 301,3: *gestrichen H²* 301,8 schon während des Gesangs] *gestrichen H²* 301,8.9 verkündigten *bis* Gesichter] *mit Umstellungs-Schleife geändert in* einige schlaue Gesichter verkündigten *H²* 301,34 Meilen] *gestrichen, darüber* Stunden *H¹* 302,8 eigens] *gestrichen; am linken Rand* persönlich *H¹* 302,11 zwei Stunden von hier] *gestrichen; am linken Rand* auf dem Wege hierher *H¹* 302,21–23 Auch *bis* müßte] *diagonal durchgestrichen, Grünstift-Striche am rechten Rand H²* 302,24.25 Indessen *bis* war er] *gestrichen; am oberen Rand* Indeß hatte Nolten die wichtige Bot-schaft durchflogen. Ihr Inhalt ergriff ihn so mächtig *H¹* 302,31 hob] *geändert in* erhob *H¹* 302,33 und verehrten] *gestrichen und Tilgungszeichen am rechten Rand H²* 302,35 des kunstliebenden Regenten] *gestrichen; am linken Rand* desselben *H²* 302,36 Zeitlebens] *gestrichen, darüber* Lebenszeit *H²* 303,1 und den alten Hofrath] *mit Grünstift eingeklammert, grünes Fragezeichen am linken Rand H²* deren] *mit Grün-stift unterstrichen H²* 303,2 Ganze] *mit Grünstift gestrichen H²* 303,9–12 Was *bis* waren] *senkrechter Strich und Fragezeichen am linken Rand H¹* 303,9.10 Was *bis* so] *durch Streichungen und Zusätze geändert in* Mit Raimunds Sendung aber verhielt sich's wirklich *H¹* 304,1 lieb] *gestrichen H¹·²* Agneschen] *dahinter am rechten Rand* dazu *H¹* 304,13–18 ein *bis* weil er] *gestrichen H¹* 304,32 fing an] *dahinter ein Komma mit Rotstift H²* im Herzen recht] *geändert in* von Herzen *H¹* 305,14 fassen *bis* ab-küssen] *geändert in* fassen und abküssen kann *H¹ geändert in* fassen und recht ab-küssen kann *H²* 305,26 des Bildhauers] *unterstrichen und zwischen senkrechte Striche gesetzt H²* 305,32 Alle *bis* einmal] *zwischen senkrechte Striche gesetzt H²* 306,21.22 doch *bis* aufstellen] *mit Blei- und Rotstift gestrichen H²* 306,31.32 erreicht *bis* Pfarr-

haus] *geändert in* wurde das Pfarrhaus erreicht *H²* **307,13** sich] *dahinter (notiert am*
rechten Rand und mit Verweisungszeichen eingeordnet) lang *H²* höchlich] *gestrichen H²*
307,27 den halben Mond] *geändert in* die Sichel des Mondes *H²* **308,22.23** die
einzige *bis* Matrone] *gestrichen H¹*

308,33 Was *bis* ihn] *durch Streichungen und Zusätze geändert in* Für Theobald war
ein solcher Verlust *H¹* **309,14** in der That] *gestrichen H²* **309,20.21** Dann *bis* ge-
hoben] *gestrichen H²* **310,10** einiger] *darüber* sichtlicher *H¹* **310,29–36** Jezt *bis*
Unterhaltung] *senkrechter Strich am rechten Rand H¹* **310,31** Jahre] *mit Grünstift*
unterstrichelt, Fragezeichen mit Grünstift am rechten Rand H² **312,16** freilich, an sich
betrachtet] *mit Umstellungs-Schleife geändert in* an sich betrachtet freilich *H²* **312,17**
W] *gestrichen; am linken Rand* B *H¹* **312,24** rein] *gestrichen; am linken Rand* durchaus *H²* **313,6.7** wenigstens das Eine] *mit Umstellungs-Schleife geändert in* das Eine
wenigstens *H²* **313,13** gönne] *gestrichen; am rechten Rand* erlaube *H²* **313,14** sich]
mit Schleife hinter worin *in Zeile 13 verwiesen H²* **313,17** Schaale] *das zweite a ge-*
strichen und Tilgungszeichen am rechten Rand H² **313,19–21** mit *bis* empfindet]
Striche im Text und am linken Rand, davor mit Grünstift oben 363 *H²* **313,35** so natür-
liches als erfreuliches] *eingeklammert, darüber* lange erwünschtes *H²* **315,35–316,3**
Auf *bis* unversehrt] *senkrechter Strich und Fragezeichen am linken Rand H²* **316,5** wi-
der] *gestrichen; am linken Rand über H²* **316,15** hinzu] *gestrichen, am linken Rand*
bei *H²* Bösen] *unterstrichelt H²* da.] *Punkt durch Komma ersetzt, dahinter (notiert am*
unteren Rand und mit Verweisungszeichen eingeordnet) wahrlich *H²*
316,21–25 Nunmehr *bis* Denn] *diagonal durchgestrichen H¹* **316,23** seyn mag] *ge-*
strichen H² **317,7** lustigsten] *davor ein Haken am unteren Zeilenrand, darüber* besten
H² Eigenheiten] *unterstrichen H²* **317,12.13** die charmantesten Lobsprüche] *un-*
terstrichen; davor ein Haken am unteren Zeilenrand H² **317,24** Altstadt] Alt *gestri-*
chen *H²* **317,24.25** und *bis* ward] *gestrichen H²* **317,26** sizt] *gestrichen H²* **317,27** der
er] *gestrichen, darüber* die *H²* Aufmerksamkeit schenkt] *gestrichen H²* **317,28** hat]
geändert in hatte *H²* **317,30** ist] *gestrichen, darüber* war *H²* **317,30.31** einem *bis*
Burschen] *gestrichen H²* **317,33** Possen] *dahinter am rechten Rand* stets *H²* übrigens]
gestrichen H¹ **317,33.34** Er *bis* vor] *mit Schleife geändert in* Mit trockener Miene
trug er übrigens seine Scherze vor *H²* **317,34** die Seele] *über* die *und am rechten*
Rand recht den Kern *H²* Man] *darüber* Sie *H²* **317,36** Zwei Mann unter ihm]
gestrichen, darüber An der Ecke zu äußerst fast abseits *H²* **318,1.2** Es *bis* nö-
thig] *durch Streichungen und Zusätze geändert in* Es bedurfte nur wenig Beobach-

tungsgabe *H²* **318**,2 in dieser Gestalt, diesem Kopfe] *gestrichen; am unteren Rand mit Verweisungszeichen* in dieser scharfen, feinen, wie es schien von Kummer oder Leidenschaft zerstörten Physionomie *H²* **318**,3 in einem solchen Kreis] *geändert in* an solch einem Ort *H²* **318**,4–7 Ein *bis* haben] *diagonal durchgestrichen H²* **318**,8.9 je *bis* konnte] *gestrichen; am rechten Rand* überbot *H²* **318**,9 Einfällen] *dahinter über der Zeile selbst H²* überbieten] *gestrichen H²* **318**,10 nur *bis* geschah] *gestrichen H²* **318**,11 betrachteten] *daneben am linken Rand* behandelten *H²* auffallender] *gestrichen, darüber* einer gewissen *H²* **318**,12 ja *bis* Scheu] *gestrichen; über* ja *gestr.* wo nicht *H²* **318**,15 außerhalb *bis* mochte] *gestrichen nach vorheriger Änderung von* pflegen mochte *in* pflegte *H²* **318**,16 wüßten wir] *gestrichen, darüber* ist *H²* sagen] *darüber* [rühmen] *H²* daß es] *darüber* meistens *H²* aufgeweckte] *dahinter unter der Zeile* nicht eben verwilderte *H²* **318**,17 Handwerker] *unterstrichelt H²* **318**,19 Viermal] V *gestrichen, daneben am linken Rand* 20 *H²* **318**,21 da] *mit Grünstift gestrichen H²* **318**,22 ganz und gar] *gestrichen; am linken Rand* endlich *H²* Quark] *gestrichen; am linken Rand mit Verweisungszeichen* Wesen *H²* lange] *gestrichen H²* **318**,24 Lichtputze] e *gestrichen H²* **318**,27.28 um *bis* geben] *gestrichen H²* **318**,30 junge Köpfe] *darunter am Seitenende* richtig *H²* gelten, aber] *gestrichen H²* **318**,30–33 aber *bis* für] *gestrichen; am oberen Rand* mit Vierzigen geht es nicht mehr *H¹* **318**,31–33 bald *bis* für] *durch Streichungen und Zusätze geändert in* ein 6 und Vierziger und – *H²* **318**,35 denken] *gestrichen, darüber* vorstellen *H²* **319**,1.2 Bei *bis* denn] *diagonal durchgestrichen H¹* **319**,2 Kapitel] *gestrichenes* K *durch* C *ersetzt H²* und dir zureden] *gestrichen H²* **319**,9 Geübtesten] *gestrichen H²* aber] *gestrichen H²* **319**,13–15 aber *bis* schienen] *eingeklammert H¹ gestrichen H²* **319**,17 das Herz] *gestrichen, darüber* die Courage *H²* **319**,21–23 und *bis* gewiß] *gestrichen H²* **319**,23 tolle] *gestrichen, darüber* verfluchte *H²* **319**,24 End'] *geändert in* Ende *H²* **319**,26 Ihr sollt sehen] *gestrichen H¹* aber] *gestrichen H¹* **319**,28 heut'] *gestrichen H²* **319**,35 gegenwärtig] *gestrichen, darüber* dermalen *H¹* **319**,35.36 unter *bis* nicht] *mit Umstellungs-Schleife geändert in* und schon mehrere Tage nicht unter uns *H²* **320**,2 Schwänzchen] *geändert in* Schwänzlein *H²* **320**,7–9 um *bis* beweinen] *gestrichen H¹* **320**,8 Armen] *darüber* Seite *H²* **320**,9 Murschel] *unterstrichen; am rechten Rand mit Grünstift* Gumbrecht *H²* beweinen] *darüber* verschmerzen *H²* **320**,13 vorbehalten] *mit Grünstift geändert in* vorbehielt *H²* **320**,16.17 seine röthlichen *bis* beträufeln] *eingeklammert H¹* **320**,18 Gichter] *darüber* Krämpfe *H²* **320**,22 anschmiegt] *gestrichen; am rechten Rand mit Grünstift* macht *H²* da] *gestrichen H¹·²*

dreht *bis* Magen] *mit Umstellungsziffern geändert in* der Magen dreht sich H^1 *mit Umstellungs-Schleife geändert in* der Magen dreht sich H^2 **320**,24–34 Nun *bis* fassen] *nach Änderungsansätzen diagonal durchgestrichen* $H^{1.2}$ *darüber am oberen Rand mit Grünstift* Insel H^2 **320**,25 Art] *gestrichen, darüber mit Grünstift* Manier H^2 **320**,33

5 freilich] *gestrichen* H^1 **320**,35 aber] *gestrichen* H^2 Bette] *gestrichen; am linken Rand seiner Pritsche* H^2 **321**,2 nein] *mit Grünstift gestrichen* H^2 **321**,4–8 Jezt *bis* sucht] *diagonal durchgestrichen* H^2 **321**,8 Bruder!] *dahinter (notiert am unteren Rand und mit Verweisungszeichen eingeordnet)* fragt H^2 **321**,9 lispelt er] *gestrichen* H^2 ich rühre mich nicht] *unterstrichen* H^1 **321**,9–13 Er *bis* Erstaunen] *unterstrichen* H^2 **321**,13

10 wie *bis* Erstaunen] *unterstrichen* H^2 **321**,14.15 und süperbem Hemdstrich] *gestrichen; am rechten Rand* Hut H^1 **321**,18 oder entlehnt] *gestrichen* $H^{1.2}$ waren wenigstens] *mit Umstellungsziffern geändert in* wenigstens waren H^1 **321**,21 naseweis] *gestrichen, darüber* verwundert H^1 **321**,22 blickte] *mit Rotstift geändert in* niederblickte H^1 davor *(notiert am rechten Rand und mit Verweisungszeichen eingeordnet)* nieder H^2 **321**,25 Schuft] *geändert in* Schurke H^1 **321**,28 sagt mir] mir *gestrichen* H^1 **321**,33 man lachte] man *gestrichen, darüber* und H^2 **321**,36 kleine] *gestrichen* H^2 **322**,3 ich] *gestrichen* H^2 hätte] *gestrichen; am linken Rand mit Verweisungszeichen* wäre H^2 **322**,8–11 Nun *bis* überging] *durch Streichungen und Zusätze geändert in* Ich weiß nicht, was es war, daß ich dabei auf andere Gedanken kam H^2

20 **322**,9.10 an *bis* kam] *gestrichen* H^1 **322**,12 höchst] *mit Rotstift gestrichen* H^1 **322**,12.13 höchst gerührt] *gestrichen* H^2 **322**,14 nun] *gestrichen* H^1 **322**,16 doch] *geändert in* noch H^2 **322**,17 über diese sonderbare Erzählung] *gestrichen* H^1 **322**,17.18 Alles *bis* haben] *diagonal durchgestrichen* H^2 **322**,19–26 Wartet *bis* brachte] *diagonal durchgestrichen* H^1 **322**,21 steckte] *dahinter ein kreuzförmiges Zeichen ohne Entsprechung* H^2 **322**,21.22 ohne *bis* nahm] *diagonal durchgestrichen* H^2 **322**,35 Seele] e *am Wortende gestrichen* H^2 **322**,36 Vaters.] *dahinter (notiert am unteren Rand und mit Verweisungszeichen eingeordnet)* Denn H^2 **323**,12.13 Aber *bis* euch] *diagonal durchgestrichen* H^1 **323**,12 Aber *bis* wieder] *durch Streichungen und Zusätze geändert in* Aber dein ist sie wieder die Uhr H^2 **323**,23.24 gar häufig] *mit Rotstift gestrichen;*

30 *am linken Rand mit Rotstift* genug H^1 **323**,28 Kapuzinerkeller] *geändert in* Weinkeller H^2 **323**,31 bricht, juhe!] *mit Rotstift gestrichen* H^1 **323**,34 desperaten] *gestrichen, darüber* Art H^2 **324**,4 in welcher der] *mit Grünstift unterstrichen* H^2 elegante] *mit Grünstift gestrichen; am rechten Rand mit Grünstift* genannte H^2 Wispel] *mit Grünstift gestrichen* H^2 keineswegs] *mit Grünstift gestrichen, darüber mit Grünstift*

nicht *H²* **324**,4.5 keineswegs *bis* war] *mit Grünstift unterstrichen H²* **324**,20 Joseph]
unterstrichelt, Fragezeichen am linken Rand H² **324**,24–33 Diese *bis* gehabt] *diagonal
durchgestrichen H¹·². dahinter Verweisung mit Kreuz auf eine Notiz am unteren Rand
NB Wispel hört im Vorbeigehen wie der Wirth sich nach seiner Herrschaft erkundigt, er hört den Namen Nolten etc. H²* **324**,33 drei] *mit Grünstift unterstri-* 5
chen H² **324**,35 Anwesenheit *bis* so] *unterstrichen H²* **325**,5 eben] *gestrichen H¹·²*
325,6.7 ergözte *bis* an] *mit Grünstift unterstrichen H²* **325**,9 so war Ihnen] *gestrichen; am rechten Rand und zwischen den Zeilen* [wußten Sie] kamen Sie hieher ohne
im geringsten zu [ahnen] wissen *H²* **325**,13–15 aber *bis* Galgen] *zwischen senkrechte Striche gesetzt H²* **325**,14.15 und das *bis* Galgen] *gestrichen H¹·²* **325**,16 AYE 10
bis Bester] *gestrichen H¹·² Tilgungszeichen am rechten Rand H²* **325**,16.17 Doch *bis*
eben] *geändert in* Ich spreche *H¹ geändert in* O ich sprach eben *H²* **325**,17 sowohl]
gestrichen und unterpunktet H¹ als vielmehr] *gestrichen und unterstrichen H¹* **325**,19
freilich] *davor über der Zeile nur H¹* freilich *bis* Umständen] *mit Umstellungsschleife
geändert in* unter so prekären Umständen freilich *H²* **325**,20 ich zweifle] *gestri-* 15
chen, darunter am unteren Rand es sich fragen dürfte *H¹* es anständig findet] *gestrichen H¹* **325**,21 auch nur zu erinnern] *geändert in* gern erinnern wird *H¹* auch]
mit Grünstift gestrichen H² **325**,24 zum Henker, du heilloser] *gestrichen H²* heil-
loser] *mit Rotstift gestrichen H¹* unerträglicher] *gestrichen H¹* **326**,1 ÉMOTION] *dahinter ein Komma eingefügt H²* **326**,3 Kennen *bis* Werthester] *gestrichen, am linken* 20
Rand Wir haben in hiesiger Stadt ein Gebäude, den sogenannten *H¹* **326**,5.6 hat
bis SIÈCLE] *gestrichen H¹* SIÈCLE] *gestrichen H²* **326**,12 kommen] *geändert in* kamen *H²* erwähnten] *darüber* bezeichneten *H¹* **326**,14 ist] *gestrichen, am rechten
Rand* war *H²* **326**,15 bemerkt] *geändert in* bemerkte *H²* sachte] *gestrichen, am
rechten Rand* still *H²* **326**,16 deutet] *geändert in* deutete *H²* **326**,22 unseligen] 25
gestrichen H²

328,14 Buch] *gestrichen, darüber* Zeitungsblatt *H²* **328**,28 Zusammenrennen] *geändert in* Rennen, Zusammenlaufen *H²* **330**,12 Starr] *unterstrichen H²* **330**,24
Rede.] *dahinter ein senkrechter Strich, vielleicht zur Kennzeichnung eines Absatzes H¹*
330,25 meinem wackern Joseph] *mit Rotstift gestrichen, darüber mit Rotstift* ihm *H²* 30
330,32 Josephs] *darüber* seiner *H²* **330**,33 Begierig] *gestrichen, darüber* Hastig, *mit
zitternder Hand H²* **330**,36 namentlich] *gestrichen H²* **331**,5 wühlten verworren
am] *unterstrichelt H²* **331**,17 auch] *gestrichen H²* eigentlicher] *mit Grünstift gestrichen H²* **331**,25–36: *Klammern vor und hinter dem Absatz durch Striche beseitigt; Til-*

gungszeichen an den Außenrändern H² **331**,26 daß] *gestrichen; am rechten und linken
Rand* es habe H² **331**,28 habe] *gestrichen* H² **332**,2 gewesen] *darüber war* H² hätt']
geändert in hätte H² **332**,14 Indessen war es bereits] *geändert in* Es war schon H²
332,24 Jezt nahm er sich plötzlich] *geändert in* Er nahm sich H² **332**,25 übrigens]
darüber wiewohl H² **332**,32 Elends.] *dahinter (notiert am linken Rand und mit Verweisungszeichen eingeordnet)* sey nichts anders – als vor dem Unfaßlichen H² *(vielleicht sollten die Wörter* peinlicher zu seyn pflegt, als das lebhafteste Gefühl unseres
Elends *ersetzt werden durch* nichts anders sey als das lebhafteste Gefühl unseres
Elends vor dem Unfaßlichen*)* **333**,30 theure Mann] *mit Grünstift gestrichen, darüber mit Grünstift* Todte H² **335**,20 welches] *gestrichen, darüber* das H² **335**,21
bereit] *gestrichen, darüber* da H² **335**,36 aber] *dahinter (notiert am rechten Rand und
mit Verweisungszeichen eingeordnet)* jezt H²
338,4 eifrig] *unterstrichen* H² **338**,20 machte die hiesige Bühne] *gestrichen; am
oberen Rand mit Verweisungszeichen* kam Prinz Walderich ein enthusiastischer Ver-
ehrer Ludwig Tiecks auf H¹ **338**,22–26 Die *bis* wußte] *diagonal durchgestrichen* H¹
flüchtig durchgestrichen; am linken Rand Die Fürstin hatte d.⟨ie⟩ Grille H² **338**,30
geistvolle] *gestrichen* H¹ *unterstrichen, darüber* bizarre H² und schäzten] *gestrichen* H¹
338,31–33 daß *bis* Gebildeten] *diagonal durchgestrichen* H² bei *bis* schöne] *gestrichen* H¹ **338**,36 Privat-Vorliebe] *unterstrichen* H¹ **339**,1–3 bewundern *bis* verherr-
lichen] *am Anfang der neuen Seite diagonal durchgestrichen; darüber* an d.⟨em⟩ Versuch H¹ **339**,3 Folie] *gestrichen* H¹ **339**,9.10 Aber *bis* fassen] *diagonal durchgestrichen, dahinter ein senkrechter Tintenstrich vielleicht zur Kennzeichnung eines Absatzes* H¹ **339**,16.17 einer *bis* Tiecks] *gestrichen* H¹ **339**,18 Viertelstunde] *darüber*
Weile H¹ **340**,2 wohl] *gestrichen* H¹ *mit Rotstift gestrichen* H² **340**,9 ganze] *gestrichen, darüber* halbe H² **340**,9–14 Zauberflöte *bis* war's] *gestrichen; am oberen
Rand mit Verweisungszeichen* es begann ein Potpourri der schönsten Opernarien –
Zauberflöte – Schweizerfamilie *(darüber* Rochus P.⟨umpernickel⟩*)* – Rataplan der
kleine Tambour – kurz Alles was Sie wollen durcheinander wohl eine Viertel-
stunde – göttlich war's H¹ **340**,10 die *bis* Mozart] *gestrichen* H² drei Stunden] *gestrichen* H² **340**,21 Mit *bis* Wadenkrampf] *durch Streichungen und Zusätze geändert
in* O, o, Sie haben wohl Ihren Wadenkrampf wieder H² **340**,22 öffnet sich] *gestrichen, darüber* ging H² Gitter] *dahinter über der Zeile auf* H² **340**,23 beugt sich]
gestrichen; am rechten Rand sah H² **340**,24 fort] *gestrichen* H² **340**,26 denn] *gestrichen* H² **340**,27 Indigo] *gestrichen* H¹ *doppelt durchgestrichen und Tilgungszeichen*

137

am rechten Rand H² **340**,28 wollt' ich sagen] *gestrichen und Tilgungszeichen am rechten Rand H²* **340**,31 recht] *gestrichen H¹·²* auch *bis* Gefahr] *gestrichen H²* **340**,35 ist mir] mir *gestrichen H²* **340**,36 zuerst] zu *gestrichen H²* **341**,1 aber es wird] *geändert in* doch wird es *H²* o] *gestrichen H²* **341**,9 eine ganze Weile] *gestrichen H¹* **341**,11 selber] *geändert in* selbst *H²* **341**,12 herrlich] *daneben am linken Rand* lustig *H²* **341**,15–20 Sieh *bis* zugleich] *diagonal durchgestrichen H¹* Sieh *bis* Und] *diagonal durchgestrichen H²* **341**,22–29 Glauben *bis* Gewühl] *diagonal durchgestrichen; am rechten Rand* Ich habe d.⟨ie⟩ Ehre m.⟨eine⟩ Herren Ihnen recht gute Nacht zu wünschen –– Opiumrausch –– *H¹* **341**,22–26 Glauben *bis* Diener] *mit Grünstift diagonal durchgestrichen H²* **342**,2 klopf'] *geändert in* klopfe *H²* **342**,3 zufällig] *gestrichen H²* **342**,7 Menschen] *dahinter (notiert am linken Rand und mit Verweisungszeichen eingeordnet)* und nur Einmal *H²* **342**,9 Geizigen] *davor ein Haken am unteren Zeilenrand H²* **342**,16 auf] *gestrichen, darüber mit Grünstift* f.⟨ür⟩ *H²* Fall er] *darüber mit Grünstift* daß *H²* **342**,35 Ew.Exc.] *gestrichen, darüber* Ihnen *H¹* **344**,22 verlassen] *davor am linken Rand mit Verweisungszeichen* erst *H²* haben] *gestrichen H²* **344**,34–36 Ihre *bis* an] *mit Blei- und Rotstiftstrichen geändert in* Ich nehme Ihre Güte, theurer Mann, im Namen unseres Todten an *H²* **345**,6 bei *bis* Genuß] *mit Rotstift gestrichen H²* **345**,23 Punkt] *gestrichen H²* **346**,1 reinlich] *mit Rotstift gestrichen H²* **346**,16 heutige] *gestrichen H²* oder] *darüber* und *H²* **346**,23 indessen] *gestrichen H²* **346**,26.27 welche *bis* zugegen] *gestrichen H²* **346**,27 nicht genug verwundern] *mit Rotstift-Schleife umgestellt hinter* Ehepaars in der nächsten Zeile *H²* **347**,4 gelegentlich *bis* munter] *gestrichen, darüber mit* Entzücken *H²* **347**,15 selber ist] *geändert in* selbst war *H²* **347**,23 fuhr] *geändert in* fährt *H¹* **347**,25–27 Die *bis* strahlen] *eingeklammert H²* **347**,30 ansehnliches] *gestrichen, darunter* großes *H²* **347**,34 Alles] *davor am linken Rand* Dieß *H²* **348**,7.8 empfanden] *darüber* fühlten *H²* **348**,8 Elemente] *gestrichen; am linken Rand* Welt *H²* sein] *darüber* ihr *H²* ward] *geändert in* wurde *H²* **348**,10 Überhaupt *bis* Zeit] *geändert in* Wir finden nun Zeit überhaupt *H²* **348**,19 manches] *dahinter am rechten Rand* Störende *H²* **348**,20 unangenehm] *gestrichen H²* **348**,34 ballgerechten] *gestrichen H²* **349**,2 welches] *darüber* das *H²* **349**,8.9 unbefangener Heiterkeit] *unterstrichelt H²* **349**,17 jezt] *gestrichen H²* **349**,18 gewöhnlich] *gestrichen, darüber* wie ein Dienstbote *H²* **349**,28 Lust] *gestrichen; am rechten Rand* Freude *H²* **349**,33.34 sonderbaren] *gestrichen H²* **350**,5 hingehn] *gestrichen, darüber* gelten *H²* **350**,9 etwa] *gestrichen H²* **350**,18 erfreut] *dahinter ein Komma hinzugesetzt H²* **350**,19 gelegentlich] *gestrichen H²* woraus]

darüber für die *H²* **350**,20 seit einiger Zeit] *gestrichen, darüber* neuerdings *H²*
351,9 unwiderstehlich] *gestrichen H²* **351**,24 brav] *gestrichen H²* **351**,28 Vanille-
duft!] *Ausrufungszeichen gestrichen H²* **351**,29 fing] *geändert in* fieng *H²* **351**,31–33
Weil *bis* hat] *gestrichen, darüber* Er hat noch andere Fähigkeiten, welche [zw] weni-

5   ger zweideutig sind als die eben [genannten] erwähnten; besonders *H²* **351**,36
lange] e *gestrichen H²* **352**,1 bis] *dahinter über der Zeile* sie *H²* **352**,2 sie] *gestrichen H²*
352,20.21 zuweilen] *gestrichen H²* **352**,21–23 mag *bis* reinigt] *durch Streichungen
und Zusätze geändert in* dachte mir er werde sich bisweilen bei Gelegenheit wenn
er die Zimmer lüfte[t] nach Herzenslust darauf ergehen *H²* **352**,23–24 Er *bis*

10   verschnappte] *durch Streichungen und Zusätze geändert in* Da hat er sich denn neulich indem er mir voll Feuer den Ton des Flügels lobte mit seinem Geheimniß
verschnappt *H²* **352**,25 plötzlich] *dahinter senkrechter Strich H¹ gestrichen H²*
352,32–**353**,9 Der *bis* betreten] *senkrechte Striche an den äußeren Rändern H¹*
352,34.35 Baukuriosität *bis* müssen] *zwischen senkrechten Strichen; am linken Rand*

15   Architekten: Ungleichheit *H¹* **353**,2–6 Mit *bis* einführte] *diagonal durchgestrichen,
dann Strich unterpunktet; am linken Rand* Kranz eingefaßt *(vielleicht als Ersatz für*
Viereck *bis* umgeben) *H¹* **353**,4 einer Seits] *geändert in* einerseits *H²* **353**,5 anderer Seits] *geändert in* andererseits *H²* **353**,8 berechnet] *gestrichen, davor ein
Semikolon hinzugesetzt H²* **353**,9 dort] *gestrichen H²*

20   **353**,30–34 Nachdem *bis* möchten] *diagonal durchgestrichen H²* **354**,3 zumal eine
sehr] *gestrichen; am linken Rand* Kupferstiche *H²* **354**,5 Theobald] *gestrichen H²*
354,6 jezt] *dahinter über der Zeile* nur *H²* **354**,7 der *bis* bewegen] *geändert in* diese
Art von Bewegung *H²* **354**,8 sowohl] *gestrichen, darüber* sich *H²* wird] *gestrichen H²*
354,9 sehr] *gestrichen H²* **354**,10 an so einem] *geändert in* am *H²* **354**,18 auf's

25   Schönste] *gestrichen H²* **354**,30 *Rosemonde und Ruccelai*] *darunter Schlängellinien,
um die Sperrung aufzuheben H²* **354**,32 ursprünglichen] *gestrichen H²* **354**,33 mit
besonderer Liebe] *gestrichen H²* **354**,34 gelegentlich] *gestrichen, darüber* dabei *H²*
355,3 außerordentlichen] *gestrichen H²* **355**,5 entzündet gewesen] *gestrichen, darüber* gegangen *H²* **355**,7 straks] *geändert in* stracks *H²* **355**,12 ein verehrter

30   Zeuge] *gestrichen H¹* verehrter] *darüber* nicht ganz verächtliches *H²* Zeuge] *geändert in* Zeugniß *H²* schönen] *gestrichen H¹·²* **355**,15 es] *am linken Rand* das Buch *H²*
355,18 im Ganzen herrliche] *gestrichen H²* **355**,19 mitunter etwas hart] *gestrichen;
am linken Rand* grob *H²* holzschnittartig] *gestrichen, darüber* übertrieben *H²*
355,24–36 da *bis* war] *zwischen senkrechte Striche gesetzt H¹* **355**,24–28 da *bis* sah]

mit Grünstift diagonal durchgestrichen nach vorherigen Einzeländerungen H² **355**,24–26
da bis so] gestrichen, darüber dergestalt H² **355**,26 obgleich *bis* war] *gestrichen, darüber* [bei ziemlicher Treue] *H²* **355**,27. 28 und *bis* sah] *gestrichen H²* **355**,28 in gewisser Hinsicht] *gestrichen H²* **355**,29 Schlusse] *geändert in* Schluß *H²* **355**,31 Ver-
einigung] *davor über der Zeile* endliche *H²* **355**,32 bei *bis* Zwecke] *gestrichen H²*   5
355,33. 34 klärlich] *gestrichen, darüber* gehörig *H²* **355**,34 nur] *gestrichen und unterpunktet H²* schnelle] e *am Wortende gestrichen H²* **355**,35. 36 den südlichen] *gestri-
chen, darüber* diesen *H²* **355**,36 gereizt und hingerissen] *gestrichen, darüber* einge-
nommen *H²* **356**,1 indessen] *gestrichen, darüber* während *H²* **356**,2 gern] *ge-
strichen H²* **356**,3 lebhaft *bis* wollte] *gestrichen, darüber* lebhaft äußern durfte *H²*   10
entzückt] *darüber* hingerissen *H²* **356**,4 glaubte] *gestrichen, darüber* meinte *H²*
kaum je] *gestrichen, darüber* nur *H²* **356**,6 das] *gestrichen, darüber* den Consonan-
ten *H²* **356**,7 denn dieß] *gestrichen, darüber* [s] es *H²* eben bei] *darüber* an *H²*
Fräulein] *dahinter über der Zeile* auch *H²* **356**,9.10 welchem] *geändert in* welcher *H²*
356,10 Wohlbehagen Freund] *gestrichen, darüber* Aufmerksamkeit *H²* **356**,21 Für-   15
witz] *geändert in* Vorwitz *H²* **356**,22 wenn] *gestrichen, darüber* wo *H²* **356**,36 Wei-
bern] *darüber* Frauen *H²* **357**,1 damit] *gestrichen, daneben am rechten Rand* dahin
gehört *H²* **357**,20 Guts] *geändert in* Gutes *H²* **357**,22 des Larkens'schen Testa-
ments] *geändert in* von Larkens' Testament *H²*
360,6 worauf] *gestrichen; am linken Rand* auf welches *H²* **360**,8–10 wo *bis* Freundes]   20
gestrichen H¹ **360**,8.9 kaum *bis* Fliege] *gestrichen, davor über der Zeile* nichts *H²*
360,23 ganz *bis* auch] *unterstrichen H¹* selten und] *gestrichen H¹* **360**,28 immer nur
an Freitagen] *unterstrichen H¹* **360**,34–**361**,15 Von *bis* Gesicht] *diagonal durchgestrichen H¹* **361**,2 aufzuhöhen] *gestrichen, darüber* zu erhöhen *H¹·²* **361**,16 Ge-
schichte] *gestrichen H¹* **361**,19–27 theils *bis* wegwarf] *diagonal durchgestrichen; dafür*   25
am unteren Rand von S. 556 und am oberen Rand von S. 557 Es ging daraus hervor, daß
L.⟨arkens⟩ durch die fremdartige [W] Gestalt des Zig.⟨eunermädchens?⟩, aber
auch wirklich beinahe (beinahe *unter der Zeile*) bloß durch die Gestalt zu einer
Dichtung angeregt wurde, die nur die geringste Verwandtschaft mit ihrem wirklichen Wesen u.⟨nd⟩ e⟨ine⟩ sehr entfernte Beziehung auf Noltens Geschichte mit   30
ihr hatte *H¹* **361**,21 Lebenskreis erschöpfen] *darüber* Cyclus umschreiben *H¹*
361,29.30 einer *bis* wird] *gestrichen H¹* **362**,1: *gestrichen, darüber und am rechten*
Rand Peregrina. Wie in der Gedichtsammlung abzudrucken *H²* **362**,2–**364**,17:
diagonal durchgestrichen H² **364**,18: *gestrichen H²* **364**,27 konnt' ich einst] *geändert*

in konntest du H^2 **364**,30 wehe *bis* ein] *durch Streichungen und Zusätze geändert in*
weh o weh! was soll mir dieser H^2 **365**,24.25 vernachtet] *geändert in* umnachtet H^1
365,27 herzhaft] *unterstrichelt* H^1 **365**,34 Elements] *geändert in* Firmaments H^1
367,18 gib] *davor über der Zeile und* H^2

5 **370**,18 schien] *darüber* mochte H^2 **370**,19 zu] *gestrichen* H^2 **370**,36 Haus] *ge-*
strichen, darüber Hause H^2 aus und ein] *mit Umstellungsziffern geändert in* ein und
aus H^2 **372**,21 und] *dahinter am rechten Rand* forderte sie H^2 fordert er sie] *ge-*
strichen H^2 **372**,23 eilt] *geändert in* eilte H^2 **372**,33 steigen] *geändert in* stiegen H^2
eilen] *geändert in* eilten H^2 **373**,2 Weihmuthsfichten] *geändert in* Weymouths-

10 kiefern H^2 **373**,19-21 die majestätische *bis* schlagen] *diagonal durchgestrichen, am*
rechten Rand diese Gestalt erkannte. Es war Elis.⟨abeth⟩ H^1 **373**,24-26 Entlaßt
bis geschah] *senkrechter Strich und Fragezeichen am rechten Rand* H^1 **373**,24 unwillig]
eingeklammert H^1 **373**,25.26 verwundert, daß] *vor beiden Wörtern links unten ein*
Haken H^1 **373**,26 balde] e *gestrichen* H^1 **373**,36-**374**,1 zu deinem Unglück mit-

15 leidig] *eingeklammert* H^1 Unglück mitleidig] *mit Rotstift gestrichen* H^2 **374**,2.3 in was
bis verkehrt] *mit Rotstift gestrichen* H^2 **374**,3-6 Aber *bis* ein] *eingeklammert* $H^{1.2}$
374,8.9 glaubt *bis* zerrüttet] *eingeklammert* $H^{1.2}$ **374**,9 Das] *das große D ist durch-*
gestrichen und sollte vermutlich durch ein kleines d ersetzt werden H^1 **374**,13 barmher-
zige Himmel] *gestrichen* H^1 **374**,19 O folgt mir! – Wohin?] *eingeklammert* H^1

20 **374**,21 Hinweg!] *gestrichen; am rechten Rand* So H^1 **374**,24 aber sie] *mit Umstellungs-*
ziffern geändert in sie aber H^1
376,22.23 Herren] *davor (notiert am linken Rand und mit Verweisungszeichen einge-*
ordnet) einige H^2 **378**,3 legen, welche] *geändert in* legen. Sie liefen H^2 hinausliefen]
liefen *gestrichen* H^2 **378**,4 Gefühl] *davor (notiert am rechten Rand und mit Verwei-*

25 *weisungszeichen eingeordnet)* eigenes H^2
379,7 furchtbaren] *gestrichen, darüber* erschreckenden H^2 **381**,4 ruft] *gestrichen;*
am linken Rand rief H^2 **381**,5 nimmt] *gestrichen; am linken Rand* nahm H^2 **381**,6
ruft er] *gestrichen; am linken Rand mit Verweisungszeichen* fuhr er fort H^2 **382**,29-31
Schnell *bis* entschlossen] *durch Streichungen und Zusätze geändert in* Plötzlich Ent-

30 schlossen greift er wie mit Geisterarmen (Entschlossen *sollte wohl durch das davor*
geschriebene Plötzlich *ersetzt werden)* H^1 Schnell *bis* zu –] *senkrechte Striche am rechten*
Rand H^2
383,19 zweckmäßige] *gestrichen; am linken Rand* natürliche und schlichte H^2
383,20-22 Der *bis* verstecken] *daneben am linken Rand* zu einer heiligen Aufgabe

(wohl als Ersatz für mit ganzer Seele angelegen seyn*) H¹* **383**,21 wirklich] *gestri-*
chen H¹ **383**,23 die religiösen Gespräche] *unterstrichelt H¹* **383**,27 von selbst] *ge-*
strichen H¹ **383**,28 sehr lange] *darüber eine längere Zeit H¹* **384**,2 welche] *ge-*
strichen, darüber die H² **384**,4 verdrungen] *geändert in* verdrängt *H¹·²* **385**,2 gar]
gestrichen H¹ **385**,24 Hör' du] *geändert in* Höre *H¹* **385**,25 da] *gestrichen H¹* gar]
gestrichen H¹·² sonderliche] *darüber* besondere *H¹* **385**,28 euch] auch *geändert in*
euch *H¹·² (vgl. die Lesart zu dieser Stelle)* **387**,30.31 Thut *bis* vielmehr] *gestrichen H¹*
388,6 kannst] *davor über der Zeile* du *H¹·²* **388**,9 im Grund] *gestrichen H¹·²* **388**,12
fromme] *gestrichen H¹* **388**,16 Winter] *dahinter (notiert am unteren Rand und mit*
Verweisungszeichen eingeordnet) in Einer Person *H²* **388**,25 ankommen] an *ge-*
strichen H² **389**,3.4 Da *bis* hatte] *senkrechter Strich am rechten Rand H²*
389,28–**390**,10 Wahr *bis* Füßen] *diagonal durchgestrichen H²* **390**,25 Schön] *da-*
neben am linken Rand ein kurzer wagrechter Tintenstrich H² **391**,5–10 Mag *bis* wagen]
diagonal durchgestrichen; am linken Rand in lateinischer Schrift verändert H² **391**,22
vielfält'ge] *gestrichen, darüber* gedrängte *H²* **392**,13–16 Wird *bis* gedenken] *diago-*
nal durchgestrichen; am rechten Rand in lateinischer Schrift verändert H²
392,29 ist] *darüber* war *H²* **392**,31 ragt] *geändert in* ragte *H²* **396**,1 mit einander]
gestrichen, darüber zusammen *H²* **396**,17.18 es *bis* heute] *gestrichen H²* **396**,18
Agnes] *gestrichen, darüber* sie *H²* voraneilend] *davor (notiert am linken Rand und mit*
Verweisungszeichen eingeordnet) rasch *H²* **396**,21 dabei] *darüber* und *H²* sehr] *ge-*
strichen H²
398,11 hinweg] *gestrichen H¹* **398**,22.23 wie *bis* quält] *eingeklammert H¹* **398**,26 ist's]
geändert in ist es *H¹* **399**,1.2 Sandbank] *gestrichen; am rechten Rand* Klippe *H¹*
399,2.3 das *bis* seyn] *gestrichen H¹*
399,23.24 Windspiel] *gestrichen; am linken Rand* Dogge *H¹* **401**,23–25 Diese *bis*
bei] *diagonal durchgestrichen H¹ gestrichen, darunter am linken Rand* zu deutsch: *H²*
402,9 alleine] *davor (notiert am linken Rand und mit Verweisungszeichen eingeordnet)*
für sich *H¹*
403,3 verflog] *geändert in* verging *H²* **403**,7.8 wozu *bis* gegeben] *durch Streichun-*
gen und Zusätze geändert in auf die man durch die irrige Aussage eines Feldhüters
gerieth *H²* **403**,22 dachte] *am linken Rand* konnte *H²* **403**,23.24 beinahe *bis*
Alles] *gestrichen; am linken Rand mit Verweisungszeichen* nicht schrecklich genug
denken *H²* **403**,24 übrigens] *gestrichen, darüber* erst *H²* **403**,25 den *bis* durfte]
geändert in bei dem Vater wußte *H²*

405,6 denn] *gestrichen H²* **405**,7 andrerseits] *geändert in* andererseits *H²* beklommen, einsylbig] *mit Umstellungsziffern geändert in* einsylbig, beklommen *H²* **405**,8 stürzt] *geändert in* stürzte *H²* **405**,8.9 da *bis* wird] *geändert in* wie sie den Bruder sah *H²* **405**,11 verwildert] *unterstrichelt H²* **405**,26 aller Gelassenheit] *gestrichen;* am linken Rand mit Verweisungszeichen ganz gelassenem Ton *H²* **405**,29 Anschauung gab ihm] *daneben am linken Rand* [bald] *H²* **405**,30 als er] *dahinter (notiert am linken Rand und mit Verweisungszeichen eingeordnet)* [jezt] *H²*

407,1 Trachten und Sinnen] *mit Umstellungsziffern geändert in* Sinnen und Trachten *H²* **407**,4 theure] *gestrichen H²* **407**,5 über die] *gestrichen, darüber der H²* **407**,29 muß] *geändert in* mußte *H²* **407**,34 Myrthen] h *gestrichen H¹·²* **408**,16 ihn] *dahinter (notiert am linken Rand und mit Verweisungszeichen eingeordnet)* wieder[um] *H²* zurückbegleitete] te *am Wortende gestrichen H²* **409**,10 hat] *geändert in* hatte *H²* **409**,11 ausbleibt] *geändert in* ausblieb *H²* Nolten] *dahinter (notiert am linken Rand und mit Verweisungszeichen eingeordnet)* aber endlich *H²* **409**,12 muß] *geändert in* mußte *H²*

409,25 gewisse] *dahinter senkrechter Doppelstrich H²* **409**,26 ängstlichern] *gestrichen H²* **409**,33 befindet] *geändert in* befand *H²* **410**,1 kann] *unterstrichen H²* verschlingt] *geändert in* verschlang *H²* **410**,2 weiß] *unterstrichen H²* **410**,4 flieht] *unterstrichen H²* **410**,7 befiehlt] *unterstrichen H²* **410**,27 mußt'] *geändert in* mußte *H¹ gestrichen, darüber mit Rotstift* dachte *H²* **410**,28 denken] *gestrichen H²* **410**,28.29 kann *bis* läugnen] *gestrichen; am linken Rand mit Verweisungszeichen* war sogleich gewiß daß sie es war *H¹ gestrichen, darüber und an den Rändern* war dann überzeugt daß sie es selbst gewesen *H²* nicht läugnen] *gestrichen H²* **411**,6 Dicht] *geändert in* Ja *H¹·²*

411,24 jedoch] *gestrichen H²* **412**,2 Übrigens] *gestrichen H¹* **412**,5 nicht] *gestrichen H²* **412**,8 verfehlte *bis* nicht] *durch Streichungen und Zusätze geändert in* konnte die Persönlichkeit des edlen Gastes ihre Wirkung nicht verfehlen *H¹* **412**,9 Noch *bis* kam] *gestrichen; am unteren Rand mit Verweisungszeichen* Abreise des Präs.⟨identen⟩ Nanette bleibt *H¹* **412**,9 der] *gestrichen H²* **412**,11.12 erbrach ihn] *gestrichen H¹* **412**,12.13 reichte *bis* Präsidenten] *gestrichen H¹* **412**,34 gewisse] *darüber* einige *H¹* **413**,5 empfunden] *dahinter über der Zeile* hat *H¹* **413**,12 ist vielleicht] *mit Umstellungsschleife geändert in* vielleicht ist *H²* **413**,28–34 Der *bis* Rührung] *gestrichen H¹* **413**,31 sahn] *geändert in* sahen *H²* **414**,2 ward fast rasend] *gestrichen H¹* **414**,8 Meilen] *darüber* Stunden *H¹* **414**,9 Entkräftung liegen geblieben] *unter-*

strichen H² **414**,10 Jahren] *davor am linken Rand* vielen *H²* **414**,10–13 Er *bis* welken an] *Fragezeichen und senkrechter Strich am linken Rand H²* **414**,10 hatte] *dahinter (notiert am unteren Rand und mit Verweisungszeichen eingeordnet)* durch vertraute Agenten mit ihrer Bande in Verbindung zu setzen gewußt *(auf neuer Zeile:)* Gütliche Unterhandlungen; *darüber der offenbar spätere, aber vor* durch vertraute   5 Agenten *einzuschaltende Zusatz* er hatte sich nach lange vergeblichen Versuchen insgeheim *H²* **414**,18–21 Noch *bis* überlebte] *diagonal durchgestrichen H¹·²*

LESARTEN ZUR UMARBEITUNG

Band 4 Seite 11–213

Textgrundlage ist die von Mörike selbst als Druckvorlage bezeichnete eigenhändige Niederschrift H¹³, für die letzten Seiten (210,20–213,9) H¹⁴. Verglichen und im Fall abweichen-
5   den Textes im Lesartenapparat verzeichnet sind die früheren, durch H¹³ überholten Niederschriften einzelner Teile des Romans: H⁴, H⁵, H⁶, H⁷, H⁸ (vgl. die Überlieferung und
die Entstehungsgeschichte der Umarbeitung).

Namen und Bezeichnungen (Knabe, Kinder) der handelnden Personen in den Anweisungen am Kopf der Szenen des Zwischenspiels sind im Gegensatz zu den Bemerkungen im
10   Inneren und am Schluß der Szenen einheitlich kursiv gedruckt entsprechend Mörikes Ge-
pflogenheit sie zu unterstreichen, was er freilich hier und dort vergessen hat.

Daß in H⁴, abweichend von H¹³, seyn stets mit y und der Buchdrucker Gumbrecht stets
mit b statt mit p geschrieben ist, und daß die szenischen Bemerkungen am Kopf der Auftritte
immer in Klammern stehen, ist im Lesarten-Apparat nicht jedesmal vermerkt.

15   Die Gliederung in Absätze entspricht der Einteilung des Textes in Kapitel bzw. Szenen.

11,1 Sonntagabend] *hinter gestr.* Frühlings H¹³ um die Mitte des Mai] *über der
Zeile* H¹³   **11**,10 Halbbruder] Halb- *am rechten Rand hinter am Zeilenende mit Bleistift
gestr.* Stief- H¹³ den] *mit Bleistift über der Zeile* H¹³   **12**,14 feiner *bis* Haltung] *durch
Streichungen und Zusätze über der Zeile geändert aus* feines bewegliches Männchen H¹³
20   **13**,3 fast anderthalb] *über gestr.* über ein H¹³ Jahre] *aus* Jahr H¹³   **13**,6.7 Er *bis*
Namen] *am linken Rand mit Verweisungszeichen* H¹³   **13**,11 olivgrünen] oliv *über
gestr.* hell H¹³   **13**,15 Zeichnungen] *über gestr.* Cartone H¹³   **13**,31 welche] *über
gestr.* die H¹³   **14**,1 hielt ihn auf und] *über der Zeile* H¹³   **14**,2 über] *über der Zeile* H¹³
14,30.31 Seinen *bis* und] *über gestr.* und eigensinnigerweise hatte er mir weder
25   seinen Namen, noch irgend eine Adresse genannt H¹³   **15**,13 der Zufall] *über der
Zeile* H¹³   **15**,15 Extase] *mit Blaustift wohl von Klaiber in* Ekstase *geändert* H¹³   **15**,20
so] *davor gestr.* sei H¹³ unbarmherzig] *über gestr.* grausam H¹³   **16**,2.3 mit dem

schönsten Knaben] *aus* und der schönste Knabe *H¹³* **17**,19 wohl] *mit blasser vio-*
letter Tinte über der Zeile H¹³ **17**,22 dem] *mit Bleistift am rechten Rand als Ersatz für*
gestr. einem *auf der nächsten Zeile der Manuskriptseite H¹³* **17**,24 der Mauer desselben bei] *mit Bleistift am rechten Rand H¹³* **18**,1 oder *bis* Daseins] *über der Zeile H¹³*
18,7 als] *hinter gestr.* der *H¹³* ein Gerippe] *unter der Zeile H¹³* **18**,20 hingekauer-   5
ter] *davor gestr.* ge *H¹³* **18**,21 eines] *aus* ein *H¹³* **19**,4 Zeitungsannoncen] *über*
gestr. Inserate *H¹³* **19**,7 unser obscures Genie] *aus* unsern Mann *H¹³*
19,30.31 unter *bis* werden] *mit Bleistift wohl von Klaiber gestrichen H¹³* **20**,3 wieder]
über der Zeile H¹³ **21**,3.4 bei Ihnen] *unter der Zeile H¹³* **21**,19 die drei großen
Blätter] *mit Kopierstift am linken Rand neben gestr.* Cartone *H¹³* großen] *mit Blaustift*   10
wohl von Klaiber gestrichen H¹³ **21**,21 nur] *davor gestr.* vor *H¹³* **21**,28 alt,] *mit*
Kopierstift über der Zeile H¹³ **21**,28.29 mit dem herkömmlichen Hirschgeweih]
[halb nach schweizerischer Art,] *mit dem herkömmlichen (dem herkömmlichen*
mit Kopierstift am rechten Rand) [weit vorspringenden Dach und dem] Hirsch-
geweih *H¹³* **21**,29 seinem] *über gestr.* dem *H¹³* **21**,35 gepuderter] *dahinter mit*   15
Kopierstift gestr. älterer *H¹³* **22**,16 bestimmte] *mit Bleistift über* widmete *H¹³*
22,20 Oheim] *dahinter mit Kopierstift gestr.* als Reisebegleiter eines russischen
Fürsten, mit welchem er später zerfiel, *H¹³* **23**,1 denn auch] *am rechten Rand*
mit Bleistift neben gestr. zuletzt *H¹³* **23**,2 dahin] *hinter gestr.* je⟨tzt⟩ *H¹³* **23**,3
methodischen] *hinter mit Bleistift gestr.* guten *H¹³* **23**,21 Wiesenthal] *davor mit*   20
Bleistift gestr. schöne *H¹³* **23**,32 knüpfte.] *dahinter gestr.* Unter sämmtlichen
Theilen *H¹³* **23**,34 erst] *davor gestr.* eigentlich *H¹³* **23**,36 welcher] *über gestr.* der
H¹³ **24**,4 schwachen] *über der Zeile H¹³* **24**,6 unwiderstehliche] *dahinter gestr.*
rastlose *H¹³* **24**,9.10 eine *bis* erwerben] *aus* einer heikligen Technik schrittweise
zu bemächtigen *H¹³* **24**,10 nicht erlaubt] *gestrichen und unterpunktet; darüber ge-*   25
schriebenes raubt *gestrichen H¹³* **24**,10.11 gleichwohl zuletzt] *mit Kopierstift über*
gestr. aber doch endlich *H¹³* **24**,12 blieb] *gestrichen und unterpunktet; darüber ge-*
schriebenes war *gestrichen H¹³* **24**,15 eine] *davor gestr.* auch *H¹³* **24**,17.18 einer *bis*
Residenzen] *aus* einer angesehenen deutschen Residenz *H¹³* **24**,19 ging ich] *am*
linken Rand mit Verweisungszeichen H¹³ **24**,20 Werk.] Werk, *dahinter mit Kopier-*   30
stift gestr. und meine jetzigen Schritte (Schritte *über der Zeile)* versprachen etwas.
H¹³ **24**,22 interessante] *über eingeklammertem* hübsche *H¹³* **24**,25 hundertfälti-
gen] *aus* hundertfältig wiederholten *H¹³* **24**,28 Meine] *davor gestr.* Ich war zuletzt mit Un *H¹³* **24**,30–36 an *bis* heute,] *auf zwei Papierstreifen über dem zugeklebten*

älteren Text an und sah mir keinen Rath. [Schon ging ich mit dem niederschlagen-
den Gedanken um, ob ich nicht besser thäte, der Malerei für immer abzusagen
und mich mit dem bescheidenern Verdienste, das ich als Componist u.⟨nd⟩
Zeichner] *(Schon* bis Verdienste *auf neuer Seite wörtlich erneut hingeschrieben; es*
5   *folgen 6–7 zuerst verbesserte, dann durch dicke Kreuz- und Querstriche unleserlich ge-*
machte Wörter) u.⟨nd⟩ – Zeichner haben *(haben über der Zeile, dann wiederum 2–3*
zuerst verbesserte, später durch dicke Striche unleserlich gemachte Wörter) konnte, zu
begnügen. Denn noch begriff ich nicht, oder wollte vielmehr nicht begreifen, in
wiefern ich gefehlt, und daß es noch immer nicht zu spät sei, den ordentlichen
10   Weg der Schule aufs Neue einzuschlagen *(konnte* bis einzuschlagen *gestrichen, dann*
unterpunktet, am rechten Rand mit Grünstift Gilt!*)* – Wenn mir nun aber heute, H^{13}
24,30 ich] *über der Zeile* H^{13} **24**,33 geltend] *davor gestr.* wohl noch H^{13} **25**,11–13
Bei *bis* ist.] *am oberen Rand mit Verweisungszeichen* H^{13} **25**,14 wieder] *über der*
Zeile H^{13} kommen] [zurück]kommen H^{13} **25**,18 auf] *über gestr.* bei H^{13} **25**,22
15   Seite] Seite[,lieber Freund] H^{13} wäre] *mit Kopierstift aus* wär' H^{13} **25**,34 sich]
davor gestr. ihr H^{13} **26**,2 unterdessen] *mit Kopierstift über gestr.* bis jetzt H^{13} **26**,7
zuvörderst] *mit Kopierstift über gestr.* erst H^{13} **26**,12.13 wieder] *davor gestr.* plötzlich H^{13}
26,21 ihm] *mit Blaustift von Klaiber über der Zeile hinzugefügt* H^{13} **26**,21–23 alles *bis*
20   Jammer] *durch Streichungen und Zusätze mit Blaustift von Klaiber geändert in* alles
dessen anvertraut, was ihn in jüngster Zeit bedrängte. Denn mitten in dieser
Rathlosigkeit hatte ihn von einer anderen Seite her unerwartet ein größerer
Jammer betroffen. H^{13} **26**,22 anvertraut] *Kopierstiftzusatz am linken Rand mit*
Verweisungszeichen neben gestr. aufgedeckt H^{13} dieser] *mit Kopierstift hinter gestr.*
25   jener, dieses *über gestr.* der H^{13} **26**,30 dermaßen] *dahinter über der Zeile mit Blau-*
stift von Klaiber zweifellos und *hinzugefügt* H^{13} **27**,5 der Schauspieler Larkens]
aus Richard Larkens, Schauspieler H^{13} **27**,15 fortgezogen sah] gezogen sah *über*
gestr. ziehen ließ H^{13} **27**,19 erblickt] *über der Zeile* H^{13} **27**,23 schien] *mit Kopier-*
stift über verschlang H^{13} **27**,24 zu verschlingen] *Kopierstiftzusatz am linken Rand*
30   *mit Verweisungszeichen* H^{13} **27**,25.26 in der That jezt] *am linken Rand mit Verwei-*
sungszeichen H^{13} **27**,26 jezt erst] *dahinter über der Zeile mit Blaustift von Klaiber*
jetzt *eingefügt nach Streichung des* jezt vor erst H^{13} sollte] *mit Kopierstift gestrichen und*
unterpunktet; dahinter geschriebenes mußte *gestrichen* H^{13} **27**,27 er *bis* erleichtert]
mit Blaustift von Klaiber geändert in er nun aber auch in diesem Bestreben erleich-

tert H^{13} **27**,32 des] *hinter gestr. der Persönlichkeit* H^{13} **28**,4 kennen lernte] *gestrichen und unterpunktet* H^{13} **28**,14 den] *über der Zeile* H^{13} **28**,16 vollen] *davor gestr.* V H^{13} **28**,19 Glück] *davor eine nach rechts geöffnete eckige Klammer und am rechten Rand mit Bleistift ein Kreuz, offensichtlich Zeichen nicht verwirklichter Änderungsabsichten* H^{13} **29**,8 es] *mit violetter Tinte über der Zeile* H^{13} **29**,10 Schwachheit] *dahinterstehendes* selbst *mit Blaustift schon von Klaiber gestrichen* H^{13} **29**,11 welcher] *mit violetter Tinte über der* H^{13} er] *über der Zeile* H^{13} selbst] *mit violetter Tinte über der Zeile* H^{13} **29**,14 Höfe] *mit Bleistift am Zeilenende hinzugesetzt* H^{13} **29**,15 äußersten] äußerten *(Schreibfehler) mit Blaustift schon von Klaiber verbessert* H^{13} **29**,26 jeder] *hinter gestr.* aller H^{13} **29**,36 jezt] *hinter gestr.* eben H^{13} **30**,28 im Halbkreis] *am linken Rand mit Verweisungszeichen* H^{13} **31**,14 erklärte] *dahinter mit Bleistift gestr.* vor Allem H^{13} **31**,22 vergeblich] *davor gestr.* auf H^{13} **31**,24 Riesenschild] Riesen[stulp]schild H^{13} **31**,32 steht] *am linken Rand* H^{13} **31**,33 im Falle] *mit Kopierstift über gestr.* geneigt H^{13} **32**,9–20 beschrieb *bis* Der neue] *auf einem an den unteren Rand von S.38 des Manuskripts angeklebten Papierstreifen. Der neue auf S.39 oben wiederholt* H^{13} **32**,11 machte] *mit Blaustift wohl von Klaiber geändert in* gemacht H^{13} **32**,13 ausführlichen] *davor gestr.* den Geschwistern H^{13} **32**,13.14 zum Ergötzen *bis* Erscheinung] *mit Kopierstift am linken Rand neben gestr.* die seltsame Persönlichkeit H^{13} **32**,14 eines] *aus* einen H^{13} **32**,15 heftigen] *über der Zeile* H^{13} **32**,18 allein] *davor mit Kopierstift gestr.* wieder H^{13} **32**,20 fing er an] *über gestr.* sagte Nolten H^{13} **32**,34 fünf] *über gestr.* drei H^{13} **33**,1 Frauen] *mit Blaustift von Klaiber geändert in* Damen H^{13} **33**,6 darauf] *davor gestr.* mehr H^{13} **33**,9 Liebe] *über gestr.* Zärtlichkeit H^{13} **33**,18 am Schluß] *davor gestr.* ein H^{13} **33**,26 so] *dahinter gestr.* eb H^{13} **34**,11 zur Zeit] *hinter gestr.* in der Folge H^{13} **34**,14 wie] *davor gestr.* nur H^{13} **34**,30 es] *über der Zeile* H^{13} **34**,32 auf] *aus* aufs H^{13} **35**,4 Tags] *aus* Tages H^{13} **35**,12 noch in der Folge] *am linken Rand neben gestr.* in kurzem H^{13} **35**,14 erquickliche] *hinter gestr.* angene⟨hme⟩ H^{13} **35**,15 für] *davor gestr.* ge⟨gen?⟩ H^{13} **35**,17 chinesische Vasen und dergleichen] *am linken Rand neben gestr.* u.⟨nd⟩ moschusduftende Majolikatöpfe H^{13} **35**,23 freundlichem] *über gestr.* herzlichem H^{13} **35**,24–**36**,4 In *bis* Gewinne.] *auf angeklebtem Blatt, an dessen unterem Rand die mit Bleistift geschriebenen Wörter* In eben diesen Tagen *(36,5)* den Anschluß zum folgenden Blatt herstellen, wo die gleichen Wörter mit Tinte wiederholt sind H^{13} **35**,24 aber] *über der Zeile* H^{13} **35**,26 an] *über der Zeile* H^{13} **35**,33.34 wenn er wie eben jezt] wie eben jezt *am rechten Rand mit Einweisungsschleife hinter gestr.*

wie heut wieder *über* wenn er *H¹³* **35**,34 herkommend] *dahinter über der Zeile mit*

Bleistift gestr. wie jezt eben *H¹³* **36**,1 Wort] *mit Blaustift schon von Klaiber geändert*

aus Dichterwort *H¹³* ihn] *aus* ihm *H¹³* **36**,2 der Zufall] *mit Blaustift von Klaiber*

am rechten Rand hinzugefügt als Ergänzung des unvollständig gebliebenen Satzes H¹³ in

5 bis ließ] *mit Bleistift quer von oben nach unten laufend am linken Rand des angeklebten*

Blattes neben gestr. zufällig irgendwo begegnete *über den folgenden Versen H¹³*

36,3.4: *quer von oben nach unten laufend am linken Rand des angeklebten Blattes H¹³*

36,3 hat] *mit Bleistift über der Zeile H¹³*

36,11 alsbald] *hinter gestr.* nunmehr, *über* alsbald *mit Blaustift von Klaiber eingefügt*

10 sofort *H¹³* **36**,26 seine] *mit Blaustift von Klaiber geändert in* jene *H¹³* worin] *mit Blau-*

stift von Klaiber geändert in in welcher *H¹³* **36**,31 Auge] *aus* Augen *H¹³* **36**,34 noch]

über der Zeile H¹³ **37**,1 Gastlichkeit] Gast[freund]lichkeit *H¹³* **37**,5 zog] *über gestr.*

war *H¹³* **37**,6 zurück] *aus* zurückgekehrt *H¹³* **37**,29 von] [sah man] von *über*

gestr. wenige *H¹³* Gemälden] *aus* Gemälde *H¹³* zu sehen war] *über der Zeile H¹³*

15 **37**,29.30 ausgemachter] *am rechten Rand neben mit Bleistift gestr.* feiner *H¹³* **37**,31

heimgesucht] *von Klaiber mit Blaustift gestrichen und am rechten Rand ersetzt durch*

angegangen *H¹³* **37**,33 Sonderbarkeiten] kei *über der Zeile H¹³* **37**,34 ja] *über*

gestr. oft *H¹³* **38**,5 dem Künstler] *davor gestr.* der Person oder *H¹³* oder dem

Menschen] *über der Zeile H¹³* **38**,6 erstern] *über gestr.* letztern *H¹³* **38**,8 Übergang]

20 *davor gestr.* neuen *H¹³* **38**,10 mit Unmuth, fast hitzig] *am linken Rand mit Verwei-*

sungszeichen H¹³ **38**,11 vorzügliches] *gestrichen und unterpunktet H¹³* seine] *aus*

seines *H¹³* **38**,14 ein für allemal] *über gestr.* unwidersprechlich *H¹³* **38**,18 dadurch]

über gestr. in keiner Weise in seiner *H¹³* er] *über gestr.* und *mit gleichzeitiger Ein-*

fügung des Strichpunkts H¹³ **38**,21 der] *über gestr.* welcher *H¹³* **38**,26–**39**,4 Hier-

25 auf *bis* überlassen.] *auf zwei untereinander angeklebten Papierstreifen, von denen jeder*

einen Absatz enthält H¹³ **38**,26 nun] *hinter gestr.* denn *H¹³* da] *aus* dan *(Schreib-*

fehler) H¹³ **38**,35 Fernanda] *über gestr.* Eugenie *H¹³* **38**,36 ihrer Anwesenheit]

am linken Rand mit Einweisungsschleife neben gestr. dieser Zeit *H¹³* **39**,1.2 obschon

bis wartete] *am linken Rand mit Verweisungszeichen H¹³* **39**,1 und] *hinter gestr.* u.⟨nd⟩

30 es zu Hause Mancherlei für sie zu thun gab *H¹³* **39**,5 Indessen] *aus* Unterdessen

H¹³ **39**,8 dabei die Schwester] *mit Umstellungsschleife aus* die Schwester dabei *H¹³*

darum] *davor gestr.* theilnahm *H¹³*

39,10 sogenannten Sylvester-Abend] sogenannten Sylvester- *mit Einweisungs-*

schleife über Abend [des letzten Decembers] *H¹³* **39**,17 ältern und jüngern] *mit*

Umstellungsziffern aus jüngern und älter[e]n *H¹³* **39**,20 Mann] *über gestr. Dreißi-*
ger daneben am rechten Rand der mit Bleistift geschriebene, später gestrichene Zusatz
noch nicht weit in den dreißiger Jahren H¹³ **39**,29 Masken] *davor gestr.* Au *H¹³*
39,30 hübschen] *über gestr.* schönen *H¹³* **40**,12 aus] *davor gestr.* aus in der Versammlung *H¹³* **40**,15.16 ein *bis* als] *am linken Rand mit Verweisungszeichen H¹³*
40,16 den] *aus* der *H¹³* **40**,19 Indem] *am linken Rand neben gestr.* Während *H¹³*
nun] *über der Zeile H¹³* **40**,23 einiger] *über gestr.* der geistreichen *H¹³* **40**,25–**41**,17
»Das *bis* lächerlich?«] *auf Papierstreifen, der unten an S.48 des Manuskripts angeklebt*
ist und den erweiterten Ersatz enthält für den auf S.49 oben gestrichenen Absatz »Was
aber sagen Sie dazu, wie man den Feuerreiter producirte?« so rief gegen Larkens
gewendet, ein junger Bildhauer von rasch zufahrendem Wesen mit Namen Raimund, »war das nicht lächerlich?« *H¹³* **40**,25 artigste] *aus* artigsten *(Schreibfehler)*
H¹³ sagte] *gestrichen und unterpunktet; am linken Rand gestr.* rief *H¹³* **40**,29 lä-
stig] *über der Zeile H¹³* **41**,3 farbige] *am linken Rand mit Verweisungszeichen H¹³*
41,5 höchst] *davor gestr.* ein *H¹³* **41**,16 Sie] *am rechten Rand von Klaiber mit Blau-*
stift hinzugefügt H¹³ **41**,21 um] *dahinter am rechten Rand mit Verweisungszeichen*
gestr. vielleicht *H¹³* zu] *gestrichen und unterpunktet H¹³* **41**,22 und] *gestrichen und*
unterpunktet H¹³ **41**,24 mehr] *über gestr.* Näheres *H¹³* **41**,30 Kauz] *gestrichen und*
unterpunktet H¹³ **41**,31 nannte] *über der Zeile H¹³* **42**,14 Baryton] *Bleistiftzusatz*
am linken Rand mit Bleistift-Verweisungszeichen neben gestr. Tenor *H¹³* selten] *davor*
gestr. nur *H¹³* nur] *über der Zeile H¹³* **42**,18 etwas abseits von ihm] *am linken Rand*
neben gestr. ein wenig seitwärts *H¹³* **42**,19 Lieds] *aus* Liedes *H¹³* **43**,20 kecken]
über gestr. wilden *H¹³* **44**,12 Sie] *davor gestr.* Sie befand sich auf einem nur wenige
Stunden entfernten, edelmännischen Gute bei ihrer intimsten Jugendfreundin
und nahen Verwandten, Fernanda, um ihr und einem hypochondrischen Vater
die Eintönigkeit des [Lebe] Landlebens mitten im Winter einige Wochen lang zu
erheitern *H¹³* ihm] *über gestr.* dem Maler *H¹³* jedoch] *über der Zeile H¹³* vielmehr]
hinter gestr. ja *H¹³* **44**,13 ausdrücklich] *am rechten Rand mit Verweisungszeichen*
unter gestr. beim Abschied *H¹³* ein und das andere Mal] *über gestr.* manchmal *H¹³*
44,21 ihm] *über der Zeile H¹³* gab] *mit Bleistift über gestr.* giebt *H¹³* **44**,22 verhieß]
am rechten Rand neben gestr. ankündigt, ohne diese jedoch noch genauer bestimmen
zu können *H¹³* **44**,30 Cabinet] *aus* Seiten Cabinet *H¹³* **45**,4.5 dem Grafen] *am*
linken Rand mit Verweisungszeichen H¹³ **45**,19 es] *über der Zeile H¹³* **45**,28 Collegien]
dahinter gestr. und höheren Hofbe⟨amten⟩ *H¹³* **46**,7 frohen] *mit Bleistift über gestr.*

heitern *H¹³* **46**,15.16 kleine Stille] *am Seitenschluß unter gestr.* Pause *H¹³* **46**,18–28
Auf *bis* Stadt] *auf zwei aufgeklebten Papierstreifen über dem verdeckten älteren Text*
Auf der Scheide der Zeit, die ihm hier so *(so über der Zeile)* rührend versinnlicht
wurde, glaubte Nolten zu fühlen, daß sie ein Wendepunkt auch seines Lebens sei.

5   Sein Geist war weit mehr vor als rückwärts gerichtet; kaum dachte er der über-
wundenen Schmerzen *H¹³* **46**,29 Bald] *über gestr.* In kurzer Zeit *H¹³* denn] *über
der Zeile, dahinter gestr.* um⟨gekleidet?⟩ *H¹³* umgekleidet bei der Lampe] *am linken Rand mit Verweisungszeichen H¹³* **46**,32 er] *über der Zeile H¹³* **47**,4 ein] *aus
eines (Schreibfehler) H¹³* kenn'] *aus* kenne *H¹³* **47**,16 sein] *über der Zeile H¹³* dieser]

10   *aus* diesem *H¹³* Decke] *hinter gestr.* Teppiche *H¹³* **47**,25 niedersehn] nieder *über
der Zeile H¹³* **47**,31 Neujahr.] *aus* Neujahr! *H¹³* **47**,33 durchlesen] *aus* gelesen *H¹³*
47,36 im] *davor gestr.* vom *H¹³* **48**,16 sollte] *schon von Klaiber mit Blaustift geändert
aus* wollte *H¹³* durch] *schon von Klaiber mit Blaustift über der Zeile hinzugefügt H¹³*
48,23.24 Hauptmann ⟨...⟩] *hinter* Hauptmann *ist Platz für einen Namen von 5–8*

15   *Buchstaben gelassen, dann mit Blaustift von Klaiber* Kroll *ergänzt H¹³* **48**,28 wer] *versehentlich zweimal geschrieben, dann das erste* wer *gestrichen H¹³* **48**,36 dazu] *davor
gestr.* von ungefähr *H¹³* **49**,3 ich] *davor gestr.* sofort *H¹³* **49**,4 derartiges] *über
gestr.* dieser Art *H¹³* **49**,8 mitten in] *über gestr.* während *H¹³* **49**,9 mich] *aus*
mir *H¹³* von ungefähr] *über der Zeile H¹³* **49**,11 eben] *davor gestr.* etw⟨as⟩ *H¹³* Ich

20   bringe den Gedanken] *über gestr.* Es will mir immer noch *(den Gedanken mit
Bleistift am rechten Rand) H¹³* **49**,12 nicht aus dem Kopf] *vor daß hier am Anfang
der Zeile, dann mit Einweisungsschleife umgestellt H¹³* **49**,14 Punkte] *dahinter gestr.*
dein ängstli *H¹³* **49**,16 ganze] *aus* ganzer *H¹³* **49**,26 die Stirn] *über gestr.* den
Kopf *H¹³* **49**,27 denn] *mit Bleistift über der Zeile H¹³* **50**,13 bis jezt] *davor gestr.*

25   ik⟨?⟩ *H¹³* **50**,27 wahr?] *dahinter stehendes* Wie *gestrichen und durch abschließende
Anführungsstriche ersetzt H¹³* **50**,33 je besser] je *schon von Klaiber mit Blaustift über
der Zeile hinzugefügt H¹³* **51**,1 Larkens] *über gestr.* Der Schauspieler *H¹³* **51**,12
macht] *von Klaiber mit Blaustift gestrichen und am linken Rand ersetzt durch* stimmt *H¹³*
52,8 gelinde] *mit Bleistift aus* gelinge *(Schreibfehler) H¹³* **52**,9 endlich schieden sie]

30   *aus* so schieden sie endlich *H¹³* **52**,13 Schreibtischs] *mit Bleistift über gestr.* Bureaus
H¹³ **52**,24 Leser] *mit Bleistift über der Zeile H¹³*
53,11 wenn] *über gestr.* sei *H¹³* **53**,16 bei dessen letzten Büschen sie] *am rechten
Rand mit Verweisungszeichen H¹³* **53**,21 wandte] *über gestr.* kehrte *H¹³* **53**,35
rasten würden] *davor gestr.* sie er⟨warteten⟩ *H¹³* **54**,7 der stille] *davor gestr.* was

gab dieser Anblick H^{13} **54**,10.11 was *bis* Mädchen] *über der Zeile* H^{13} **54**,24 recht]
hinter gestr. wohl H^{13} **54**,33 der] *am rechten Rand* H^{13} **54**,34 einen] *schon von*
Klaiber mit Blaustift geändert aus Einer H^{13} los] *gestrichen und unterpunktet* H^{13}
54,36 frommt] *hinter gestr.* dient H^{13} **55**,16 Gedächtniß] *davor gestr.* Aussp⟨rüche⟩
H^{13} **55**,17 von ihr] *gestrichen und unterpunktet* H^{13} **55**,25–27 vorlängst *bis* sein.]   5
auf Papierstreifen über dem zugeklebten älteren Text als Zeugen einer Reihe von un-
vergeßlich *(*unvergeßlich *über der Zeile)* schönen Tagen [aufbewahrt] eingelegt:
ihr Wohlgeruch ist weg und bald wird jede Farbenspur daran verblichen sein.
Dergleichen Gedanken erfüllten sie mit desto ungeduldigerem Schmerz, je mehr
sie Theobalden noch im vollen Irrthum seiner Liebe befangen denken mußte,   10
in einem Irrthum, welchen sie nicht länger mit ihm theilen durfte noch wollte,
der ihr entsetzlich und beneidenswerth zugleich *(*zugleich *über der Zeile)* vorkam. H^{13} **55**,27 verblichen] *aus* verblichenen *(Schreibfehler)* H^{13} **55**,31 von Zeit
zu Zeit] *am rechten Rand* H^{13} **55**,32 sie] *über der Zeile* H^{13} **56**,1.2 seinem nächsten]
aus dessen nächstem H^{13} **56**,5 möglichen] *über der Zeile* H^{13} **56**,13 mit bebender   15
Stimme] *Bleistiftzusatz am linken Rand mit Verweisungszeichen* H^{13} **56**,15 ein?] ein
[, mein Kind]? H^{13} **56**,17 neuen] *über der Zeile* H^{13} **56**,19 ihm] *davor gestr.* an H^{13}
56,26 mir es] *mit Blaustift von Klaiber geändert in* mir's H^{13} **57**,2 sich mitten] *über*
der Zeile H^{13} **57**,3 zusammennahm] *davor gestr.* sich schnell H^{13} gleichsam] *davor*
gestr. und H^{13} **57**,4 Gefühls] *an* Gefühl *mit Blaustift von Klaiber ein s angehängt* H^{13} 20
57,5 fing *bis* messen] *mit Bleistift über Rasur und am rechten Rand* H^{13} sich zu ver-
gleichen] sich *mit Blaustift (von Klaiber?) gestrichen* H^{13} **57**,6 an] *mit Bleistift über der*
Zeile vor gestr. zu rechtfertigen H^{13} **57**,13 der] *mit Bleistift über der Zeile* H^{13} **57**,18
besonders] *mit Bleistift am rechten Rand als Ersatz für gestr.* so wie H^{13} **57**,20 noch
wollte] *über der Zeile* H^{13} **57**,28 erlangte] *hinter gestr.* gewa⟨nn⟩ H^{13} **57**,29 er-   25
zwungenes] er[kü⟨nsteltes⟩]zwungenes H^{13} **57**,30 ein,] *über gestr. hinter* H^{13}
58,1 untreu] *mit Blaustift von Klaiber nach Ansätzen zur Umgestaltung des ganzen*
Satzbaus verändert in abtrünnig H^{13} **58**,4 ihn] *mit Bleistift am linken Rand neben*
gestr. Theobald H^{13} **58**,6 jedesmal] *offenbar später über Rasur eingefügt, die Silbe*
mal *aus Platzmangel über der Zeile* H^{13} **58**,9 irgend] *über der Zeile* H^{13} **58**,11 aus-   30
zuscheiden] *davor gestr.* weg H^{13} **58**,13 öfter] öfter [of] H^{13} **58**,24 daß] *davor*
einige durch dicke Striche unleserlich gemachte Wörter H^{13} alle] *über der Zeile* H^{13} un-
mächtigen] *am rechten Rand* H^{13} **58**,26 und ihr] ihr *über der Zeile* H^{13} **58**,29 Bräu-
tigam] *hinter gestr.* Freund H^{13} **58**,30 glücklichen] [über]glücklichen H^{13} **58**,33

durfte] *am Beginn einer neuen Seite hinter gestr.* las *am Seitenschluß und hinter dem auf der*

neuen Seite wiederholten, wohl von Klaiber mit Blaustift gestr. Er *H¹³* **58,34** neben ihrer

Arbeit] *am linken Rand H¹³* **58,35** Vorliebe] *von Klaiber mit Blaustift gestrichen und*

durch darüber geschriebenes Neigung *ersetzt H¹³* man] *über der Zeile H¹³* auch] *am*

5   *linken Rand H¹³* **59,3** alle] *davor gestr.* aller *H¹³* **59,8** für Agnes] *über Rasur mit*

anderer Tinte eingefügt H¹³ **59,9** that *bis* wollte] *am linken Rand mit Verweisungs-*

zeichen H¹³ **59,15** blitzschnell] *am linken Rand mit Verweisungszeichen H¹³* **59,20**

der] *mit Bleistift über gestr.* welcher *H¹³* ihr] *davor gestr.* Ag⟨nes?⟩ *H¹³* auf der

Schwelle wie sonst] *mit Umstellungsschleife aus* wie sonst auf der Schwelle *H¹³*

10   **59,22** im] *über gestr.* vom *H¹³* **59,25** sorglos] *am rechten Rand hinter gestr.* unbe-

fangen *H¹³* wie es schien] *davor gestr.* u.⟨nd⟩ *H¹³* **59,31–34** da *bis* bald] *am rechten*

Rand mit Verweisungszeichen neben gestr. bereits war es *H¹³* **59,32** jungen] *davor*

gestr. hübschen *H¹³* **59,35** gediehen] *davor gestr.* zwischen Beiden *H¹³* **60,4** der]

davor gestr. ei⟨ner?⟩ *H¹³* **60,9** gehalten] *über der Zeile H¹³* als] *über gestr.* für *H¹³*

15   argen] *über gestr.* großen *H¹³* **60,11** genug] *gestrichen und unterpunktet H¹³* **60,17**

eingebildeten] *dahinter gestr.* verwöhnten *H¹³* **60,26** vordem] *davor gestr.* im⟨mer⟩

H¹³ **60,27** blieb] *über gestr.* ging *H¹³* **60,27.28** stunde müßig.] *auf Papierstreifen*

über dem zugeklebten älteren Text stunde müßig. An Nolten aber wollte sie mit

keinem Wort erinnert sein. Sie wich ihren Bekannten sichtbar aus um nur ja nicht

20   nach ihm gefragt zu werden, und als gar eines Tages ein Brief von ihm erschien,

gerieth sie in die äußerste Verzweiflung da ihr der Vater ihn beinahe mit Gewalt

aufdrängen wollte. *Am oberen Rand der überklebten Manuskriptseite später gestr.*

Man bemerkte nichts Unschickliches in ihrem Thun und Reden, nichts Schwär-

merisches in Mienen und Gebärden. *H¹³* **60,29** Alten] *über gestr.* Försters *H¹³*

25   **60,34** gehoffte] *über der Zeile H¹³* **61,7** wie] *davor gestr.* seit dem Frühjahr bei *H¹³*

dies] *mit Blaustift von Klaiber geändert in* dieses *H¹³* nicht] *über gestr.* kaum *H¹³*

61,18 Vergnügungsreise] *in* Vergnügunsreise *mit Blaustift wohl von Klaiber ein* g

eingefügt H¹³ **61,22** unterwegs] *mit Einweisungsschleife vom Schluß des Satzes hier-*

her verwiesen H¹³ **61,23** Gefährt] Gefärth *H¹³* **61,25** zufrieden] zu[gegen]frie-

30   den *H¹³* **61,27** Stadt] *über der Zeile H¹³* **61,30** alt-reichsstädtisch] alt-reichs-

städtisch[en] *H¹³* **61,31** lebenslustige] lebens *mit Blaustift wohl von Klaiber ge-*

strichen H¹³ **61,35** Werkstätten] *am rechten Rand mit Verweisungszeichen H¹³*

62,4 alle] *aus* aller *(Schreibfehler) H¹³* **62,5** ungetheilten Sinnes] *am rechten Rand*

neben gestr. recht mit Antheil *H¹³* **62,12** mit] *davor gestr.* nicht h⟨eraus⟩ *H¹³*

62,13 Bewegung,] *dahinter gestr.* so traurig H^{13} **62**,14 elend,] *aus* elend und H^{13}
62,16 es mich] *mit Bleistift aus* mich's H^{13} **62**,20 wenn] *davor gestr.* Gedankenstrich
H^{13} **62**,33 ja] *unter der Zeile* H^{13} **63**,3 den] *mit Bleistift über der Zeile* H^{13} **63**,11 sie]
am rechten Rand H^{13} Morgen] *über gestr.* Tage H^{13} **63**,12 in] *davor mit Bleistift*
gestr. das gute Kind H^{13} **63**,29 den] *mit Bleistift über der Zeile* H^{13} **63**,32 nach *bis*   5
Entfernung] *am linken Rand mit Verweisungszeichen* H^{13} **64**,1 seinen] *aus* sein H^{13}
Beruf] *hinter gestr.* Amt H^{13} **64**,4 Derweile] *über gestr.* Indessen H^{13} Briefe von]
über der Zeile H^{13} **64**,9 der] *über der Zeile* H^{13} kein] *davor gestr.* erschien H^{13} **64**,14
dieß zwar] *über der Zeile* H^{13} **64**,17 darauf] *davor gestr.* erh⟨ielt⟩ H^{13} **64**,23 der
Vetter] *über gestr.* er H^{13} das] *versehentlich mit dem davorstehenden* er *zusammen ge-*   10
strichen, dann mit Blaustift wohl von Klaiber unterpunktet H^{13} **64**,33.34 vielleicht *bis*
Wechsel] *mit Umstellungsschleife aus* einen solchen Wechsel vielleicht H^{13} **65**,3
sprechen und handeln] sprechen [und sprechen] und handeln H^{13} **65**,4 die
Rechte] *davor am linken Rand gestr.* eigenwillig und grausam H^{13} selbst] *über der*
Zeile H^{13} **65**,9 Weibsperson] *mit Blaustift wohl von Klaiber geändert in* Person H^{13} 15
65,13 fast] *hinter gestr.* beinahe H^{13} **65**,19 nur noch] *über der Zeile* H^{13} **65**,20 Man
bis sein] *über gestr.* Wir wissen, welchen sonderbaren Weg sein H^{13} **65**,21 vor-
behielt] *über gestr.* nahm H^{13} **65**,29 welcher] *über gestr.* der H^{13} dort] *über der*
Zeile H^{13} **65**,31 Urtheil] *dahinter gestr.* über den unerhörten Vorgang H^{13} **65**,31.32
durch *bis* beirrt] durch *bis* Vaters *ursprünglich vor* beirrt, *dann mit Schleife umgestellt*   20
H^{13} **65**,32 Weise] *am rechten Rand neben gestr.* Art H^{13} **65**,36–**66**,1 nachkommen]
hinter gestr. beiko⟨mmen⟩ H^{13} **66**,17 Worts] *aus* Wortes H^{13} **66**,27 vordem]
über der Zeile H^{13} **66**,29–31 Troz *bis* gewinnen] *am rechten Rand neben gestr.* Wer
sich lebhaft genug in die Herzensnoth des jungen Mannes versetzen mag, wird
es verzeihlich finden, wenn er nach allen diesen Schmerzen das Qu⟨alvollste?⟩   25
Herbste und das Letzte – die Trennung förmlich zu erklären, nicht über sich
gewann H^{13} **66**,30 Herbste] *unter gestr.* Bitterste H^{13} **67**,8 fortan] *mit Bleistift am*
linken Rand H^{13} **67**,12 neu] *davor gestr.* von H^{13} **67**,15 in] *über der Zeile* H^{13} **67**,16
Betrugs einweihen] Betrugs [, in das er nur erst einen halben Blick gethan, voll-
ständig] ein[fü]weihen H^{13} **67**,20.21 Von *bis* nur] *durch Streichungen, Zusätze und*   30
Umstellungen geändert aus Der kluge Freund betrachtete den schlimmen Stand
der Sachen von vornherein nur H^{13} **67**,21 künstliche] *über der Zeile vor gestr.*
gefährliche H^{13} **67**,27 tief] *aus* tiefen H^{13} **67**,36 armen Tropfen] *am rechten Rand*
neben gestr. guten Kinde H^{13} wenigsten] *mit Bleistift über gestr.* mindesten H^{13}

68,4 an] *über gestr.* von H¹³ 68,25 hatten] *über der Zeile* H¹³ 68,30 Man denke
sich] *am linken Rand vor gestr.* Es läßt sich leicht denken H¹³ 68,36 offenbar] *über
gestr.* augenscheinlich H¹³ 69,10 schwierigen] *über gestr.* dunkeln H¹³ 69,13 auf
das] *mit Bleistift aus aufs* H¹³ 69,21 gleichwohl] *über gestr.* dennoch H¹³ 69,22

5   Vergnügen] *am linken Rand neben gestr.* Ergötzen und seine anmuthigste Erho-
lung H¹³
70,7 wie] *davor gestr.* was H¹³ 70,9 Schwester] *davor über der Zeile später gestr.*
schönen H¹³ 70,13 Madam] *von Klaiber mit Blaustift gestrichen und ersetzt durch*
Frau H¹³ 70,17 bereit] bereit[s bereit] H¹³ 70,19 Kronprinzen] *davor gestr.* G H¹³

10   mit unserem Schauspieler] *am Beginn einer neuen Manuskriptseite wiederholt, dann
gestrichen* H¹³ 70,20 durfte] *hinter gestr.* konnte H¹³ 71,17.18 Besonders *bis* hervor.] *am Absatzende hinter dem vorangehenden Wort* hören. und am rechten Rand
hinzugefügt* H¹³ 71,17 hob] *über gestr.* fand H¹³ 71,18 hervor] *davor gestr.* zu bewundern H¹³ 71,24 sehr] *davor gestr.* a⟨uf⟩ H¹³ 71,28 sich] *über der Zeile* H¹³

15   71,28.29 von *bis* erleuchtete] *Bleistiftzusatz am linken Rand mit Verweisungszeichen*
H¹³ 71,31 endlich] *mit Bleistift über gestr.* zulezt H¹³ 72,12 sie] *am linken Rand mit
Bleistift unmittelbar vor dem folgenden* werde H¹³ schließlich] *mit Bleistift über der
Zeile* H¹³ 72,15 Diesen] *schon von Klaiber mit Blaustift geändert aus* Dieser H¹³
72,17–19 nahm *bis* alsbald] *durch Streichungen und Zusätze zwischen den Zeilen und

20   an den Rändern geändert aus* rief natürlich auf den verschiedenen Gesichtern kaum
da und dort ein höchst discretes Lächeln hervor, und es entspann sich über den
Gegenstand im Allgemeinen H¹³ 72,21 nichts weiter] *mit Umstellungsziffern aus*
weiter nichts H¹³ 72,25 so wie] *über der Zeile* H¹³ nicht unpassend] *am rechten
Rand mit Verweisungszeichen für gestr.* ausdrücklich H¹³ 72,26 einen] *über der Zeile

25   vor gestr.* die Beschreibung in einem sogenannten H¹³ 72,26.27 worin geschildert
wird] *am rechten Rand* H¹³ 72,27 die] *über der Zeile* H¹³ 72,29–33: *in eckigen Klammern (ob die Verse fortbleiben sollten oder ob sie im Druck eingeklammert, als Fußnote
verwendet oder in einem anderen Schriftgrad gesetzt werden sollten, bleibt unklar)* H¹³
72,33 verfertigt] *aus* gefertigt H¹³ 73,7.8 die ihm *bis* könnte] die ihm *anhängt*

30   *ursprünglich hinter* entbehren könnte, *dann zusammen mit dem darunter geschriebenen füglich mit Umstellungsschleife vor* entbehren *gestellt* H¹³ könnte] *über gestr.*
möchte H¹³ 73,11 den Eindruck zu bemerken] *am linken Rand mit Verweisungszeichen* H¹³ 73,14 Madam] *mit Blaustift von Klaiber geändert in* Frau H¹³ 73,15.16
über *bis* zusammenblieb] *am linken Rand mit Verweisungszeichen* H¹³ 73,18 er-

schreckte.] *dahinter und am linken Rand hinzugesetzt, dann wieder gestrichen* und seine heutige Beobachtung bestätigte ihm nur was er befürchtete H^{13} **73**,22 Sorge] *davor gestr.* ganz H^{13} **73**,23 alte] *über gestr.* gewohnte H^{13} **73**,29 vielleicht] *davor gestr.* d⟨urch⟩ H^{13} **74**,12 den Wunsch] *davor gestr.* geäu⟨ßert⟩ H^{13} **74**,24 oder zwei] *mit Bleistift über gestr.* und das andere H^{13} **74**,30–36 Und *bis* könne.]   5
auf einem unten an Seite 101 des Manuskripts angeklebten Papierstreifen H^{13} **74**,32 Zwar] *mit Bleistift über gestr.* Noch H^{13} noch] *mit Bleistift über der Zeile* H^{13} **74**,34 aber dessenungeachtet] *mit Umstellungsziffern aus* dessenungeachtet aber H^{13} **74**,35 sehr] *gestrichen und unterpunktet* H^{13} störend] *mit Bleistift am linken Rand neben gestr.* übel H^{13} **75**,2.3 nur die Wenigsten] *über gestr.* Mehrere auch H^{13} **75**,5 an   10
bis fehlte] *durch Streichungen und Zusätze über der Zeile und am rechten Rand geändert aus* dem nur noch einiges Außenwerk fehlte H^{13} **75**,10 in der Nachbarschaft] *über der Zeile* H^{13} **75**,23 an Zarlins] *über der Zeile* H^{13} **75**,28 Angesicht] *aus* Angesichts (Schreibfehler) H^{13} verkündigte] *dahinter gestr.* von fern H^{13} **75**,33 wechselnde] *aus* wechselnden H^{13} unversehns] *hinter gestr.* endlich H^{13} **75**,35.36 Zwischen *bis* zweiten] *auf Papierstreifen über zugeklebtem* Von hier zog (zog *über gestr.*   15
lief) [sich] sich der [einsame] Fahrweg noch *(ursprünglich noch immer, mit Ziffern geändert in immer noch, dann immer gestrichen)* eine gute Strecke Zwischen mächtigen Tannen und Fichten *(Zwischen mächtigen Tannen und Fichten vom Satzanfang mit Schleife hierher verwiesen)* [ununterbrochen] hin *(hin über gestr.* fort), bis   20
wo er [sich mit] einen *(aus einem)* zweiten H^{13} **76**,6 Karyatiden] *dahinter gestr.* Thierköpfen und H^{13} **76**,10 vorne *bis* Front] hinter dem Schlosse *durch Streichungen und Zusätze am rechten Rand zuerst geändert in* vorne bei dem Schlosse, *dann in* vorne, bei der dem Thale zugekehrten Front [des Schlosses] H^{13} **76**,11 des] *über gestr.* eines H^{13} **76**,13 war] *über der Zeile* H^{13} **76**,16 unterhalten] *davor*   25
gestr. nicht ungern H^{13} **76**,29 mit Aufwindung jenes Bildwerks] *am linken Rand* H^{13} **76**,33 Nolten] *über gestr.* der Maler H^{13} weit] *mit Bleistift über der Zeile* H^{13} Gräfin] *dahinter gestr.* weit entfernt H^{13} **76**,36 Gespräch] *spräch über gestr.* plauder H^{13} konnte.] *dahinter gestr.* Unter Anderem war von dem Herzog und seinen naturwissenschaftlichen Liebhabereien die Rede und Zarlin beschrieb eine seltene   30
Pflanze, die als ein Geschenk seiner Hoheit seit gestern den Blumentisch der Gräfin ziere. [Nolten konnte] Eine *(aus* eine) rasch aufsteigende Regung des alten eifersüchtigen Grolls wußte Nolten glücklich dabei zu *(wußte Nolten glücklich dabei zu über gestr.* nur mit Mühe bei sich) unterdrücken H^{13} **77**,5 guter] *über*

der Zeile H¹³ **77**,7 Kunst-Lebens] Kunst- *über der Zeile H¹³* **77**,11 Gebiet] *hinter gestr.* Chapitre *H¹³* **77**,12 kam] *dahinter gestr.* und anfing eine Musterkarte zu entfalten, [wo] zu welcher eine hohe Geistlichkeit die stärksten Stücke liefern mußte *H¹³* **77**,12.13 gab es verlegene Gesichter] *gestrichen und unterpunktet, darüber gestr.* sah man sich einander verlegen an *H¹³* **77**,14.15 die] *mit Bleistift über gestr.* beinahe sämtliche *H¹³* **77**,15 meist] *mit Bleistift über der Zeile H¹³* **77**,17 im] *aus* in dem *H¹³* **77**,18 die Maler] *über gestr.* der Künstler *H¹³* **77**,19 in] *über gestr.* aus *H¹³* ausgedehnten] *hinter gestr.* umfangreichen *H¹³* **77**,24 genannter] *aus* genannten *H¹³* **77**,36 dem Schlosse] *mit Bleistift aus* der Front des Schlosses *H¹³* öffnete] *dahinter gestr.* und ziemlich steil abfiel *H¹³* **78**,11 dar] *mit Bleistift über gestr.* an *H¹³* so schlugen sie] *mit Umstellungsziffern aus* sie schlugen so *H¹³* **78**,14 noch] *davor gestr.* stellenw⟨eise⟩ *H¹³* **78**,15 Gipfel] *dahinter über der Zeile mit Blaustift von Klaiber eingefügt* der Bäume *H¹³* **78**,16 hämmern,] *aus* hämmern und *H¹³* **78**,34 sprachen] *über der Zeile H¹³* **79**,5 mit Lebhaftigkeit] *am linken Rand mit Verweisungszeichen H¹³* **79**,8 in] *davor gestr.* an *H¹³* **79**,12 zu] *davor gestr.* kö⟨nnen⟩ *H¹³* **79**,14 Arbeit] *davor gestr.* Sache *H¹³* **79**,29 Gasthofs] *mit Blaustift von Klaiber geändert in* Gasthauses *H¹³* Orangeriehause] *mit Blaustift von Klaiber geändert in* Orangeriegebäude *H¹³* **79**,32 säuberlich] *über gestr.* hübsch *H¹³* **80**,5 hindurchkrümmte] hin *über der Zeile H¹³* **80**,12 vormals] *mit Bleistift über gestr.* ehedem *H¹³* **80**,12.13 mit Stuccatur und Muschelwerk] *am linken Rand mit Verweisungszeichen vor gestr.* vielfach über [artig] *H¹³* **80**,16 für] *über der Zeile H¹³* **80**,24.25 den Inbegriff seiner geheimsten Wünsche] *am linken Rand mit Verweisungszeichen H¹³* **80**,25 vertraulich] *über der Zeile H¹³* **80**,26 Seite] *über der Zeile H¹³* **80**,27 vorne] *davor gestr.* ihm *H¹³* **80**,29 starr] *dahinter am Zeilenende einige gestrichene unleserliche Buchstaben H¹³* **80**,35 doch] *über der Zeile H¹³* **82**,8 Steinmassen] *mit Bleistift aus* Massen *H¹³* **82**,9 her] *mit Bleistift über der Zeile H¹³* **82**,16 Gasthaus] haus *hinter gestr.* hof *H¹³* **82**,22 der] *über der Zeile H¹³* **82**,25 ihr *bis* versprochen] *über gestr.* ein paar freundliche Worte an sie gerichtet *H¹³* Sie] *über gestr.* Constanze *H¹³* das brave Weib] *am rechten Rand und über gestr.* sie *H¹³* **82**,26 der Frau] *über gestr.* jener *H¹³* sie] *über gestr.* das brave Weib *H¹³* **82**,27 Gedanke] *aus* Gedanken *H¹³* **82**,28 jeden] *aus* jedes *(Schreibfehler) H¹³* **83**,1.2 den Vetter der gnädigen Frau] *am linken Rand H¹³* **83**,8 lange] *aus* länger *H¹³* **83**,9 bei] *über der Zeile H¹³* **83**,11 Ärgeres] *mit Blaustift von Klaiber geändert in* Peinlicheres *H¹³* **83**,16 versprach] *mit Blaustift von Klaiber geändert in* versprochen *H¹³* **83**,17 hören] *hinter gestr.* wisse⟨n⟩

H¹³ **83**,25 ab und zu] *hinter gestr.* ein und aus *H¹³* **83**,29 flüchtig] *davor gestr.*

nur *H¹³* **83**,31.32 wie liebenswürdig *bis* gewesen] *mit Umstellungsschleife aus* wie

liebenswürdig er gewesen, wie thätig und durchgreifend bei dem gräulichen

Vorfall *H¹³* **84**,1 Gelegenheit] Gelegen[tlich]heit *H¹³* **84**,9 eilends] *über gestr.*

eilig *H¹³* **84**,19 weit] *mit Bleistift über der Zeile H¹³*   5

85,6 Er glaubte] *am rechten Rand neben gestr.* Er hatte bei verschiedenen Anlässen

neuerdings den dringendsten Verdacht geschöpft und heute glaubte er *H¹³*

85,7 eine *bis* Nolten] an Nolten *ursprünglich vor* eine ungewöhnliche *dann mit*

Schleife umgestellt H¹³ **85**,15 geschäftiglich] geschäftig *über der gestr. ersten Silbe*

von freundlich *H¹³* **85**,17 gegen den Garten] *über gestr.* zu *H¹³* **85**,20 glatt] *ge-*   10

strichen und unterpunktet H¹³ **85**,20.21 gespannten] *aus* ausgespannten *H¹³* **85**,23

sitzen konnte] *hinter gestr.* saß *H¹³* **85**,24.25 einer *bis* Beleuchtung] *am rechten*

Rand mit Verweisungszeichen neben gestr. dem Tuche *H¹³* **85**,25 Rollen] *über gestr.*

Partien *H¹³* **85**,26 und einigen Stühlen] *unter der Zeile mit Einweisungsschleife H¹³*

85,28 einige] *davor gestr.* immerhin *H¹³* **85**,29 stehende] *mit Bleistift über gestr.*   15

kleine *H¹³* **85**,32 diese] *aus* diesen *H¹³* Inconvenienz] *am linken Rand mit Verwei-*

sungszeichen neben gestr. Übelstand *H¹³* **85**,33 nemlich] *über der Zeile H¹³* **85**,35

muß] *davor gestr.* nun *H¹³* **86**,3 muß das Stichwort] muß *mit blauer Schleife wohl*

von Klaiber hinter das Stichwort *verwiesen H¹³* **86**,4 aber bleibt] *mit Umstellungs-*

ziffern aus bleibt aber *H¹³* **86**,18 gehn] *hinter gestr.* laufen *H¹³* **86**,19 Vorsatz] *aus-*   20

radiert und neu hingeschrieben H¹³ **86**,19.20 seit Kurzem] *gestrichen, aber unterpunk-*

tet, darüber gestr. schon eine Zeitlang *H¹³* **86**,22 einseitig schwebende] *am rechten*

Rand mit Verweisungszeichen H¹³ **86**,27 ist sie] sie *über der Zeile H¹³* **86**,28 von] *über*

gestr. mit *H¹³* **86**,31 kaum] *über der Zeile H¹³*

87,4 Hofrath] *davor gestr.* alten *H¹³* **87**,8 entgegen] höchst vergnügt entgegen *H⁵*   25

87,9 weit] weit genug *H⁵ dahinter gestr.* genug *H¹³* **87**,10 Käfig] Bauer *H⁵* alt-ver-

gilbten] *aus* alten vergilbten *H⁵* **87**,11 einem] *über der Zeile H⁵* **87**,12 Kommen]

hinter gestr. Ein⟨tritt?⟩ *H⁵* zerstreut] *davor gestr.* erschreckt *H¹³* **87**,13 schwazen]

plaudern *H⁵ am rechten Rand neben gestr.* plaudern *H¹³* **87**,13.14 das Trumm

schon wieder] [s *wohl* gleich] das Trumm wohl wieder *H⁵* **87**,14 Tage her]   30

über der Zeile H⁵ **87**,15 schwer] *davor gestr.* fiel *H⁵* Burschen] *davor gestr.* guten *H⁵*

87,16 Umgang] *aus* Umgangs *(Schreibfehler) H¹³* **87**,17 dumpfige] *über gestr.*

muffige *H⁵* saß] sitz' *H⁵* so] *über der Zeile H⁵* **87**,18 Ruhe] Stille *H⁵ Bleistiftzusatz*

am linken Rand mit Verweisungszeichen für gestr. Stille *H¹³* **87**,19 Töne] *dahinter*

gestr. vorerst H⁵ **87**,20 zu Filigran] wie Filigran *über der Zeile* H⁵ *zu hinter gestr.*
wie H¹³ **87**,20.21 und gleich] und *über gestr.* dann H⁵ **87**,21 seltsames] *hinter*
gestr. närrisches H⁵ **87**,22 hervor] *gestrichen und unterpunktet* H⁵ alle] [sich] alle
über der Zeile H⁵ schielte] *Bleistiftzusatz am linken Rand mit Verweisungszeichen* H¹³
nur] *dahinter gestr.* so H⁵ verstohlen] *über der Zeile* H⁵ **87**,23 sich] *gestrichen und*
unterpunktet H⁵ und] *fehlt* H⁵ **87**,24 Weile] *über Pause* H⁵ **87**,26 mein herzlicher
Schaz] *über gestr.* du liebliches Kind H⁵ **87**,26.27 Freund, ich bin zufrieden] *am*
linken Rand mit Einweisungsschleife H⁵ **87**,26 Freund] *davor gestr.* Guter H¹³ **87**,27
stille] *dahinter durch dicke Striche unleserlich gemachtes Wort* H⁵ **87**,28 Strophe] *mit*
Bleistift über der Zeile H¹³ **87**,28.29 in *bis* Ausdruck] *mit Umstellungsschleife aus* mit
komischem Ausdruck in einem greisenhaften Falsett H⁵ **87**,29 durch die Abend-
wolken hin] *gestrichen und unterpunktet* H⁵ **87**,31 seine sämmtlichen Lieder] *aus*
alle seine Lieder H⁵ hat] *gestrichen und unterpunktet über gestr.* kann H⁵ **87**,36 Kerl]
gestrichen und unterpunktet; darüber geschriebenes Bursche *gestrichen* H⁵ jedoch] *mit*
Bleistift über der Zeile H⁵ empfindsame] *aus* empfindsamen H⁵ nichts] *über gestr.*
was H⁵ **88**,2 Sie] *dahinter gestr.* mir H⁵ **88**,3 irgend] *unter der Zeile mit Einweisungs-*
schleife H¹³ **88**,4 heißt] *aus* heißen kann H⁵ Ei] *über der Zeile* H⁵ daß *bis* sich] daß
nun *(nun über der Zeile)* aber [nun] der Schuft sich H⁵ **88**,5 weiter hören] [ho]
weiter hören H⁵ **88**,10 Alte] Hofrath H⁵ zum Maler] zu Nolten H⁵ **88**,12 Nar-
ren] Kindskopf H⁵ *über gestr.* Kindskopf H¹³ sein Vergnügen] seine Freude H⁵ *aus*
seine Freude H¹³ **88**,14 künftig noch] künftig *über der Zeile* H⁵ künftig *mit Tinte,*
noch *mit Bleistift am rechten Rand mit Verweisungszeichen* H¹³ **88**,16–19 Nach *bis*
sehen] *auf Papierstreifen über dem zugeklebten älteren Text* »Nun aber«, fing der Hofrath wieder an, »noch eine [zweite] Neuigkeit, mein Lieber, die Sie [schon] wohl
etwas näher angehn dürfte als mein Hans. Hier, sehen H¹³ **88**,17 Hofrath] *über*
gestr. Alten H¹³ **88**,18 sicher] sicher [lich auch] H¹³ **88**,24 Lebens] *dahinter Komma*
durch Punkt ersetzt vor gestr. besonders H¹³ **88**,27 Anno 65] *am rechten Rand mit*
Verweisungszeichen H¹³ **88**,28 Dies] *davor gestr.* Bei dieser Gelegenheit nun wird
eine H¹³ **89**,2 entstellen] *aus* verstellen H¹³ **89**,15 Kuchen-Bäckerjungen] Kuchen
gestrichen und unterpunktet H¹³ **89**,36 abgezielt] *aus* abgesehen H¹³ **90**,1 in] *aus*
im H¹³ den Drillingen] *Bleistiftzusatz am rechten Rand mit Verweisungszeichen für*
gestr. Geizigen H¹³ **90**,2 Nachhausegehn] *aus* Hausegehn H¹³ **90**,3 nicht] *mit*
Bleistift über der Zeile H¹³ mit] *davor gestr.* nicht H¹³ **90**,13 ein Hauptwerth] *hinter*
Denn *(Zeile 12), dann mit Schleife umgestellt* H¹³ **90**,15 Sachen] *dahinter nach einem*

Komma gestr. Denkmünzen *H¹³* **90**,19 ganz] *gestrichen und unterpunktet, dahinter
gestr. völlig H¹³* den Künstler] *am rechten und linken Rand hinter gestr.* ihn *H¹³* dar-
um] *davor gestr.* um *H¹³* **90**,20 um so] *mit Blaustift von Klaiber geändert in* desto *H¹³*
90,21 um etwas vergrößert] *am linken Rand mit Verweisungszeichen H¹³* **90**,22 des
Alten. Dieser würde] *aus* des Alten, der *H¹³* **90**,24 haben] *dahinter gestr.* würde   5
H¹³ Nolten] *davor gestr.* der *H¹³*
90,27 endlich] *fehlt H⁶* **90**,30–34 Der Herzog *bis* gemacht.] *fehlt H⁶ am rechten
Rand hinter Verweisungszeichen zunächst mit Tinte, von großer an mit Bleistift H¹³*
90,33 so] *aus* solcher *H¹³* **91**,2 abgesonderten] abgelegenen *H⁶ aus* abgelegenen
H¹³ **91**,3 bestimmten] eingerichteten *H⁶ aus* eingerichteten *H¹³* Raume] Salon *H⁶*   10
Dies und Jenes zu probiren] *aus* dies und das probirten *H⁶* **91**,4 laut und] *am
rechten Rand H⁶* **91**,6 schlimm gefahren] *hinter gestr.* übel weggek⟨ommen⟩ *H⁶*
91,7 von Larkens] *hinter* Er hatte sich *(Z.6), dann mit Schleife umgestellt H⁶* Zweck]
davor gestr. Ende *H⁶* **91**,9 Unterdessen] Nun aber *H⁶* **91**,13 Fernande] Euphemia
H⁶ **91**,14 nun] denn [so] *H⁶* **91**,15 kam] *über der Zeile H¹³* **91**,15.16 um *bis* be-   15
grüßen] und man begrüßte sich vorerst kaum anders als in Form der allgemein-
sten Freundlichkeit *H⁶ am rechten Rand neben gestr.* und sie begrüßten sich im Tone
der allgemeinsten *H¹³* **91**,17 in *bis* Salon] *fehlt H⁶ am rechten Rand mit Verweisungszeichen H¹³* glänzende] *weit aussehende* glänzende *H⁶* **91**,18 indessen] in ihrem
ersten Theile *H⁶* für uns wenig Bemerkenswerthes] wenig Bemerkenswerthes   20
für uns *H⁶* **91**,21 schräge] *über der Zeile H⁶* ihr] *mit Bleistift über* mit Bleistift *gestr.*
dieser, *dahinter* [nur] *über gestr.* somit *H⁶* noch] *fehlt H⁶* **91**,23 so heiter] so heiter
[so heiter] *H¹³* sich] *dahinter gestr.* auch *H⁶* im Gespräch] *am linken Rand H⁶*
kehrte] *davor gestr.* in der Unter⟨haltung⟩ *H⁶* **91**,28 unterhalten] *am linken Rand
H⁶* **91**,29 eifriger] *hinter gestr.* leide⟨nschaftlicher?⟩ *H¹³* **91**,30 ganz] *mit Blaustift*   25
wohl von Klaiber gestrichen H¹³ **91**,32.33 Das *bis* verrauscht] Die Mahlzeit neigte
sich zum Schluß; drei Stunden waren schnell verrauscht *H⁶ mit Blaustift wohl
von Klaiber gestrichen H¹³* **91**,33 waren] *über der Zeile H⁶* **91**,33.34 und *bis* wurde]
und jezt der Caffee servirt wurde *am linken Rand mit Bleistift neben mit Bleistift
unterstrichenem, dann eingeklammertem* und man schon Miene machte aufzu-   30
stehen *H⁶* **91**,34 in *bis* herumgereicht] *Bleistiftzusatz am linken Rand mit Verweisungszeichen neben mit Bleistift gestr.* servirt *H¹³* **91**,35 hätte] *aus* hätten *H⁶*
92,1.2 wirklich getäuscht] *am linken Rand H⁶* **92**,2 des Polonius im Hamlet]
Hamlets *H⁶* des Polonius im] *am linken Rand vor* Hamlet *(aus* Hamlets*) H¹³*

92,4.5 an seinem Platze] *am rechten Rand mit Verweisungszeichen H⁶* **92,5** erhob
bis Theaterdirectors] erhob *hinter* Theaterdirectors *H⁶* erhob *hinter* Theaterdirectors, *dann mit Schleife umgestellt H¹³* gezierten] devoten *H⁶ Bleistiftzusatz am linken
Rand mit Verweisungszeichen für mit Bleistift gestr.* devoten *H¹³* **92,**11 womit] *über*
gestr. mit dem *H⁶* **92,**15 sind] *dahinter gestr.* sogar *H⁶* **92,**16 nach *bis* hier] *mit
Blaustift-Ziffern wohl von Klaiber geändert in* hier einmal nach Herzenslust in ganzen Farben auf gut Nürnbergisch *H¹³* hier] *am rechten Rand H⁶* **92,**18 bezeigte
sich] schien *H⁶ mit Bleistift über mit Bleistift gestr.* schien *H¹³* **92,**19 man] *über der
Zeile H¹³* **92,**23 ordentlichen] *fehlt H⁶* **92,**26.27 Weg und Steg] *mit Bleistift über gestr.* Schritt und Tritt *H⁶* **92,**28 ersannen] *mit Bleistift über* erdachten *H⁶* **92,**29 in-
sonderheit] *aus* besonders *H⁶* war] *aus* waren *H⁶ über der Zeile H¹³* **92,**29.30 hoch-
komischer] hochkomische *H⁶* **92,**30.31 aufgekommen *bis* sie] *am linken Rand mit
Verweisungszeichen neben gestr.* entstanden, die *H⁶* **93,**3 im] *aus* in dem *H⁶* **93,**4
östlich Neuseeland] zwischen Neu-Seeland und [M] Südamerika *H⁶* östlich] *Bleistiftzusatz am rechten Rand mit Verweisungszeichen für gestr.* zwischen *H¹³* Neusee-
land] *dahinter gestr.* und Südamerika *H¹³* **93,**5 Königreichs] *aus* Königreich *H¹³*
93,5.6 Dieselbe *bis* gelagert] *mit Bleistift am linken Rand* Dieselbe war *(über gestr.*
Sie lag) auf [einen] Felsgrund in einem großen herrlichen Landsee gelagert [und]
H⁶ **93,**6 Sie] *mit Bleistift gestrichen und unterpunktet H⁶* **93,**7 Hauptfluß] Haupt-
fluß des Eilands *H⁶* **93,**8 vorzügliche] *am linken Rand neben gestr.* besondere *H⁶*
93,9–**94,**3 Völker *bis* gerettet] *auf eigenem Blatt über dem zugeklebten älteren Text*
Völker. An merkwürdigen Kriegen und Abenteuern fehlte es nicht. Unsere Göt-
terlehre ähnelte in einzelnen Gestalten der Homerischen, schloß auch romantische Ingredienzien, wie die untergeordnete Welt der Elfen, Feeen, Kobolde
nicht aus, bewahrte aber doch eine gewiße Eigenthümlichkeit.

Orplid, ehemals der Augapfel der Himmlischen, zog sich im Lauf der späteren
Jahrhunderte den Zorn *(Zorn über gestr.* Haß) derselben zu [und mußte endlich
ihrem Zorn erliegen, als] als unter der Herrschaft des letzten vergötterten Königs
(als bis Königs am linken Rand) die alte Einfalt überall einer verderblichen Ver-
feinerung der Denkart mehr und mehr gewichen war *(mehr und mehr gewichen
war über gestr.* und der Sitten zu weichen begann). Ein schreckliches Verhängniß
raffte die lebende Menschheit dahin, selbst ihre Wohnungen sanken, nur das
Lieblingskind Weylas, [die] Burg und Stadt Orplid, durfte, obgleich ausgestorben
und öde, als ein traurig schönes Denkmal vergangener Hoheit stehen bleiben.

Die Götter wandten sich auf Ewig von diesem Schauplatz ab, kaum daß jene er-
habene Herrscherin ihm noch zuweilen einen Blick[e] vergönnte, und dieses auch
nur [um] eines einzigen Sterblichen halber, der einem höheren Rathschluß (Rathschluß *über gestr.* Willen) zufolge die allgemeine Zerstörung weit überleben sollte.
Es war dies eben jener (eben jener *über gestr.* der) letzte und mächtigste Fürst　　5
(Fürst *über gestr.* König), welcher gegen den Willen der Götter (gegen *bis* Götter
über gestr. kurz vor dem Ende der Dinge) die sämmtlichen Völker durch Waffen-
gewalt unter seinen Scepter gebracht.

In den neuesten (aus In neueren) Zeiten nun aber (nun aber *über gestr.* immerhin
nach einem Zwischenraum von bereits tausend Jahren) geschah's daß eine An-　　10
zahl Europäer, meistens Deutsche aus der arb[l]eitenden Klasse, auf einer See-
fahrt nach van Diemensland begriffen, mit ihrem Schiff bei unsrer Insel scheiterten und nothgedrungen sich darauf ansiedelten. Unter ihnen befand sich der
Schiffseigenthümer, ein braver Holländer, sodann mit Frau u.⟨nd⟩ Kind ein vor-
nehmer spanischer Flüchtling, Don Anselmo genannt, und ferner, gleichfalls　　15
mit Familie, ein englischer Gelehrter, Mr. Harry, dessen beste Habe, in einer
kleinen Bibliothek und kostbaren Instrumenten bestehend, nebst einem guten
Theil der übrigen Ladung, samt allerlei Werkzeug und Waffen gerettet *H¹³*

93,11 Gestalten] *dahinter gestr.* was *H⁶* **93**,12 Ingredienzien] *dahinter gestr.* nich⟨t⟩
H⁶ **93**,13 immerhin] doch *H⁶* **93**,15 vormals] ehmals *H⁶* **93**,15.16 zog *bis* zu]　　20
zog sich im Lauf der späteren Jahrhunderte den Haß ders.⟨elben⟩ zu *am rechten
Rand über* [ward ihnen verhaßt], *das Ganze neben gestr.* erregte ihr Mißfallen *H⁶*
93,16.17 als *bis* Sitteneinfalt] und mußte endlich ihrem Zorn erliegen, als die alte
Einfalt *H⁶* **93**,18 überall] *am rechten Rand neben gestr.* mehr und mehr *H⁶* Denkart wich] Denkart und der Sitten zu weichen begann *H⁶* **93**,20 in Staub] *fehlt H⁶*　　25
Burg] nemlich Burg *H⁶* **93**,23 von diesem Schauplatz ab] *mit Schleife aus* ab
von diesem Schauplatz *H⁶* **93**,24 noch zuweilen] *mit Umstellungsziffern aus* zuweilen noch *H⁶* **93**,25 der] *über der Zeile H¹³* **93**,26 Rathschluß] Willen *H⁶* mußte]
sollte *H⁶* **93**,27 eben jener] der *H⁶* Fürst] König *H⁶* **93**,27.28 gegen den Willen
der Götter] kurz vor dem Ende der Dinge *H⁶* **93**,28 mit] durch *H⁶* **93**,30 In *bis*　　30
geschah's] In (In *später eingefügt)* Neuerer Zeiten, immerhin nach einem Zwischenraum von beinah tausend Jahren geschah's *H⁶* **93**,31 Deutsche] *davor gestr.*
aus *H⁶* **93**,31.32 auf *bis* begriffen] *am rechten Rand mit Verweisungszeichen H⁶*
93,32.33 bei *bis* scheiterte] unweit (*über gestr.* an) der Küste unsrer (unsrer *über*

gestr. dieser) Insel scheiterten H⁶ scheiterte] *mit Bleistift aus* scheiterten H¹³ **93**,33
ansiedelte] ansiedelten H⁶ *mit Bleistift aus* ansiedelten H¹³ Unter] *davor gestr.* Ein
großer Theil der Ladung war H⁶ **94**,2 der] *unter der Zeile* H⁶ **94**,6 Die *bis* theils]
Die Leute richteten sich *am linken Rand mit Verweisungszeichen vor* Ihre Wohnsitze
[richt] theils H⁶ in] *hinter gestr.* unter H⁶ **94**,11 unterrichtet] *davor gestr.* auf H⁶
94,12 neben] *unter* H⁶ **94**,14 Jäger] *dahinter gestr.* fast ohne Umgang mit den
Leuten H⁶ **94**,15 Leben] Waldleben H⁶ führt; ein] führt. [Er ist] Ein H⁶ **94**,17
helle] *am linken Rand* nüchterne H⁶ *aus* hellen *(Schreibfehler)* H¹³ **94**,18 mein]
davor gestr. denn H⁶ **94**,20 Agaura] *mit Bleistift am linken Rand neben gestr.* Aslauga
H⁶ **94**,20.21 damit] *dahinter gestr.* da H⁶ **94**,21 Schöne] schöne [Frau] H⁶ **94**,22
Verbindung] Verbindung. *(Ende der Handschrift)* H⁶ **94**,31 schien] *hinter gestr.*
war H¹³ **94**,35 war;] *aus* war und H¹³ **95**,1.2 nebenbei *bis* lassen] *am linken Rand
mit Verweisungszeichen neben gestr.* auf ein Viertelstündchen in die Wirthschaft
zweier ausbündiger Schmutzbärte führen H¹³ **95**,8 Anderes] *aus* Anders H¹³
95,28 zweideutige] *davor gestr.* vertrau⟨liche⟩ H¹³ **95**,30 selbst] *mit Bleistift über
der Zeile* H¹³ **96**,1 auf dem Clavire] *am rechten Rand mit Verweisungszeichen* H¹³
96,8 Folgen] *mit Bleistift über der Zeile* H¹³
96,12–14: *daneben am rechten Rand mit Bleistift* Es werden nicht 14 Scenen gezählt.
Diese Bezeichnung findet nur statt, so oft ein eigentlicher Scenenwechsel (Orts-
Ansicht) [ist] eintritt. H⁴ **96**,15 Orplid mit der Burg] *über der Zeile* (mit der Burg
mit Bleistift) H⁴ rechts] *über gestr.* vorn H⁴ vom] *hinter gestr.* der H⁴ ist] *am rechten
Rand vor gestr.* wird soeben H⁴ **96**,23 denn] *fehlt* H⁴
96,26 Ja freilich, Kind. Hör an.]
Ja freilich Kind.

Löwener

Er meint, es müßten Riesen und Ungeheuer *(Ungeheuer über gestr.* Zwerge*)*
da [ge] *(am Zeilenschluß)* gehaust haben.

Sundrard

Hör' an. H⁴

96,28 der] *aus* dieser H⁴ **96**,28.29 Insel *bis* heißt] *durch Streichungen und Zusätze
geändert aus* Insel, was das Einhorn heißt, anlandeten H⁴ **97**,1 haus'te] wohnte H⁴
97,2 schon, wer weiß wie lange] *mit Bleistift aus* wohl schon tausend Jahre H⁴
97,5 Mein *bis* öfters] Mir hat mein Großvater oftmals *mit Bleistift über eingeklam-*

mertem Mein Vater hat mir oft *H⁴* **97**,6 hundert] 100 *über gestr.* achtzig *H⁴* **97**,7
Männer] *davor gestr.* Vornehme und Geringe *H⁴* **97**,7.8 er *bis* Jahren] *mit Bleistift*
gestrichen er selbst ein Junge von zehn Jahren *H⁴* **97**,8 zu] *über der Zeile H⁴* **97**,10
Wachsthum] herrlichen Wachsthum *H⁴* **97**,11 großen] *davor am linken Rand*
gestr. den *H⁴* **97**,12 dazu *bis* Vögel] *aus* zusamt das edle Wild, dazu Vögel *H⁴*   5
97,13 seien sie herumgezogen] *aus* zogen sie herum *H⁴* kreuz und quer] *hinter*
gestr. die *H⁴* **97**,14 klaren] spiegelklaren *H⁴* **97**,15 recht] *davor gestr.* welches *H⁴*
97,15.16 ja *bis* anzusehn] fast wie die Kron[e] der grauen Zackenblume anzusehn
(anzusehn mit Bleistift aus ausgesehn) *H⁴* **97**,17–19 Etliche *bis* See] Etliche [mit
Kähnen darauf zugefahren] *daneben am linken Rand Bleistiftnotiz mit Verweisungs-*   10
zeichen von ihnen auf der schmalen Landzunge vordrangen, die dort alswie ein
langes Horn *(alswie bis* Horn *aus* wie eine Brücke) hereingeht in den See *H⁴*
97,19 ganze] *über gestr.* wundersame *H⁴* gewaltigen] wundersamen *H⁴* **97**,20
und Thürmen] u.⟨nd⟩ *gestrichen H⁴* **97**,22 an] in *H⁴* regnete] *aus* geregnet *H⁴*
97,23 und] *dahinter gestr.* Ta⟨g⟩ *H¹³* tagte] Tag ward *H⁴ aus* Tag wurde *H¹³* **97**,24   15
ärger] *hinter gestr.* grö⟨ßer⟩ *H¹³* krähten] kräheten *H⁴* **97**,25 kein Wagen] *davor*
gestr. kein Wächterhorn *H¹³* **97**,26 von] *über der Zeile H⁴* **97**,29 in] *über gestr.*
durch *H⁴* **97**,30 sahn] *davor gestr.* in die *H⁴* sich] *über der Zeile H¹³* **97**,31.32 den
eigenen Fußtritt] *aus* des eigenen Fußtritts *H⁴* **97**,32 noch] *gestrichen H⁴* **97**,34
rührte] regte *H⁴* sich] *über der Zeile H¹³* **98**,3.4 welche Zeitenlänge] was für eine   20
Zeit *H⁴* **98**,5 dabei] *dahinter gestr.* zu M⟨ut⟩ *H⁴* **98**,7 wohnen] *dahinter gestr.*
denn *H⁴* neuen Leute fast alle] *gestrichen H⁴* **98**,8 an *bis* herum] am Ende der
Stadt *H⁴* und] *über der Zeile H⁴* nicht] *dahinter gestr.* oben *H⁴* **98**,8.9 großen und]
über der Zeile H⁴ **98**,11 vom Anfang an] von Eltern her *H⁴* **98**,14 jetzt hausen]
hausen *mit Bleistift über gestr.* wohnen *H⁴* vermuthlich] *hinter gestr.* wahr⟨schein-*   25
lich⟩ *H⁴* **98**,15 die Hütten] *fehlt H⁴* **98**,15.16 der Schiffer und Fischer] *am rechten*
Rand; der mit Bleistift gestrichen und unterpunktet H⁴ **98**,18 Nachbar,] *über der*
Zeile H⁴ Abends] *davor gestr.* noch *H⁴* **98**,19 im Zwielicht] *am rechten Rand als Er-*
satz für gestr. spät *H⁴* Gassen] *davor gestr.* leeren *H⁴* **98**,20 hin] *über der Zeile H⁴*
98,20.21 wo *bis* klopft] *später eingefügt über radiertem Bleistifttext ähnlichen oder*   30
gleichen Wortlauts H⁴ **98**,21 an] *über der Zeile H¹³* **98**,22 mächtigen] *davor gestr.*
zugespitzten *H⁴* **98**,23 schluckt'] schluck' *H⁴* Strahl] *davor gestr.* warmen *H⁴*
98,27 der Engelländer] *über der Zeile H⁴* **98**,29 es] *aus* Es *H¹³* **98**,30 Stunden-
zahlen] *davor gestr.* Zei⟨chen⟩ *H⁴* **98**,31 sonst, und] *über der Zeile H⁴* **98**,32 zumal]

über der Zeile H⁴ denn schon] *über der Zeile H⁴* **99**,3–23: *auf angeklebtem Blatt mit*
Verweisungszeichen nach Wiederholung der Wörter der alte Harry war (*Z. 2*) *H⁴*
99,3 LÖWENER] *am rechten Rand mit Verweisungszeichen H¹³* **99**,4 er] *mit Bleistift*
über der Zeile H⁴ **99**,7 Wer wären die] Wen meint Ihr *H⁴* **99**,9 Wer] Wen *H⁴*
99,10 große Sturm] Seesturm *H⁴* **99**,11 die] doch unsre *H⁴* doch auch nachträg-
lich] nachträglich auch *H⁴* **99**,14 Branntweinzapf] zapf *mit Bleistift H⁴* **99**,17 her-
um] herum und *H⁴* alte] *aus* altes *H⁴* **99**,17.18 kupferne Krüge] *über gestr.* einen
erzenen Krug mit etwas Bildwerk v.⟨om⟩ Feuer halb verkohlt *H⁴* **99**,18 Lanzen]
unter gestr. Spieße *H⁴* **99**,19 und Gold] oder Gold *H⁴* **99**,24 LÖWENER] *nachträg-*
lich eingefügt H¹³ **99**,28 Gespenst!] Gespenst! Wie ich dir oft versicherte. *H⁴* heid-
nische uralte] *über gestr.* tausendjährige *H⁴* **100**,8 Es] *davor gestr.* Du bist gar bald
fertig (fertig *unter der Zeile*) mit allem, Schmied. *H⁴* König] alten König *H⁴ davor*
gestr. alten *H¹³* **100**,11.12 eisern *bis* Haaren] *gestrichen und unterpunktet H¹³*
100,19 gar alt] uralt *H⁴* trocken] *davor gestr.* halb *H⁴* **100**,20 das Meer.] *gestri-*
chen, aber unterpunktet nach Streichung des darüber geschriebenen der See *H⁴* **100**,21
Masten und Kiel] [Die] Masten und [der] Kiel *H⁴* abgebrochen] gebrochen *über*
der Zeile am Zeilenende H⁴ **100**,22 und der innere Wohnraum] *über der Zeile H⁴*
100,23 stark und fest] *unter gestr.* der ist (ist *über gestr.* sey) so fest *H⁴* **100**,23.24
Riesenmuschel] *dahinter gestr.* geräumig wie ein klei⟨ner?⟩ *H⁴* **100**,24 ist] *über*
der Zeile H⁴ **100**,26 Es wird] es wird *über gestr.* ist schon *H⁴*
101,2 Im] *davor gestr.* Ger *H⁴* **101**,3 ANSELMO] Anselmo, der Jäger *H⁴* **101**,6 Und]
über gestr. Dann *H⁴* **101**,7 der Woge] *aus* den Wogen *H¹³* **101**,10 kaum] *über*
gestr. nicht *H⁴* **101**,13 Jahrhunderte schon] *über gestr.* an tausend Jahr *H⁴* **101**,15
hunderte nur erst] erst nur Hunderte *über gestr.* tausend erst einmal *H⁴* **101**,16
so viele tausend] auch so viel (so viel *über gestr.* aber) tausende *H⁴* **101**,20 höher
stets, der Bahn des Mondes zu] hoch und höher, nach des Mondes Bahnen zu *H⁴*
der Bahn des Mondes] *aus* des Mondes Bahnen *H¹³* **101**,23.24 Wort Dem] Wort
Dem *H⁴* Wort, Dem *H¹³* **101**,27: *am unteren Rand mit anderer Tinte hinzugefügt*
über gleichlautendem Bleistifttext H⁴ **101**,28: *mit Bleistift am oberen Rand über einge-*
klammertem Zuweilen ahnet mir, er sey ein Gott: *H⁴* **101**,31 Agaura] *mit Bleistift*
über gestr. Aslauga *H⁴* **101**,34–**102**,1 (Ach *bis* bereun!)] *am linken Rand H⁴* **102**,2
Agaurens] *mit Bleistift über gestr.* Aslaugens *H⁴* **102**,11 Meer] *davor gestr.* du *H⁴*
103,3 so] *über gestr.* die *H⁴* **103**,6 ANSELMO] *links davor am Zeilenanfang ein* D (*offen-*
bar wollte Mörike ohne Sprecherwechsel fortfahren, bemerkte aber noch rechtzeitig den Irr-

tum) H⁴ **103**,10 in] *aus* ein *(Schreibfehler)* H⁴ **103**,14 mit allem Fleiß] ohn' Unter-
laß H⁴ **103**,18 oft] *darüber wohl* H⁴ betreten] *aus* betrat H⁴ **103**,26 Marmorstufen]
davor gestr. breiten H⁴ *davor gestr.* br⟨eiten⟩ H¹³ **103**,31 fünf] 5 *über gestr.* sechs H⁴
103,32 Daselbst] *am linken Rand neben gestr.* Rastlos H⁴ **103**,33 wüsten] *unter
gestr.* alten H⁴ **104**,8 Nicht] Nic *links am Zeilenanfang hat Mörike gestrichen und in
der Zeilenmitte neu mit* Nicht *begonnen* H⁴ **104**,13 offenbart] *aus* offenbarten H⁴
104,16 Dereinst] *am linken Rand* H⁴ entwirrt] *aus* Entwirrt H⁴ **104**,17 Nid-Ru-
Haddin] *mit Bleistift aus* Niddru-Haddin H⁴ **104**,19 gekommen] *mit Bleistift hinter
eingeklammertem* vorhanden, *dieses über* erfüllet H⁴
104,22.23 Gruft *bis* heißt]

Gruft,

[Auch meinen Schlüssel nahmen sie hinweg

Die Himmlischen und warfen ihn ins Meer

Anselmo *(über gestr.* Ulmon*)*

Herr, welchen Schlüssel?]

Ulmon

[der zum Grabe führt

Der Könige.] – – Still doch! ich sinne sinne *(das zweite* sinne *mit
Bleistift über der Zeile)* was. Wie heißt *(*Wie heißt *mit Bleistift am
rechten Rand)* H⁴
104,24 Der alte Götterspruch] [Wie heißt] der alte Götterspruch *(*Götterspruch
mit Bleistift aus Spruch*)* H⁴ **104**,25 mir, und an dem Tag] mir und drauf am Tag
H⁴ **104**,28 wenn es der Morgen regt] bevor der Morgen kommt H⁴ die Wörter
wenn es *und* regt *sind mit Bleistift über Rasur eingefügt* H¹³ **105**,7–32: *auf unten angeklebtem Blatt* H⁴ **105**,7 soll] *über gestr.* dann H⁴ **105**,9: *über eingeklammertem*
Des Ausgangs harr ich. Hast du wohl gehört, o Mann? H⁴ **105**,10 füllen] sättigen
H⁴ *über gestr.* sättigen H¹³ **105**,15 Ulmon] *darüber und davor gestr.*

Der heilgen Jungfraun eine trat einmals

Im Tempelhain, von Weyla selbst gesendet,

Zum König, sprechend: Ulmon hüte sich,

Daß Weissagung ihn nicht verderben möge. –

Und H⁴

dritte] drit *mit Bleistift über Rasur vor* te *eingefügt* H¹³ **105**,16 lebte] *aus* lebend H⁴

105,18 Und] *darüber mit Bleistift gestr.* Doch *H⁴* **105**,20.21 sich *bis* hielt] *über*

gestr. zu gleichen sich Vermaß *H⁴* **105**,21 sein Volk] *am rechten Rand H⁴* **105**,22–25

Da *bis* ließen sie]

       [Da] [Sein Volk] Da zürnten sie und tilgten

5   In Feuersgluth und Dampf die Menschheit alle

       Auf Orplid aus. Ihn aber ließen sie *H⁴*

105,28 zu] *fehlt H⁴* **105**,29: *darüber gestr.*

       Nicht weiß er drum, ob wolkenhoch ein Berg

       Ob noch ein winziger Hügel *H⁴*

10 jetzo] *aus* jetzt *H⁴* **105**,31: [Die Zeit,] ob nicht ein winziger nur die Zeit *H⁴*

106,1 ANSELMO] *hinter gestr.* Ul⟨mon⟩ *H⁴* **106**,2 Belehre mich, o Herr] *über gestr.*

Lehr mich's, o König *H⁴* **106**,4 Verhüt' es Weyla] *mit Bleistift aus* Das verhüte

Weyla *H⁴* **106**,5 nenne, was zu denken] *mit Bleistift aus* nennt, was auch zu den-

ken *H⁴* **106**,8 Wohl hab' ich eins] Ich habe eins *H⁴*

15   **106**,22 sie] die *H⁴* **106**,23: *darüber gestr.* Hat doch stets besondre Nester *H⁴*

106,24 bis auf zwei] *über gestr.* außer Morry und Weithe *H⁴* welche] die *H⁴* **107**,7

thut] *dahinter gestr.* sie *H⁴* **107**,9 ist] *fehlt H⁴* **107**,15 schlimm] [frech] *über* [dumm],

am rechten Rand mit Bleistift frech/schlimm *(ohne endgültige Entscheidung) H⁴* **107**,21

wohl] *mit Bleistift über* doch *H⁴* **107**,25 gehn wir] laß uns *H⁴ über gestr.* laß uns *H¹³*

20   **108**,8: *darüber gestr.* Weithe *H⁴* doch] *über der Zeile H⁴* **108**,14: *darüber gestr.*

Vierte Scene *H⁴* **108**,21: *unter gestr.* Ulmon *über gestr.* Vernehm ich doch die wun-

derbarsten Stimmen *H⁴* **108**,25: *darüber gestr.* Thereile *H⁴* **108**,27 lichte] *links*

über gestr. weiche *H⁴* **108**,28: *darunter (notiert am rechten Rand und mit Einweisungs-*

schleife zugeordnet) gestr.

25   Zum Sternenklang

       Und fleißig mit Gesang

(Und fleißig mit Gesang *mit anderer Tinte) H⁴* **108**,29: *darunter quer durchgestri-*

chen, aber wiederhergestellt

       Ulmon

30   O holde Nacht, du gehst mit leisem Tritt

       Auf schwarzem Sammt, der nur am Tage grünet,

       Und luftig schwirrender Musik bedienet

       Sich nun dein Fuß zum leichten Schritt

       Womit du Stund um Stunde missest,

Dich lieblich in dir selbst vergissest, –

Du schwärmst, es schwärmt der Schöpfung Seele mit!

(Thereile legt sich auf den Rasen.) [Der Ko] *H⁴*

108,31 langen Stille] *mit Bleistift über gestr.* Pause *H⁴* **109**,1 Was *bis* ihn] Warum

kommt mir's jetzt in Sinn *H⁴*   5

109,4–10: *auf eigenem Blatt über dem zugeklebten älteren Text*

Da gab es diesen Ton. – – Ein König einst,

Ulmon mein Name, Orplid hieß dies Land.

Ich kenne diese Worte kaum, ich staune

Dem Klange dieser Worte – Unergründlich   10

Klafft's da hinab – O wehe, schwindle nicht!

Die edle Kraft der Rückerinnerung

Ermattete nur in dem tiefen Sand

Des langen Weges, den ich hab' durchmessen.

Oft aber, wenn durch jähe Wolkenrisse   15

Ein flüchtges Blitzen mir den alten Schauplatz

Versunkener Tage wundersam erleuchtet,

Dann seh ich auf dem Throne einen Mann

Von meinem Ansehn, und mir fremd dennoch;

Ein glänzend Weib an seiner Seite sitzend –   20

Halt an, o mein Gedächtniß, halt ein wenig!

[Es thut] Das schöne Bild begleitet Hand in Hand

Den König durch die Stadt u.⟨nd⟩ zu den Schiffen.

– War es nicht so? – – Vielleicht ist alles Trug

Und Traumgebild und ich bin selber Schein. *H⁴*   25

109,9 eine] *mit Bleistift über der Zeile H⁴* Frist] *mit Bleistift über* Zeit *H⁴*

109,12 Geschrei! Was]

Geschrei!

[Fünfte Scene.

Vorige. Die Kinder]   30

Was *H⁴*

109,18–23 Höre *bis* Als] *auf Papierstreifen über dem zugeklebten älteren Text* Höre nur.

Erst konnten wir sie gar nicht finden; wir rannten gute neun Elfenmeilen bis

zum Brullasumpf [be] und hohlen Stein, wo sie sich immer gern versteckt *(Stein*

bis versteckt *durch den Leim der Überklebung weitgehend zerstört und fast unleserlich*
geworden). Auf einmal steht Windigall still *H¹³* **109**,18 Höre nur!] *über mit Blei-*
stift eingeklammertem Ach Schwester, schau. *H⁴* **109**,19 neun] *davor gestr.* zehn *H¹³*
bis zum Brullasumpf] *am rechten Rand H⁴* **109**,20 und *bis* Stein] und stöberten

5   im Schilf herum *H⁴* **109**,21 Auf einmal steht] Auf einmal an dem Felsen *(*Felsen
mit Bleistift aus Fels) wo das Gras *(*wo das Gras *am rechten Rand)* aus den *(*aus den
mit Bleistift über gestr. wo) mosigen Löchern wächst, steht *H⁴* Windigal stille] Talpe
still *H⁴* **109**,23 ein] *über der Zeile H¹³* **109**,24 grausam] *davor gestr.* star⟨ker⟩ *H⁴*
109,25 so] als so *über der Zeile H⁴* **109**,25.26 schwenken *bis* ihm] von ihm schau-

10 keln *H⁴* **109**,27 MORRY] Morry (die mit Windigall kommend herzutritt) *H⁴*
109,28 Er *bis* Schwester] Ei, Schwester, ich weiß schon (schon *mit Bleistift über mit*
Bleistift gestr. wohl), das ist der Riesenmann *H⁴* Riesenmann] Riesemann *H¹³*
109,31 verwegne] ver[ge]wegne *H⁴* Ding] *über gestr.* Kind *H⁴* **109**,31.32 Sagt' ich
euch nicht] Weißt du nicht *H⁴* **109**,32 gerne] *am rechten Rand H⁴* **109**,33 fressen]

15 *hinter gestr.* schmausen *H⁴* **110**,1 MORRY] *über gestr.* Windigal *H⁴* **110**,2.3 so unter
der Sohle] *mit Bleistift aus* unter seiner Sohle so *H⁴* **110**,4 freundlich] gütig *H⁴*
110,11: *darunter gestr.* Pfuldaraddada!–!–! *H⁴* **110**,11 *Olla la*] *Olla la [la] H⁴*
110,14 Seid *bis* zufrieden] Seid stille! Seid doch ruhig! *H⁴* **110**,15 steigt *bis* abwärts]
durch Streichungen und Zusätze geändert aus wendet sich thalabwärts *H⁴* Horcht!]

20 Horch! – Horcht! *H⁴* **110**,19 schon ganz hinten] noch, ganz hinten *H⁴* **110**,22
ist's] s *hinter dem Auslassungszeichen gestrichen und unterpunktet H⁴* Auf!] *davor gestr.*
Kommt! *H⁴* **110**,25 langes] *mit Bleistift über eingeklammertem* großes *H⁴* herbei
und stellen] *aus* herbei; Morry und sie stellen *H⁴* **110**,26.27 einer Art von] *aus*
einem klingenden *H⁴* **110**,27.28 die Blumenkette] *mit Bleistift über gestr.* den

25 Feston *H⁴* **110**,28 ihr] *mit Bleistift aus* ihm *H⁴* hindurchschlüpft] hin *mit Bleistift*
gestrichen H⁴ im Vorübereilen] *am rechten Rand* im Vorübergleiten *H⁴* **110**,32 O,]
Ha! *H⁴* O *über gestr.* Ha *H¹³* **111**,6 Doch *bis* alle] *gestrichen und unterpunktet H⁴*
111,7 hundert] tausend *H⁴* **111**,12: *darunter eingefügt und wieder gestrichen* Trollt
euch! Und bleibet mir ja schön beisammen alle. *H⁴* **111**,13: *darüber mit Bleistift*

30 *eingefügt und wieder gestr.* Sechste Scene *H⁴* **111**,21 eitlem] *über wildem H⁴* **111**,22
Um Solcherlei als] *am linken Rand neben gestr.* Um solche *(unter* solche *gestr.* schnöde)
Lust, die *H⁴* **111**,23 nicht] *dahinter gestr.* doch *H⁴* **111**,26 recht] *mit Blaustift wohl*
von Klaiber geändert in Recht *H¹³* **112**,3 lohnt es sich] *mit Rotstift geändert in* lohnts
H⁴ **112**,4 Als] *dahinter gestr.* wollt ich *H⁴* **112**,5 Ulmon] Der König *H⁴* **112**,6:

darüber mit Bleistift eingefügt und wieder gestr. Siebente Scene *H⁴* **112**,8.9 Gesprochen *bis* nicht] *mit Bleistift am linken Rand und über der Zeile als Ersatz für mit Bleistift gestr.*

> O Lügner, Lügner. – Schau mir ins Gesicht!
>
> Sprich frei und frech, du liebst Thereile nicht! *H⁴*   5

112,13: *darunter gestr.*

> Hätt' ich den Hunger eines Tigers nur,
>
> Dein falsches Blut auf Einmal auszusaugen!
>
> Ha, triumphire nur, du Scheusal der Natur,
>
> Ich seh es wohl, allein mit blinden Augen *H⁴*   10

112,14 Und] Doch, *H⁴* **112**,19: *darunter gestr.*

> Oft in der Miene seines Angesichts
>
> Ahnt' ich schon halb mein kommendes *(kommendes*
>
> *über* jetziges*)* Verderben.
>
> Ich hatte Wunden, und *(und mit Bleistift über gestr.* doch*)*   15
>
> sie thaten nichts:
>
> Da ich sie sehe, muß ich daran sterben! *H⁴*

112,20 VIERTE] *mit Bleistift über gestr.* Sechste *H⁴* **112**,22 gewesener] *über der Zeile H⁴* allein *bis* Stuhl] (allein, steht schlafend an die Wand gelehnt) *H⁴* schlafend] *davor gestr.* steht *H¹³* **112**,25 das] *mit Bleistift über der Zeile H⁴* **112**,26 gähnend] *fehlt H⁴*   20 **112**,27 Hab' da geschlafen wieder! –] Wieder [einmal] geschlafen *H⁴ mit Bleistift am linken Rand H¹³* **112**,28 kommen] *über gestr.* da seyn *H⁴* **112**,29 ich nicht recht-] ich besoffen bin. *H⁴* **112**,31 herein] *dahinter gestr.* durchaus mit Affektation *darüber mit Rotstift gestr.* Er spricht sehr schnell *am rechten Rand daneben mit Rotstift gestr.* u.⟨nd⟩ etwa im Berliner Dialekt *H⁴* **113**,4 die] *über der Zeile H¹³*   25 *mit denen sie] am rechten Rand hinter eingeklammertem* womit das Schwesterpaar *H⁴* **113**,5 in die] *mit Bleistift über* zur *H⁴* schaffen] *mit Bleistift am rechten Rand hinter gestr.* zu bringen pflegt *H⁴* im Auftrag] *über* als chargé d'affaires *zwischen senkrechten Strichen H⁴* **113**,12 das] *mit Bleistift über der Zeile H⁴* **113**,13.14 mein Liebling] *gestrichen und unterpunktet H⁴* **113**,15 auf] *hinter gestr.* saß *H⁴* saß] *über der*   30 *Zeile H⁴* **113**,17.18 von dem Continent] von [Europa] Continent *über der Zeile H⁴* **113**,19 das] *aus* was *H¹³* **113**,28 Nun] *mit Bleistift über gestr.* Eh *H⁴* **113**,29.30 Coco's und] Cocos, *H⁴* **113**,30 drei] *über gestr.* zwei, *hinter* zwei *ein G am Zeilenende H⁴* Stück] *mit Bleistift am linken Rand vor* Gazellenfelle *H⁴* **114**,2 Fünf Maß] 5 Maß *über gestr.* Zwei Ohm *H⁴* mir] *über der Zeile H⁴* **114**,4 Ja] *am linken Rand vor gestr.*

Wohl, *H⁴* ja] *über gestr.* ganz *H⁴* **114**,5 Geschäftchen] Geschäftchen, Bruder, *H⁴*

114,13 Warum?] *davor zwei dick durchgestrichene, unleserlich gewordene Wörter*

über gestr. Nun, *H⁴* **114**,13.14 Europa, wie zu hoffen, wiedersehen] Europa wie

zu hoffen doch *(zu hoffen doch mit Bleistift am rechten Rand)* ⟨wie⟩dersehen sollten

(das am Zeilenende ohne Trennungsstrich stehende wie *hat Mörike für den Zusatz* zu

hoffen doch *und versehentlich zugleich als Anfangssilbe von* wiedersehen *verwendet)*

H⁴ **114**,14 ohne das] *am rechten Rand hinter gestr.* außerdem *H⁴* **114**,17 sollst du]

du sollst *H⁴* **114**,19 im Moment] AU MOMENT *über gestr.* jeden Augenblick *H⁴*

114,19.20 mein *bis* Kamm] das Zahnbürstchen, wo der Kamm *H⁴* **114**,20.21

thäte noth] *dazwischen über der Zeile gestr.* wohl *H⁴* **114**,21 eben] *über der Zeile H⁴*

114,22 Wäsche] Wasch[e] *H⁴* **114**,24–29: *auf Papierstreifen über dem zugeklebten*

älteren Text

Gumbrecht

Was ist es mit [dem Hafen? Was hast du in] dem großen Hafen da?

Wispel

Ein Schmalztöpfchen, Bruder, mit etwas Parfum von meiner Composition *(mit*

bis Composition *über der Zeile).* [Ich habe es neulich von Franz dem Fleischer,

anstatt der vierteljährigen Barbier-Gage stipulirt, die Haare damit zu pfle-

gen.] Ohne irgend eine Pomade zu sein, es ist mir einmal nicht gegeben. *H¹³*

114,24 Hafen da] Hafen? Was hast du in dem großen Hafen da *H⁴ davor gestr.*

großen *H¹³* **114**,27 Schmalztöpfchen] chen *gestrichen und unterpunktet H⁴* **114**,27.28

Bruder *bis* Composition] Bruder. Ich habe das [Näpfchen] [Töpfchen] es *(es mit*

Rotstift am rechten Rand) neulich von Franz, dem Fleischer anstatt der vierteljähri-

gen Barbier-Gage stipulirt, die Haare damit zu pflegen *(pflegen über gestr.* befet-

ten*) H⁴* **114**,29 leben] seyn *H⁴* mir] *dahinter gestr.* nun *H⁴* **115**,2 Nicht doch] Nicht

doch [nicht doch] *über gestr.* TOUT DOUX, TOUX DOUX *H⁴* dich.] dich – wie so? *H⁴*

115,3 MON DIEU] *dahinter gestr.* – Ich denke, wir empfangen sie möglichst vorerst

(möglichst vorerst über gestr. zuerst*)* beim Gastwirth unten. *H⁴* **115**,5 Wetter!]

Herr Gott *gestrichen und unterpunktet H⁴* dieses] *aus* dieser *H⁴* **115**,9 mustern?]

mustern, [bevor die Mädchen kommen]. *H⁴* an.] *dahinter gestr.* Du bringst uns

beide in den größten EMBARRAS. Und *H⁴* **115**,9–12 Wenn *bis* Charles] *Bleistiftzu-*

satz am linken Rand mit Verweisungszeichen Wenn sie uns überraschten [welch ein

EMBARRAS] – Überhaupt ich dächte wir empfingen sie vorerst am schicklichsten

unten beim Gastwirth, da man ihnen doch wohl *(wohl über der Zeile)* etwas zum
RAFRAICHISSEMENT *(Erfrischung über* RAFRAICHISSEMENT*)* vorsetzen muß.

Charles *H⁴* **115**,12 Charles,] *am linken Rand mit Verweisungszeichen H¹³* **115**,13
wenn] *aus* Wenn *H¹³* **115**,14 präsentirten] präsentiren *H⁴* **115**,24 müßte] *hinter
gestr.* dürfte, *dieses über gestr.* sollte *H⁴* **115**,25 Amaryllis] *über der Zeile hinter einem* 5
durch dicke Striche unleserlich gewordenen Wort H⁴ **115**,27 nicht] *hinter gestr.* doch
und vor gestr. auch *H⁴* und dergleichen] etc. *H⁴* **115**,28 nie] im Leben nie *H⁴*
115,28.29 gesehn; als ich daher begann] gesehn. Als ich [nun] begann *(Als bis
begann am linken Rand mit Verweisungszeichen neben gestr. Da ich anfing) H⁴* **115**,29
daher] *davor gestr.* sofort *H¹³* Mechanism] Mecanism *H⁴* **116**,1 hätten] *über gestr.* 10
wollten *H⁴* todt gelacht] *aus* zu Todt lachen *H⁴* **116**,2.3 augenscheinlich inter-
essirte] *mit Umstellungsziffern aus* interessirte augenscheinlich *H¹³* **116**,3 sie] *aus*
sich *H⁴* äußerte] *davor gestr.* endlich *H⁴* **116**,7 seinen Rock auszubürsten] *aus* an
seinem Rock zu bürsten *H⁴* er wäscht sich usw.] *Bleistiftzusatz am linken Rand mit
Verweisungszeichen H⁴ am rechten Rand mit Verweisungszeichen H¹³* **116**,9 Colonie] 15
dahinter gestr. besorgt *H⁴* **116**,11 unter] [u.⟨nd⟩] in *H⁴* **116**,20 GYMNASE] *davor
gestr.* Gym *in deutscher Schrift H⁴* **116**,21 dem] *davor gestr.* einem *(einem über der
Zeile)* so rasch⟨en?⟩ *H⁴* **116**,28 Momente] über MORCEAUX – *dahinter in Klammern*
gleichsam die Knotenpunkte der Geschichte *H⁴* **116**,31 etwas] *dahinter über der
Zeile aus* dieser *H⁴* **117**,2 Guet] *davor gestr.* Mnja *H⁴* **117**,4 Beifall] *hinter gestr.* 20
Anklang *H⁴* erst] [nur] erst, [etwa] *H⁴* Professor] *aus* PROFESSEUR, *dahinter gestr.*
DES SCIENCES EUROPÉENNES *H⁴* **117**,7 getroffen.] *dahinter gestr.* Melanippe, die
sanfte theilt mein Glück. *H⁴* Und, Bruder, du] Und, [Zarges], Bruder [Zarges] du
H⁴ **117**,12 du müßtest] *über gestr.* daß du *H⁴* **117**,12.13 als genießender Mensch]
Bleistiftzusatz am linken Rand mit Verweisungszeichen H⁴ **117**,13 ein] – [doch] ein *H⁴* 25
bischen] bißchen – [zusammennimmst] *H⁴* **117**,16 WISPEL] *dahinter mit Bleistift*
(nach einer Pause) *H⁴* **117**,17 Mädchen. Sie] Wesen.

Gumbrecht

[Das CORPUS wär recht.]

Wispel 30

Sie *H⁴*

117,18 etwas] *gestr. H⁴* Fülle] [DE] L'EMBONPOINT *mit Bleistift über gestr.* Relief *H⁴*
117,19–21: *mit Bleistift H⁴* **117**,20 sich] *dahinter gestr.* stückweise *H⁴* darin] *über*

der Zeile H⁴ **117**,22 Erinnerst] *am Beginn einer neuen Zeile, darüber mit Bleistift* Wispel

H⁴ **117**,27: Engelgleich *(über gestr.* Anmuthvoll*)* in ihrem Daunenbette *über*

[Eingehüllt in ihre Daunenfeder] H⁴ **117**,29.30: *am rechten Rand neben gestr.*

PENDANT QUE SOUS SA FENÊTRE H⁴ **117**,29 ach] *über gestr.* hier H⁴ **118**,7 von]

5 *dahinter in Klammern* Johannes Minckwitz seyn H⁴ **118**,8 triefen ja ganz] werden

ja starr wie ein Seil H⁴ **118**,9 Blechhaube!] Blechhaube – du leertest ja den hal-

ben Topf! H⁴ **118**,14 eben] diesen Moment H⁴ **118**,18 ein Tuch, ein Handtuch

her!] ein Handtuch her, ein Tuch! H⁴ **118**,20 So, so, so] So. So. So. [So.] H⁴ ja]

dahinter gestr. schon H⁴ **118**,20.21 übrigens] *fehlt* H⁴ *über der Zeile* H¹³ **118**,21 eine

10 Reihe] ein halb Duzend H⁴ *mit Bleistift aus* ein halb Duzend H¹³ **118**,25 Ver-

wünscht] um Gotteswillen H⁴ **119**,6 Boshaftes] *hinter gestr.* Der Buchdrucker

grunzt H⁴ **119**,15 WIRTH] *dahinter gestr.* (zögernd) H⁴ **119**,18 GUMPRECHT] Gum-

brecht *vor gestr.* Buchdrucker H⁴ **119**,20 Er geht] Geht [ab] H⁴ Thüre] Thür

fest H⁴ **119**,22 AH TRAÎTRE! INGRAT! MAIS] *am linken Rand* H⁴ **119**,23 PAS] *da-*

15 *hinter gestr.* ENCORE H⁴

119,24 FÜNFTE] *mit Bleistift am linken Rand vor gestr.* Siebente H⁴ **120**,12 die grüne

Landschaft] dieß grüne Eiland H⁴ die] *aus* dies H¹³ **120**,14 lichten] hellen H⁴

120,16 grauen] *gestrichen und unterpunktet* H⁴ **120**,17 ab] flieht H⁴

120,18 SECHSTE] *mit Bleistift vor gestr.* Achte H⁴ Sechster *(Schreibfehler)* H¹³ **120**,19

20 Ulmon] *dahinter drei durch kräftige Striche unleserlich gemachte Wörter* H⁴ **120**,24

gelber] grüner *mit Bleistift über gestr.* gelber H⁴ **120**,25 rundumher] rings umher

H⁴ **120**,28 Jetzt] Nun H⁴ säume nicht] *darüber gestr.* sei bereit H⁴ **120**,29 neben-

an] *mit Bleistift über gestr.* rechter Hand H⁴ **120**,32 O] *mit Bleistift hinter gestr.* Ja! H⁴

121,4 umwarf] *dahinter gestr.*

25   und [auf] von der Stirne

              Lief *(Lief über* Floß*)* ihm der Schweis H⁴

lachte] *dahinter gestr.* nur laut H⁴ **121**,5 beim Arm] *unter der Zeile* H⁴ **121**,6: Da

mußt' ich ihm das Elfenliedchen singen H⁴ **121**,7 Dann] Nun H⁴ trolle' er sich]

30 trolle' er weg *mit Bleistift unterstrichelt* H⁴ trolle'] *aus* trollte H¹³ **121**,8 du] *über*

der Zeile H⁴ brauchst] brauchest H⁴ du es] dus H⁴ **121**,14 Steine] Felsen H⁴ *über*

gestr. Felsen H¹³ **121**,22 Agaura] *mit Bleistift am rechten Rand hinter gestr.* Aslau-

ga H⁴ **121**,28 mußte] wollte H⁴ *ursprüngliches* wollte *mit Bleistift zuerst in* sollte

geändert, dann wieder gestrichen und durch darübergeschriebenes mußte *ersetzt* H¹³

121,32 der Schwester] *über gestr.* Thereilens H⁴ **122**,3 Herz. Da] Herz, da (da *über gestr.* hier) *H⁴* **122**,5 hast] *mit Bleistift aus* hat *H¹³* **122**,6 und steigt und jästet] *über gestr.* in süßer Gährung *H⁴* **122**,7 Im Innern] Hier innen *H⁴* **122**,14 aus] in *H⁴* **122**,16–19: *mit Bleistift eingefügt (fortlaufend ohne Verstrennung geschrieben) H⁴* **122**,20–25: *in später wieder gestr. Klammern H⁴* **122**,20.21 Silpelit *bis* Zeichen] Silpelit kommt, er winkt ihr zu schweigen, bedeutet sie [mit wenigen] durch Zeichen *H⁴* **122**,20 heimlich] *davor gestr.* erst *H¹³* **122**,22 das Geschoß] den Pfeil *H⁴* **122**,23.24 welchen *bis* klagenden] den die gleichzeitig hinter der Gardine (hinter der Gardine *in wieder gestr. Klammern)* anfangende Musik [aufnimmt und] in klagenden *H⁴*

122,26 SIEBENTE] *mit Bleistift vor* te *(Mörike hat die auf neuem Doppelblatt beginnende Szene offensichtlich früher niedergeschrieben als einige voranstehende, war sich über die Gesamtzahl der Szenen noch nicht im klaren und hat daher zunächst nur* te *Scene geschrieben) H⁴* **122**,28 herab] *dahinter gestr.* schwebt *H⁴* großer] *über der Zeile H⁴* **123**,3 Was all'] *mit Bleistift aus* Das was *H⁴* **123**,28 Ich] *aus* Sie *H⁴* **123**,32 sie] *aus* die *H⁴* **124**,1: *darüber mit Bleistift* Zehnte Scene *H⁴* **124**,6 ihr] *mit Bleistift über der Zeile H¹³* **124**,7 Ha! welch] *über gestr.* Irgend *H⁴* ein] *über der Zeile H⁴* **124**,9 stürmt] schwärmt *über gestr.* stürmt *H⁴* Geist] *hinter gestr.* Herz *H⁴* **124**,10 schwärmt] *gestrichen und mit Rotstift unterpunktet, darüber mit Rotstift gestr.* treibt *H⁴* taumelnd] taumelnd [trunken] *über* schon *H⁴* um das Seegestade] um die *(über gestr.* an des) Sees Ufern [hin], *daneben am rechten Rand mit Rotstift* Gestade *H⁴* **124**,17 dahin] *davor gestr.* he, *darunter (unten auf der Seite) mit Bleistift* [Achte] [Sechste] Scene *über Rasuren H⁴*

124,18 ACHTE] *mit Bleistift auf neuer Seite über gestr.* Neunte *H⁴* **124**,20 (im Kommen)] hastig hereinfahrend *H⁴*

124,30.31:　　Mit Wahnsinnsgebärde

　　　　　　　Dort hinter dem Felsen *(Dort bis* Felsen *eingeklammert*
　　　　　　　und unterstrichelt, daneben am rechten Rand)

　　　　　　　Mit fliegendem Haar *H⁴*

125,1–5: *am rechten Rand mit Verweisungszeichen H¹³* **125**,8 Schweig still] *mit Bleistift am linken Rand neben gestr.* Halts Maul *H⁴* **125**,9 ist] *versehentlich wiederholt, dann zweites ist gestrichen H⁴* **125**,17 Liebe] *hinter gestr.* Treue *H⁴* **125**,26: *darunter gestr.*　　Und Mitleid dazwischen

　　　　　　　Ein flehendes Kind.

(nach größerem Zwischenraum)

Hinweg! Kein Erbarmen!

Ich muß ihn verderben! *H⁴*

125,31 sonst ihn] einst ihm *H⁴* **125**,31: *darunter gestr.* Die Stirn ihm gestreichelt –

H⁴ **126**,5: *über mit Rotstift gestr.* Was frag ich darnach! *H⁴* **126**,10 jählings] jäh-

5 ling *H⁴* **126**,21 die Kinder mishandelnd] Mishandelt sie *H⁴*

126,24 NEUNTE] *mit Bleistift vor gestr.* Zehnte *H⁴* **126**,25 Ein Theil] *über der Zeile H⁴*

126,26 TALPA] Talpe *H⁴* **126**,27 Da wären wir] *mit Bleistift unter eingeklammertem*

Dieß ist der Platz *H⁴* **127**,1 TALPA] Talpe *H⁴*

127,6–**128**,3 schwatzen *bis* Gukuk! Gukuk!]

10   plaudern;

Zur Arbeit ist noch Zeit; die Andern sind

Auch noch nicht da. – Seht, eine feine Nacht.

Weithe

Vollmond fast gar.

15   Malwy

Wir singen eins; paßt auf.

(Sie singen getheilt)

Bei Nacht im Dorf der Wächter rief etc.

(in lateinischer Schrift:) (wie in der 3ᵗ *(3ᵗ über der Zeile)* Gedicht-Ausgabe) *H⁴* **128**,4

20 mit den Übrigen kommend] kommt mit den Andern *H⁴* **128**,5 So thut sich's]

So? thut sichs *H⁴* **128**,10 TALPA] Talpe *H⁴* **128**,11 O] *dahinter gestr.* seht *H⁴*

128,21 TALPA] Talpe *H⁴* **128**,25 (allein)] *fehlt H⁴* **128**,27: *darunter mit Bleistift gestr.*

Vor diesem Abschied wehret sich mein Herz

Und krümmt sich wimmernd im verwaisten *(verwaisten*

25   *mit Bleistift auf Rasur eingefügt)*   Schmerz *H⁴*

128,28 unglückselger] vielgeliebter *H⁴ davor gestr.* vielg⟨eliebter⟩ *H¹³* **128**,30

es] *davor gestr.* du *H⁴* sich] *mit Bleistift über der Zeile H⁴* uns] *mit Bleistift über gestr.*

mir *H⁴* **129**,1 glänzend, weich] glänzend reich *H⁴* weich] *aus* reich *H¹³* **129**,3:

teils mit Bleistift, teils mit Tinte aus Umwickelt sanft die Wunde dort am Stamm *H⁴*

30 **129**,4: *mit Bleistift eingefügt als Ersatzvers zwischen den beiden ersten der folgenden*

drei gestr. Verse

Noch quillt die Sehnsucht um den Bräutigam.

Mit euch verwese Liebeslust und Leiden.

Auf solche will ich keine neuen Freuden *H⁴*

129,9 am Baume] unmächtig an dem Baume *H⁴*

129,10 ZEHNTE] *mit Bleistift über gestr.* Letzte *H⁴* **129**,13 sehnsüchtig] *mit Rotstift über starr H⁴* ein großer] *davor gestr.* der früher beschriebene *H⁴* **129**,14 herunter schwebt] langsam herunterschwebt *H⁴* **129**,24 Weyla's] Waila's *H⁴* **129**,31 diesem] dessen *H⁴* todt] *über der Zeile H⁴*   5

130,1 einer] *aus* einigen *H¹³* **130**,12 aus] *hinter gestr.* durch *H¹³* **130**,17.18 antwortete *bis* Athem,] *über der Zeile H¹³* **130**,22.23 dritten oder vierten] *mit Bleistift am rechten Rand und in freigelassenem Raum innerhalb des Textes H¹³* **130**,28 zuckte] *dahinter gestr.* zu *H¹³* **131**,12 erleben] *über gestr.* zu sehen bekommen *H¹³* **131**,20 verfolgte] *aus* verfolgten *H¹³* **131**,23–25 ECCO *bis* Sterbenslangerweile]   10 *am linken Rand mit Verweisungszeichen neben gestr.* Und ist das Schicksal der beiden Könige nicht schließlich *(schließlich am linken Rand)* eben dasselbe, sofern sie *H¹³* **131**,26 Sehen Sie!] *über der Zeile H¹³* **131**,28 und pure Ironie] *über der Zeile H¹³* **131**,30 halten] *mit Blaustift wohl von Klaiber geändert in* haben *H¹³* **132**,3 heiklige] *davor gestr.* k *H¹³* **132**,4 die] *über der Zeile H¹³* **132**,10 Unruhe und   15 Zerstreuung] *über der Zeile und am rechten Rand neben gestr.* Bewegung und Zerfahrenheit *H¹³* **132**,13 ihm] *über der Zeile H¹³* daß wenigstens] *mit Umstellungsziffern aus* wenigstens daß *H¹³* **132**,15 verfehlten] *aus* verfehlte *H¹³* **132**,34 angelegentlichen] *aus* angelegentlichsten *H¹³* **133**,4 gegeben] *über der Zeile H¹³* **133**,9 Art] *hinter gestr.* Weise *H¹³* **133**,31 ein sehr geübter Sänger] *mit Blaustift*   20 *wohl von Klaiber gestrichen H¹³* gerne] *über gestr.* begierig *H¹³* **134**,1 Ehe] *dahinter ein freigelassener Raum von etwa einer halben Zeile, in den wohl der Anfang des Duetts eingesetzt werden sollte H¹³* **134**,11 sich] *mit Bleistift über der Zeile H¹³* betheiligen] *mit Bleistift über gestr.* mitwirken *H¹³* **134**,30 Fernanda's] *mit Bleistift über mit Bleistift gestr.* Euphemiens *H¹³* **135**,1 Fernandas] Antoniens *mit Blaustift ge-*   25 *strichen, darüber mit Blaustift von Klaiber* Fernandas *eingefügt H¹³* **135**,2 noch] *über der Zeile H¹³* **135**,4 verborgen] *mit Bleistift über gestr.* Geheimniß *H¹³* **135**,30 Madam] *mit Blaustift von Klaiber geändert in* Frau *H¹³* **135**,32 in] *über der Zeile H¹³* **135**,35 Hexe] *mit Bleistift über der Zeile H¹³* **136**,6 möchte] *dahinter gestr.* schließlich *H¹³* **136**,17 jetzt] *am rechten Rand mit Verweisungszeichen H¹³* **136**,22 aufge-   30 fallen] *mit Bleistift über gestr.* nicht entgangen *H¹³* **136**,26.27 drangen *bis* auf] *am linken Rand mit Verweisungszeichen neben gestr.* kreuzten die Vermuthungen des Schauspielers nach andern Seiten hin durchaus auf falscher Fährte *H¹³* **136**,28 mit Absicht einigemale] *über und am linken Rand neben gestr.* nebenbei *H¹³* **136**,30 überrascht] *mit Bleistift über gestr.* übereilt *H¹³*   **136**,33.34 Auf *bis* bereden] *am rechten Rand mit Verweisungszeichen H¹³*   **137**,17 Tänzen] *Bleistiftzusatz am linken Rand mit Verweisungszeichen neben gestr.* Spielen *H¹³*   **137**,25 Eigenwillen] *davor gestr.* greisenhaftem *H¹³*   **137**,34 Umgang] *davor gestr.* gewohntem *H¹³* mit Ge-

5   walt] *davor gestr.* gleichsam *H¹³*   **137**,36–**138**,2 mit *bis* wollte] *durch Streichungen und Zusätze über der Zeile und am rechten Rand geändert aus* damit beschäftigt, seine Regierung von Anfang bis zum Ende dem Urtheil einer gerechten Nachwelt zu überliefern *H¹³*   **138**,9 und] *mit Bleistift über der Zeile H¹³*   **138**,20 manchen] *mit Bleistift aus* manchem *H¹³* Bemerkungen] *mit Bleistift über gestr.* Urtheil *H¹³*

10   **138**,21 Naturell] *davor gestr.* für jeden edleren Lebensgenuß empfängliches *H¹³*   **138**,22 sollen] *mit Bleistift über gestr.* können *H¹³*   **138**,24 dieselbige] *mit Bleistift über die nemliche H¹³* geblieben.] *dahinter, nach Komma statt Punkt, gestr.* ja sie schien in der jetzigen Stellung zu der Gesellschaft um so wohlthuender zu wir- ken, als die Blume ihrer Unterhaltung, wie der König das Eigenthümliche der-

15   selben nannte, ihren Wohlgeruch *(*ihren Wohlgeruch *am linken Rand mit Verwei- sungszeichen)* nur ruhiger und unzerstreuter von sich gab *H¹³*   **138**,25 daher] *da- vor gestr.* h *H¹³*   **138**,29 auch] *über gestr.* im Grunde *H¹³*
      138,34 inzwischen] *davor gestr.* es *H¹³*   **139**,5 mußt] *mit Bleistift über* könntest *H¹³* noch] *mit Bleistift über der Zeile H¹³* bringt] *davor gestr.* überbrachte *H¹³*   **139**,7

20   kleinen] *dahinter gestr.* kl *H¹³*   **139**,16 unerwartete] *am linken Rand mit Verwei- sungszeichen H¹³*   **139**,22 gut] *über gestr.* schön *H¹³*   **139**,24 zu sprechen] *über gestr.* zu Hause *H¹³*   **139**,24–29 Der *bis* sollte] *am linken Rand mit Verweisungs- zeichen neben gestr.* Sie hatten guten Grund das Gegentheil zu glauben. *(Auf neuer Zeile)* In der That stand es um ihre Angelegenheit mit jeder Stunde mißlicher *H¹³*

25   **139**,26 Sie *bis* freilich] *mit Umstellungsziffern aus* Nun zweifelten sie freilich *H¹³* nicht] *gestrichen und unterpunktet H¹³* nicht darüber] darüber *mit Bleistift hinter gestr. und unterpunktetem* nicht *H¹³*   **139**,28 gefährlich] *mit Bleistift über Rasur H¹³*   **139**,30 Schon wußte Zarlin] *aus* Zarlin wußte bereits *H¹³*   **139**,31 darüber unwil- lig] *mit Umstellungsziffern aus* unwillig darüber *H¹³*   **139**,33.34 so *bis* Prinzessin]

30   *teils am unteren, teils am oberen Rand der Seiten 188–189 des Manuskripts für gestr.* und übrigens dafür zu sorgen, daß die Fürstin *H¹³*   **139**,34 zu] *über der Zeile H¹³*   **139**,34.35 verschonen] *mit Bleistift aus* verschont bleibe *H¹³*   **140**,2 unerwartet] *mit Bleistift über gestr.* s⟨elber⟩ *H¹³* zu Hause] *mit Bleistift über gestr.* selber *H¹³*   **140**,3 einer] *mit Blaustift wohl von Klaiber geändert in* jener *H¹³*   **140**,3.4 die *bis*

kennt] *Bleistiftzusatz am rechten Rand mit Verweisungszeichen* H¹³ **140**,5 erst] *über der Zeile* H¹³ **140**,17 von] *mit Bleistift über der Zeile* H¹³ **140**,18 drei] *mit Bleistift über gestr.* zwei H¹³ **140**,20 noch heute unerledigt] *aus* bis heute noch so gut wie unerledigt H¹³ **140**,25 wie] *mit Bleistift über der Zeile* H¹³ **140**,28 gemessenen Erklärungen] *über gestr.* Auslassungen H¹³ **140**,29 entnahm] *über gestr.* schloß H¹³ der] der [der] H¹³ **140**,30 großen] *am linken Rand mit Verweisungszeichen* H¹³ **141**,3 es] *über der Zeile* H¹³ **141**,12 Anzahl] *hinter gestr.* R⟨ede *oder* Reihe?⟩ H¹³ **141**,13 kunstvoll] *davor gestr.* ste H¹³ **141**,19 feierliche] *aus* feierlichste H¹³ **141**,27 indessen] *über gestr.* jedoch H¹³ **141**,28 müßigen] *davor gestr.* einigen H¹³ **142**,1–9 angeordnet *bis* scheint] *auf einem oben an Seite 193 des Manuskripts angeklebten Papierstreifen* H¹³ **142**,10 Sodann] *über gestr.* Sofort H¹³ **142**,13 mit Falkenaugen] *davor gestr.* jedoch H¹³ **142**,16 es] *mit Bleistift über der Zeile* H¹³ **142**,27.28 und darunter] *unter gestr.* denen unglücklicherweise H¹³ **142**,28 Vaterlands-Reden] *dahinter gestr.* beilagen H¹³ **142**,31 schon sehr] *über der Zeile* H¹³ **142**,31.32 jezt mit wahrer Angst] *am linken Rand neben gestr.* fast mit (mit *über der Zeile*) ängstlicher Spannung H¹³ **142**,32 indem] *am linken Rand neben gestr.* als nun H¹³ aufschlug] *mit Blaustift von Klaiber geändert in* öffnete H¹³ **142**,34.35 bemerkte *bis* ordnend] *am linken Rand mit Verweisungszeichen* H¹³ **142**,36 unschuldige] *davor gestr.* bemerkte Larkens ruhig seine Haare ordnend H¹³ **143**,5 vier] *über gestr.* drei H¹³ **143**,7 Zweig] *über gestr.* Baum H¹³ **143**,24 nicht] *über gestr.* Nolten H¹³ **143**,25 er] *über der Zeile* H¹³ **143**,27 dem] *davor gestr.* nun H¹³ **143**,27.28 den nämlichen] den [gleichen] nämlichen *über gestr.* denselben H¹³ **143**,28 jenesmal] *davor gestr.* vo⟨rher?⟩ H¹³ **143**,29.30 die *bis* Untersuchung] *am Seitenschluß unter und über gestr.* seine Verhaftung auf Grund erfolgter Klage wegen Ehrenkränkung hoher Personen ingleichen seiner bisher unaufgeklärt *(Fortsetzung des Satzes auf der überklebten, hinter dem folgenden Lemma zitierten Seite)* H¹³ **143**,30–**144**,10 angekündigt *bis* fröh] *auf eigenem Blatt über dem zugeklebten älteren Text* [gebliebenen Antecedentien eröffnet wurde. Auf die sehr natürliche Frage, wer seine Ankläger seien, erhielt er kurzen und zweideutigen Bescheid, worüber er im Augenblick nicht weiter dachte, nur daß er sich zum voraus darauf freute, den Widerwart, den er in jenen früheren Verhören auf alle Weise (Weise *über der Zeile*) zur Verzweiflung brachte, auch diesmal matt zu legen.] Wenige Stunden nachher (nachher *über gestr.* nach diesem Auftritt) stand der Maler demselben Manne gegenüber. Er war, wie er zu seiner äußersten Bestür-

zung hören mußte, als Partisan der gleichen geheimen Verbindung, zu welcher
Larkens seiner Zeit gestanden haben sollte, angegeben. [Von einem anderwei-
tigen Vergehn enthielt die beiderseitige Insinuation [kein Wort] auch [nicht die
geringste] die leiseste Andeutung nicht. Von] Die seltsamste Verdächtigung, die
5   irgend für ihn zu erdenken war! Wie sollte er sie sich erklären *(Er war bis erklären am linken Rand als Ersatz für gestr.* Die ihm gemachte Eröffnung lautete in
ihrem ersten Theile der vorigen gleich; im zweiten wurde er (was Larkens später
freilich äußerst spaßhaft fand) gleichfalls *(gleichfalls über der Zeile)* von Seiten
seines politischen Charakters wiewohl *(wiewohl über der Zeile)* in den vagsten
10   Ausdrücken verdächtigt.)
Die Freunde *(über gestr.* Die Beiden*)* hatten sich die letzten Tage nicht gesehn, sie
(sie über der Zeile) konnten einander kein Wort des Abschieds, der Verständigung
für die nächste Zeit sagen und wußten kaum wie ihnen geschah, als sie sich jetzt
in zwei abgesonderte *(darüber mit Bleistift* entlegene[n]*)* Zimmer des [alten]
15   Schlosses ja an den Enden eines langen Corridors *(ja bis Corridors am linken Rand
mit Verweisungszeichen)* zu trauriger Einsamkeit verwiesen sahen.
Wenn der Mensch, von einem unerwarteten Streiche des ungerechtesten Geschicks betäubt, nun stille steht und sich allein betrachtet, abgeschlossen von
allen äußeren, mitwirkenden Ursachen; wenn das verworrene Getöse um ihn
20   her immer leiser u.⟨nd⟩ matter im Ohre summt, so geschieht es wohl, daß plötzlich ein zuversichtliches fröh- *(Auf der Rückseite des aufgeklebten Blattes finden sich
die Worte* Wenige Stunden nachher stand der Maler dem nemlichen*) H¹³* **143**,30
angekündigt] *am linken Rand hinter gestr.* eröffnet *H¹³* **143**,32 war] *dahinter gestr.*
wie er zu seiner äußersten Bestürzung hören mußte *H¹³* **143**,33 in] *mit Bleistift*
25   *über gestr.* zu *H¹³* **143**,34 war] *dahinter über der Zeile gestr.* ja *H¹³* widersinnigste]
am linken Rand mit Verweisungszeichen neben gestr. seltsamste *H¹³* **143**,35.36 den
Zusammenhang] *mit Bleistift über gestr.* ihn *H¹³* **144**,1 sich] *dahinter gestr.* einander *H¹³* **144**,2 des Abschieds] *am linken Rand mit Verweisungszeichen H¹³* **144**,3
mehr] *am linken Rand H¹³* **144**,6 jähen] *über gestr.* unerwarteten *H¹³* ungerechte-
30   sten] un[erwartetsten]gerechtesten *H¹³* **144**,11 wie im Traume] *mit Bleistift am
rechten Rand neben gestr.* mit Lachen (Lachen *mit Bleistift über gestr.* Heiterkeit*) H¹³*
144,12 halb lachend] *mit Bleistift über der Zeile H¹³* in Wirklichkeit] *über gestr.*
wirklich *H¹³* **144**,13 vorging!] *dahinter gestr.* ungeheurer Schein und Lüge ist
es! *H¹³* **144**,16 und] u.⟨nd⟩ *mit Bleistift über der Zeile H¹³* **144**,20 Das] *davor gestr.*

In der That hatte *H¹³* befand sich im] *mit Bleistift über gestr.* in einem fast unbe-
wohnten *H¹³* eines] *mit Bleistift über der Zeile H¹³* **144**,20.21 oder fünf] *am rechten
Rand (fünf mit Bleistift aus 5) H¹³* **144**,22 Gebäudes] *dahinter gestr.* eine angenehme
Lage *H¹³* **144**,23 ertönte] *aus* tönte *H¹³* **144**,25.26 Eisenstäbe] *davor gestr.*
Fenst⟨er⟩ *H¹³* **144**,26 der] *davor gestr.* z⟨um?⟩ *H¹³* **144**,27 gehörig.] *dahinter*   5
gestr., soweit die nahende Frühlingszeit sie nicht entbehrlich machte *H¹³* **144**,28.29
Ohnehin *bis* vorgesorgt.] *mit violetter Tinte am unteren und oberen Rand der Seiten
197–198 des Manuskripts H¹³* **144**,31 die Idee] *über gestr.* der Gedanke *H¹³* **144**,34
bis **145**,5 Natürlich *bis* Ängst-] *auf Papierstreifen über dem zugeklebten älteren Text*
Wenn er – dieß sagte er sich endlich (endlich *über der Zeile*) auf das Klarste – in Folge   10
einer Verläumdung, einer Intrigue, die irgendwie mit jenem Antheil an dem be-
rüchtigten Schauspiel zusammenhängen mußte (einer *bis* mußte *über der Zeile und
am linken Rand als Ersatz für* dieser Widerwärtigkeit) auch nur das Geringste in
den Augen des Hofes verlor, auf dessen Gunst vermuthlich Constanzens Plan
zum großen Theil (zum großen Theil *gestrichen und unterpunktet*) beruhte, wie   15
konnte sie entfernt noch daran denken, die starren Vorurtheile, den Stolz ihrer
Familie zu versöhnen, die Ängst- *H¹³* **145**,3 vermuthlich] *gestrichen und unterpunktet H¹³* zum] *davor gestr.* be⟨ruhte⟩ *H¹³* **145**,8 ihr] *aus* Ihr *H¹³* machen] *dahinter gestr.* Ihr nur irgend ein Zeichen zu geben! *H¹³* **145**,25 eine persönliche]
davor gestr. er pe⟨rsönlich⟩ *H¹³* **145**,26 bei] *davor gestr.* mit *H¹³* **145**,32 Etwas]   20
über gestr. Eins *H¹³* denke] *aus* denk' *H¹³* **145**,36 vom Bruder] *mit Bleistift über der
Zeile H¹³* **145**,36–**146**,1 so *bis* mag] *Bleistiftzusatz am linken Rand mit Verweisungszeichen H¹³* **146**,8 dachte] *mit Bleistift über gestr.* meinte *H¹³* allen] *mit Bleistift über
gestr.* den angenommenen *H¹³* **146**,10 Und *bis* sein?] *gestrichen und unterpunktet
H¹³* hier] *davor über der Zeile gestr.* sonst, *dahinter über der Zeile gestr.* so *H¹³* **146**,18   25
von frischem] *über gestr.* wieder *H¹³* **146**,21 leichteste] *über gestr.* eine oder die
andere *H¹³* von selbst] *über der Zeile H¹³* **146**,31 Betrachtungen] *mit Bleistift über
mit Bleistift gestr.* Gedanken *H¹³* **146**,35 sagte] *über gestr.* zu bemerken sich erlaubte, *dies aus* bemerkte *H¹³*
147,10 während] *über gestr.* und *H¹³* **147**,11 besorgte] *über gestr.* befürchtete *H¹³*   30
alles] *davor gestr.* bot vergeblich *H¹³* Mögliche that] *über der Zeile gestr. H¹³* **147**,15.16
die lezte Anhöhe herab] *am linken Rand mit Verweisungszeichen neben gestr.* von *H¹³*
147,17 Erwartung] *am linken Rand mit Verweisungszeichen H¹³* **147**,19 die ihr] die
gestrichen und unterpunktet ihr *mit Bleistift über der Zeile H¹³* **147**,20 erschienen

war] *im Text zunächst* dalag, *dies mit Bleistift gestrichen und am rechten Rand (mit Ver-*
weisungszeichen) ersetzt durch erschienen *(*erschienen *über gestr.* g da gelegen*)* war
H^{13} **147,**21 blosgelegt hatte] *mit Bleistift aus* bloslegte H^{13} **147,**25 nun] *gestri-*
chen und unterpunktet H^{13} **147,**28 traf] *davor gestr.* angekommen H^{13} **148,**1 Er
bis ihn] *über Rasur* H^{13} **148,**1–3 in *bis* gab] *am rechten Rand mit Verweisungszei-*
chen neben gestr. Gute Nacht H^{13} **148,**4 auf] *davor mit Blaustift wohl von Klaiber*
gestr. auch H^{13} **148,**11 Ihr] *dahinter über der Zeile gestr.* bisheriger H^{13} gebaut]
dahinter am linken Rand mit Verweisungszeichen [gewesen] H^{13} **148,**15 sehr] *über*
gestr. gar H^{13} **148,**18 einer] *davor gestr.* irgend H^{13} zu bestimmen] *davor gestr.*
welche H^{13} **148,**30.31 entschiedenen] *am rechten Rand neben gestr.* heftigen H^{13}
148,35–**149,**2 Eine *bis* gezogen] *am rechten Rand mit Einweisungsschleife neben*
gestr. Fernande *(über gestr.* Euphemie*), seit ihrem vormaligen (*vormaligen *über*
einstigen*) Beruf am Hofe fortwährend gerne bei der Königin gesehen, sollte* H^{13}
148,36 von derselben] *über der Zeile* H^{13} **149,**1 sehr bevorzugt] *davor gestr.* von
derselben *(*derselben *über gestr.* ihr*)* H^{13} **149,**2 den] *gestrichen und unterpunktet* H^{13}
zur] *über gestr.* der H^{13} **149,**4 Constanze sich] *mit Umstellungsziffern aus* sich Constanze H^{13} **149,**10 Gefahr] *dahinter gestr.* der Lage H^{13} **149,**11 auf] *davor gestr.*
alle H^{13} **149,**13.14 Theilnahmlosigkeit] *am rechten Rand neben gestr.* Gleichgültig-
keit H^{13} **149,**17 Himmel.] *dahinter gestr.* Doch konnte dieser Anblick sie nicht
lange fesseln. H^{13} **149,**21 Perlenschnur] *davor gestr.* schwere, *dies über gestr.*
schmale H^{13} **149,**24 Tages] *über gestr.* Abends, *dahinter ebenfalls über der Zeile*
gestr. nemlich H^{13} **149,**25 eine Zeitlang] *davor gestr.* dabei H^{13} der Gegenstand]
am linken Rand mit Bleistift neben gestr. die Lectüre H^{13} **149,**26 antike] *über gestr.*
alte H^{13} Camee] *am linken Rand neben gestr.* Gemme H^{13} **150,**5 eben] *über der*
Zeile H^{13} **150,**5–9 Einen *bis* hatte] *auf einem am linken Rand angeklebten Papier-*
streifen als Ersatz für gestr. Zum sichern Zeichen aber daß er verstanden wurde
sah Nolten mit inniger Freude seitdem diese Perlen das ein und das andere Mal
an ihrem Halse H^{13} **150,**7 diesen] *hinter gestr.* jene⟨n⟩ H^{13} **150,**11 Vom] *geändert*
in Von dem *dann mit Bleistift Änderung wieder aufgehoben* H^{13} **150,**16 in] *davor*
gestr. zum erstenmal H^{13} **150,**24 sie sich] sie *über der Zeile* H^{13} **150,**33 kindlich-
sten] *davor gestr.* innigsten H^{13}
151,2 ein] *aus* eine H^{13} **151,**8 Wesen] *dahinter gestr.* und Charakter H^{13} **151,**9
den ganzen Ausdruck ihrer] *am rechten Rand neben gestr.* ihre H^{13} **151,**14 hatte]
mit Grünstift über der Zeile H^{13} die farbige] *am rechten Rand für gestr.* die *am Beginn*

der nächsten Zeile H¹³ **151**,17.18 alten Parkschlößchen] alten Park *unter der Zeile*

schlößchen *aus* Schlößchen *H¹³* **151**,18 Unlängst nemlich war] *am linken Rand*

neben gestr. Die Gräfin nemlich wünschte sich längst eine Ansicht des letzten

u.⟨nd⟩ Nolten war *H¹³* Nolten] *mit Blaustift von Klaiber eingefügt H¹³* **151**,19 ge-

wesen] *mit Bleistift über der Zeile H¹³* die] *davor gestr.* beim Antiquar *H¹³* **151**,23   5

neuen] *über der Zeile H¹³* So] *davor gestr.* Er *über* [sogleich] *H¹³* er] *über der*

Zeile H¹³ **151**,24.25 zu *bis* bedurfte] *am linken Rand mit Verweisungszeichen neben*

gestr. bedurfte *H¹³* **151**,27 solche] *über gestr.* diese *H¹³* **151**,29 wurde] *über der*

Zeile H¹³ **151**,30 über] *davor gestr.* bestand *H¹³* **151**,33 indeß] *am linken Rand*

neben gestr. bereits *H¹³* schon gewaltig] *über der Zeile H¹³*   10

152,4 irgendwie verändert] *am rechten Rand neben gestr.* anders als immer *H¹³*

152,5 Dem Grafen lag nichts] *mit Umstellungsziffern aus* Nichts lag dem Grafen *H¹³*

152,16 einige Male] *über gestr.* zweimal *H¹³* **152**,17 gleich Anfangs] *über der*

Zeile H¹³ **152**,19 erwarte] *aus* warte *H¹³* Augenblick] *dahinter über der Zeile gestr.*

ab *H¹³* **152**,19.20 einzugreifen] *dahinter über der Zeile gestr.* ab *H¹³* **152**,21 werde]   15

dahinter der mit Bleistift diagonal durchgestrichene, auf neuer Zeile beginnende Absatz

Diejenige, auf deren Interesse bei dieser [st] tröstlichen Versicherung zu aller-

nächst gerechnet war, Constanze selbst *(*selbst *über der Zeile)* verhielt sich ziemlich

schweigsam, gewißermaßen matt und kühl dabei. Was sie dem Herzog gegen-

über hemmte, war die [dunkle] Anwandlung eines gewißen *(*gewißen *am linken*   20

Rand) Mistrauens, das sie ihm [doch] bei dem nächsten Besuch doch wieder

*(*doch wieder *am linken Rand)* gutmüthig genug, im Stillen [wieder] abbat. *H¹³*

152,22 An einem Sonntag Morgen] *über gestr.* An einem der folgenden Tage *H¹³*

Morgen] *aus* Morgens *H¹³* **152**,25 Bouquet] *mit Blaustift gestrichen und am linken*

Rand ebenfalls mit Blaustift von Klaiber ersetzt durch Blumenstrauß *H¹³* Thür] *davor*   25

gestr. V *H¹³* **152**,26 Diener] *über gestr.* Jäger *H¹³* **152**,33 den Blumenstrauß] *mit*

Blaustift von Klaiber geändert in das Bouquet *H¹³* **153**,4 Name] *mit Bleistift aus*

Namen *H¹³* **153**,7 unwillkürlich] *mit Bleistift aus* unwillkührlich *H¹³* **153**,11 Offi-

cier] *dahinter gestr.* dem Adjutanten und Günstling des Herzogs *H¹³* **153**,11.12

als *bis* ankündigte] *am rechten Rand mit Verweisungszeichen neben gestr.* bemerkte *H¹³*   30

153,12 ganze] *über gestr.* hiesige *H¹³* der Residenz] *über der Zeile H¹³* **153**,14 höch-

lich] *über gestr.* vom Lande *H¹³* und in Bewegung gesetzt] *über der Zeile H¹³*

153,14.15 werden.] *dahinter gestr.* Etwas Näheres wisse außer *H¹³* **153**,15 Dieß]

aus diese Notiz *H¹³* **153**,19 Constanzen] *über der Zeile H¹³* **153**,27 langhaarige]

am linken Rand mit Verweisungszeichen H¹³   **153**,30 Thür] *aus* Thüre H¹³   **153**,35
Schoos] *mit Bleistift aus* Schos H¹³   **154**,7 neu] *über der Zeile* H¹³   wird] *über der Zeile*
H¹³   **154**,12 sah] *davor gestr.* und H¹³   **154**,15 so] *mit Bleistift über der Zeile* H¹³
154,21 sogar] *fehlt* H⁷   **154**,25 Oct.] Sept. H⁷   **154**,35 habt] habt *nur* H⁷   **155**,2.3

5   fing es linde] hob es herzhaft H⁷ fing *am linken Rand neben gestr.* hob linde *über*
gestr. herzhaft H¹³   **155**,9 Holzwörm] Holzwürm H⁷   **155**,10 mich] mir H⁷
155,11 ausschnitt] *hinter gestr.* he⟨rausschnitt?⟩ H¹³   **155**,16 lagen] lägen H⁷ sich]
sich *aus ihrem Munde* H⁷   **155**,21 durch] *davor gestr.* an H¹³   **155**,23 indeß] *über*
gestr. jedoch H⁷   **155**,32 Zuhinterst] *aus* Zuhinderst H¹³ entdeckte] fand H⁷ etwa]

10   *über der Zeile* H⁷   **156**,1 selber] *dahinter gestr.* nur H⁷   **156**,16: *rechts darüber, später*
gestr. 1.Oct. H⁷ übermüthigen] hochfliegenden H⁷   **156**,22 wie] *am linken Rand* H⁷
Riedingers] Ridingers H⁷   **156**,24 wär's] *mit Bleistift aus* wär' es *dahinter mit*
Bleistift gestr. auch H⁷ in Farben] *mit Bleistift am linken Rand* H⁷   **156**,25 glauben]
hinter gestr. fü⟨hlen⟩ H⁷   **156**,27.28 es wohl *bis* haben] *am linken Rand neben gestr.*

15   zur Stunde noch der Meinung, wir sollten den Frühling erwarten H⁷   **156**,29
jedem] allem H⁷   **156**,29.30 daß Du zum wenigsten] dich mindestens H⁷   **156**,30
volle] *über der Zeile* H⁷ bleibst] hier zu haben H⁷   **157**,1.2 Sage *bis* selbst?] *mit Blei-*
stift zwischen den Zeilen und am linken Rand H⁷   **157**,1 nur] *mit Bleistift gestrichen,*
darüber mit Bleistift gestr. d⟨och?⟩ H⁷   **157**,2 sie] diese H⁷   **157**,3 Heut' hab'] Ich

20   habe heute H⁷   **157**,4 und mich] *gestrichen, dann unterpunktet* H¹³ bei dem erst-
maligen] im H⁷ *mit Bleistift über gestr.* im H¹³   **157**,5 Wolltest Du uns] Wie wäre
es erst, wenn ich sie sehen könnte! Warum willst Du H⁷ *über gestr.* Warum willst
Du H¹³   **157**,6 Und *bis* Orgelspielerin?] *fehlt* H⁷   **157**,6.7 Der Herzog, denk' ich
wohl –] Und gibst Du denn dem Herzog auch ⟨dem Herzog auch *mit Rotstift ge-*

25   *strichen*⟩ die H⁷   **157**,8 Freundin] *über gestr.* Vorlesende H¹³   **157**,10 an Wen ist das
gerichtet] *über gestr.* Von Wem ist hier die Rede H¹³   **157**,11 um] *über gestr.* wie
H¹³   **157**,12 auch] *über der Zeile* H¹³   **157**,14 Stimme] *aus* Stimmen *(Schreibfehler)*
H¹³   **157**,18 denn auch und zwar] *über der Zeile* H¹³ keine] *davor gestr.* kaum H¹³
158,12 viel] viel [viel] H¹³   **158**,24 ich] *davor gestr.* ein H¹³   **158**,27 erwiedert

30   haben – wie konnte er sie] *am rechten Rand mit Verweisungszeichen* H¹³   **158**,35 gar]
über der Zeile H¹³   **159**,10 zu errathen] *davor gestr.* auch ⟨über auch *gestr.* selbst⟩
wenn nur annähernd H¹³   **159**,20 Arme] *davor gestr.* A H¹³   arme] *über der Zeile* H¹³
159,36 an] *davor gestr.* die H¹³   **160**,6 leichtfertig] *mit Blaustift von Klaiber geändert*
in leichthin H¹³ darf] *über gestr.* mag H¹³ uns,] *dahinter gestr.* denk ich, H¹³ wahr-

lich] *über der Zeile* H^{13} noch sehr] *gestrichen und unterpunktet* H^{13} **160**,7 schweigen]
davor gestr. stille H^{13} **160**,13 ihr] *aus* Ihr H^{13} **160**,14 aufgebracht] *mit Blaustift*
gestrichen; am linken Rand von Klaiber mit Blaustift erregt *hinzugefügt* H^{13} sah]
über der Zeile H^{13} **160**,20 wohl gar durchaus] *über der Zeile* H^{13} ins Werk] *davor*
gestr. angelangt, von ihm H^{13} **160**,21 war es aber] *mit Schleife aus* aber war 5
es H^{13} **160**,23 mit eifersüchtiger Sorge] *mit Blaustift gestrichen; am linken Rand von*
Klaiber mit Blaustift mit argwöhnischem Verdruß *hinzugefügt* H^{13} **160**,24 Besuch]
aus Besuche *(Schreibfehler)* H^{13} und dessen Dauer] *am linken Rand mit Verweisungs-*
zeichen neben gestr. desselben H^{13} **160**,28 er] *davor gestr.* leicht zu deuten war H^{13}
160,30 er] *davor gestr.* gel⟨egentlich?⟩ H^{13} **160**,31 voll] *davor gestr.* mit Einem- 10
male H^{13} mußte] *über der Zeile* H^{13} entfernt] *davor mit Rotstift gestr.* um jeden
Preis H^{13} **160**,32 angeregte] *am rechten Rand neben gestr.* aufgerührte H^{13} **160**,33
höchst] *am rechten Rand neben gestr.* überaus H^{13} **160**,34 nachträglich] *am rechten*
Rand H^{13} hineinzuziehn] [mit] hineinzuziehn *über gestr.* damit zu *(zu über der*
Zeile) vermengen H^{13} **161**,1 ein] *mit Bleistift über gestr.* das nöthige H^{13} **161**,2 dem 15
verhaßten] *über gestr.* einem H^{13} Nebenbuhler] *dahinter gestr.* solchen Rangs H^{13}
ein für allemal gewiße Kreise] *mit Umstellungsschleife aus* gewiße Kreise ein für allemal H^{13} **161**,5 befand *bis* Landes] *über gestr.* seit einigen Tagen H^{13} **161**,5.6 Be-
such] *dahinter gestr.* Be H^{13} **161**,6 seiner Absicht gemäß] *am rechten Rand mit Ver-*
weisungszeichen H^{13} **161**,11 war] *davor gestr.* begreiflich H^{13} **161**,14 sollte gar] 20
über gestr. war H^{13} Gräfin] *dahinter gestr.* gar H^{13} **161**,15 auf einmal] *dahinter*
stehendes allerdings *zunächst mit Bleistiftschleife vor* auf einmal *umgestellt, dann mit*
Bleistift gestrichen; über auf einmal *mit Bleistift gestr.* freilich H^{13} **161**,18 wohl]
davor über der Zeile mit Blaustift von Klaiber sehr *hinzugefügt* H^{13} **161**,24 sicher und]
über der Zeile H^{13} **161**,26.27 hinterher gleichwohl] *über gestr.* immerhin H^{13} 25
161,27 armen] *davor gestr.* Ar⟨men⟩ H^{13} **161**,29 darauf] *davor gestr.* darauf freilich H^{13} **161**,30 freilich] *über der Zeile* H^{13} **161**,30–**162**,2 empfindlicher *bis* große]
auf Papierstreifen über dem zugeklebten älteren Text empfindlicher *(aus* Empfindlicher*)* konnte ihm nichts widerfahren! Zudem, was war daraus mit Sicherheit
weiter zu schließen? Zu einer schadenfrohen Deutung gaben diese Zeilen, so 30
scharf er sie deßhalb betrachten mochte keinen Anhalt. Warum auch sollten
sie nicht baar und einfach als Ausdruck der Entrüstung über den schnödesten
Eingriff in fremdes Eigenthum zu nehmen sein? Daß [Fer] H^{13} **161**,34 bekam
er Constanzen] bekam er [die Gräfin] Constanzen *am linken Rand mit Verweisungs-*

zeichen *H¹³* **161**,36 bieten] *hinter gestr.* bitten *H¹³* zu] *davor am linken Rand gestr.*
ernstlich *H¹³* **162**,1 Ursach] *mit Blaustift wohl von Klaiber ein* e *angehängt H¹³* schien]
über gestr. war *H¹³* **162**,2.3 sich *bis* sah.] sich schließlich die große ⟨...⟩ *(einige*
Wörter Textverlust am oberen Schnittrand des Papierfetzens) [ihn] durch welche er
[gewißermaßen] so unvermuthet ganz ([gewißermaßen] so unvermuthet ganz
über gestr. entschieden) aus seiner Haltung gebracht wurde. *H³ Bl. D* Übereilung
bis sah.] *auf Papierstreifen über dem zugeklebten älteren Text* Übereilung nicht, durch
welche er so unvermuthet ganz aus seiner Haltung gebracht wurde. [Nun aber
versetze man sich in den Zustand[s] Constanzens. Auf dem grausamsten Wege
hat sie erfahren was ihr in keinem Falle [zwar] verborgen bleiben konnte. Die
Wirkung welche dieser Schlag auf ihre Liebe hatte, nachdem der Sturm der
ersten Schmerzen bei ihr ausgetobt, war eine[r] Art von Lähmung] *H¹³* **162**,3
sah.] *darunter auf dem aufgeklebten Papierstreifen der später durchgestrichene, auf neuer*
Zeile beginnende Absatz Des andern Tag[e]s erfuhr (erfuhr *über gestr.* hörte) er nur
[ganz] zufällig[erweise] durch die dritte Hand, die Gräfin sei mit ihrer Freundin
nach deren Gute abgereist. *H¹³*
162,4–19 Drei *bis* wurde.] *auf Papierstreifen über dem zugeklebten älteren Text* Drei
lange Wochen waren nahezu verstrichen und die Gefangenen auf dem Schlosse
sahen noch immer nicht was es mit ihnen werden sollte. Nun kam der wackere
Tillsen eines Nachmittags herauf, sie zu besuchen. Er hatte, ungewiß, ob ihm von
Seiten des Gerichtsvorstandes die Erlaubniß würde, geradezu beim Commandanten deßhalb anfragen lassen und, [ohne Zweifel in Rücksicht auf seine bevorzugte Stellung] (ohne *bis* Stellung *mit Verweisungszeichen am rechten Rand, dann*
mit Bleistift diagonal durchgestrichen) unbedenklich eine Karte erhalten. Zufälligerweise, weil er mit dem Schließer, der ihn über Treppen und Gänge des weitläuf-
tigen Baues führte, zunächst vor die Thüre des Schauspielers kam, ward er zuerst
bei diesem eingelassen. *H¹³* **162**,11.12 ohne Weiteres] *mit Kopierstift über der*
Zeile H¹³ **162**,14 Morgen] *über gestr.* März-Nachmittag *H¹³* **162**,17–19 läuftigen
bis wurde.] *wegen Platzmangels am rechten Rand des aufgeklebten Papierstreifens H¹³*
162,24 und geriegelt] *am rechten Rand mit Verweisungszeichen H¹³* **162**,31 mache]
mit Kopierstift am linken Rand H¹³ **163**,5 her] *über der Zeile H¹³* man] *davor mit*
Bleistift gestr. habe Schwindel und Fieber, so daß *H¹³* habe] *mit Kopierstift über der*
Zeile H¹³ **163**,7.8 die Störung] *über gestr.* es *H¹³* **163**,11 wurden] *über gestr.* kamen
H¹³ **163**,11–33 gelegenen *bis* Morgentrunk] *auf zweiseitig beschriebenem kleinem*

Blatt, das am linken Rand der Manuskript-Seite angeklebt ist, als Ersatz für gestr. gelegenen *(das Wortfragment* gelegenen *am Beginn einer neuen Seite und Zeile der Handschrift)* Fragen vorläufig *(vorläufig über der Zeile)* zur Sprache. Dazwischen rief
Larkens: »Kommen Sie! wir nehmen einen [Vesper] Morgentrunk H^{13} **163**,15
ihn] *davor gestr.* mich H^{13} **163**,19 Vollmacht] *aus* Macht H^{13} **163**,21 wie lang]   5
über gestr. bis wann H^{13} **163**,22 wohl] *über der Zeile* H^{13} **163**,23 leidigen] *über der
Zeile* H^{13} **163**,25 wahrsten,] *über der Zeile* H^{13} **163**,26 haben] *davor gestr.* sahen H^{13}
163,27 so *bis* Frau] *aus* wie meine Frau mir sagte H^{13} **163**,27.28 und *bis* fand]
über der Zeile H^{13} **163**,29 gereist. Es scheint]
gereist.«   10
[»So plötzlich? Aus was Anlaß?«
»Man weiß es nicht.«]
»Es scheint H^{13}
163,31.32 und *bis* er] *über der Zeile* H^{13} **163**,32 Kommen Sie] *über gestr.* aber
dachte ich, mein Lieber H^{13} setzen uns und] *über der Zeile* H^{13} Morgentrunk] *aus*   15
Vespertrunk H^{13} **164**,6 wie] *aus* Wie H^{13} **164**,23–25 durch *bis* antreffen] *am
linken Rand mit Bleistift neben gestr.* so ziemlich in allen Farben bei mir sehen H^{13}
164,32 Oberst Lippe,] *über der Zeile* H^{13} **165**,1 gesetzmäßiges] *über gestr.* her-
kömmliches H^{13} **165**,11 Mitgefühl des] *über der Zeile* H^{13} **165**,15 Stafforst] *mit
Bleistift über gestr.* Schertel H^{13} Es fiel] *davor gestr.* Ich sah s⟨ie?⟩ H^{13} **165**,25 nicht   20
besonders] *dahinter gestr.* nicht be H^{13} **166**,15–18 Und *bis* gewesen] *mit violetter
Tinte am oberen Rand und durch Schleife eingewiesen* H^{13} **166**,18 unser Inquirent]
aus unsrem Inquirenten H^{13} **166**,19.20 läugnet *bis* nachdem] *mit violetter Tinte
am linken Rand neben gestr.* halt' ich zu Allem fähig, wozu H^{13} **166**,21 Chikane und
nichts als Chikane] *am linken Rand mit Verweisungszeichen* H^{13} **166**,26 vierschrötige]   25
über der Zeile H^{13} **166**,27 als] *am linken Rand neben gestr.* wie H^{13} **166**,32–**167**,13
Nach *bis* werden –«] *auf zwei Papierstreifen über dem zugeklebten älteren Text* Nach
dieser mäßigen, ja muntern Darstellung der Situation verweilte das Gespräch
noch einige Zeit bei einzelnen Personen; besonders rühmte Tillsen die warme
Theilnahme des alten Hofraths, wogegen die unklare *(über* unklare *mit Bleistift*   30
gleichgültige*)* Haltung des Herzogs, das hasenfüßige Benehmen Zarlins dem
Schauspieler reichlichen Stoff zu boshaften Bemerkungen gab. Auch meinte er,
die liberale schöne Gräfin werde, wie nun die Sachen stünden, schon [weislich]
ganz sachte *(ganz sachte über der Zeile)* ihren Rückzug angetreten haben. [Was

Tillsen ihm zuletzt von lautbaren Stimmen des Publicums sagte, das sein Wieder-
erscheinen auf dem Theater mit Schmerzen *(Schmerzen über gestr. Ungeduld)*
erwarte, ließ er sich gerne gefallen.] *H¹³* **166**,32.33 wogegen] *aus gegen welche*
H¹³ **166**,33 hatte] *hinter gestr.* fan⟨d⟩ *H¹³* **166**,36 selbstverständlichen] *davor*
gestr. Au⟨snahmen⟩ *H¹³* **167**,3 Ihrer Beiden] *mit Blaustift von Klaiber geändert in*
Ihnen Beiden und Ihrer *H¹³* **167**,6 nur] *davor gestr.* es *H¹³* **167**,12 eigenhändig]
am rechten Rand mit Verweisungszeichen H¹³ **167**,13 werden –«] *darunter gestr. Hier*
(als fragmentarischer Satzbeginn) über der den Anschluß herstellenden zusätzlichen Blei-
stiftnotiz Jetzt aber kam der Schließer mit etc *H¹³* **167**,23 in den] *hinter gestr.*
unter *H¹³*
167,24 leidlich] *über gestr.* ganz erträglich *H¹³* **167**,28 begreiflichen] [sehr] be-
greiflichen *am rechten Rand H¹³* **167**,28–30 daß *bis* geworden] *am unteren Rand*
mit Einweisungsschleife H¹³ **167**,34–**168**,1 Arbeit *bis* Garrick] *am linken Rand H¹³*
168,16.17 als *bis* war] *mit Bleistift über der Zeile H¹³* **168**,16 schon] *dahinter gestr.*
wieder *H¹³* **168**,17 bei] *davor gestr.* d⟨urch?⟩ *H¹³* **168**,19 aus] *mit Bleistift am*
rechten Rand H¹³ **168**,21–24 Er *bis* jezt] *Bleistiftzusatz am rechten Rand mit Verwei-*
sungszeichen neben gestr. Die Stimme aber *(aber unter der Zeile)* hatte *H¹³* **169**,9
Sängerin] *über gestr.* Stimme *H¹³* **169**,12–31 Einige *bis* erinnern.] *auf einem am*
linken Rand angeklebten Blatt (in der Handschrift ist durch die Bleistiftnotiz Einige
Stunden etc *hinter einem Doppelkreuz auf das Zusatzblatt verwiesen) H¹³* **169**,18
gilt] *davor gestr.* ist *H¹³* **169**,20 und sie hat auch so ihren Kopf] *am rechten Rand*
mit Verweisungszeichen H¹³ **169**,22 allemal] *hinter gestr.* imme⟨r⟩ *H¹³* **169**,25
worum] *aus* um was *H¹³*
169,32 um zwei] *über gestr.* nach Mittag *H¹³* **169**,33 er] *über der Zeile H¹³* **170**,11
dem] *mit Bleistift über der Zeile H¹³* **170**,19 dieser] *hinter gestr.* jener *H¹³* **170**,34
mag] *über gestr.* läßt *H¹³* **170**,35 ersticken] *über gestr.* krepiren *H¹³* **171**,1 oder
bis gehörig –] *am linken Rand mit Verweisungszeichen (noch und gehörig sind mit*
Bleistift nachgetragen) H¹³ **171**,1.2 Daher also der] *am linken Rand und über der Zeile*
als Ersatz für gestr. Dies und nichts Anderes, glauben Sie mir, bedeutet dieser *H¹³*
171,5 ich] *über der Zeile H¹³* **171**,16 sagte er] *dahinter gestr.* halb lächelnd *H¹³*
171,21 wohl] *mit Bleistift über gestr.* immerhin *H¹³* **171**,26 triumphierender] *mit*
Bleistift aus triumphierenden *H¹³* **171**,30 erzählen] er[th]zählen *H¹³* **171**,31 an-
geregte] *mit Blaustift wohl von Klaiber geändert aus* anregte *(Schreibfehler) H¹³* Wir]
aus wir, *davor gestr.* Denn ich erinnere mich, *H¹³* **171**,34 wetten] *über gestr.*

schwören *H¹³* **171**,35–**172**,5 »Ganz *bis* lebt] *auf Papierstreifen über dem zugeklebten älteren Text* »Ganz recht; u.⟨nd⟩ ich erinnere mich noch wohl, was Nolten mir ausweichend damals zur Antwort gab *(*u.⟨nd⟩ *bis* gab *am linken Rand mit Verweisungszeichen als Ersatz für gestr.* und was der *(*der *über der Zeile)* Freund darauf, [wiewohl] ausweichend, äußerte, läßt sich mit dieser Behauptung gar wohl vereinigen; läßt *bis* vereinigen *aus* war dieser Meinung nicht geradezu entgegen.*)*

»[So ists.] [Keineswegs] Er sprach Ihnen von einem ältern Ölgemälde, das seiner Zeichnung zu Grunde gelegen. Dies ist die Wahrheit, aber nur die halbe.«

»Sie machen mich äußerst begierig. In dieser Orgelspielerin also« –?

»Hat er die Züge *(*Sie machen *bis* Züge *am linken Rand mit Verweisungszeichen als Ersatz für gestr.* In der *(*der *über* seiner) Orgelspielerin hat er die Züge*)* zweier Personen verschmolzen, wovon die eine lebt *H¹³* **172**,4 verschmolzen] *über der Zeile H¹³* eine] *aus* Eine *H¹³* **172**,9 wundersame] *aus* wunderliche *H¹³* **172**,10–12 und *bis* herum.«] *am oberen Rand mit Verweisungszeichen H¹³* **172**,10 und] *über gestr.* ja *H¹³* **172**,15.16 dies kleine Manuscript] *aus* diese Bogen *H¹³* **172**,18 zu] *über der Zeile H¹³* **172**,20 dieser] *über der Zeile H¹³* **172**,21 als Anhang beigefügt,] *über gestr.* eingeschaltet. *H¹³* **172**,21–26 und *bis* hören.«] *auf Papierstreifen über dem zugeklebten älteren Text* [tet.] *(Schlußsilbe von gestr.* eingeschaltet.*)* Das Ganze aber ist gleichsam die Einleitung eines [ro] Romans, der seit zehn Jahren abgebrochen, todt und ohne alle Folgen schien, jetzt aber unvermuthet – doch dieses *(*es *am Wortende mit Bleistift)* sollen Sie demnächst ausführlich [von mir] hören.« *H¹³*

173,6 nichts] *aus* nicht *H¹³* **173**,8 Auseinandersezung] *über gestr.* Erörterung *H¹³* **173**,18 natürlicherweise] *mit Bleistift über gestr., wie man denken kann, H¹³* befreien.] *Punkt aus Komma, dahinter gestr.* der dessen ungeachtet noch immer heimlich bei ihr nachzuschwären schien *H¹³* **173**,20 Unterredung] *über der Zeile H¹³* **173**,29–36 Wir *bis* verbat.] *in Klammern, die mit Bleistift wieder gestrichen sind H¹³* **173**,29 Wir sehen aber] *über gestr.* Inzwischen sieht man *H¹³* unsicher und] *über der Zeile H¹³* **173**,31 anfangs] *aus* Anfangs *H¹³* **173**,33 entschlossen] [gewillt] entschlossen *über gestr.* versucht *H¹³* **174**,2 fand] *davor gestr.* jedoch *H¹³* **174**,11 durchaus] *über der Zeile H¹³* **174**,11.12 überschwängliches] *davor gestr.* eben *H¹³* **174**,16 bisher] *über gestr.* zeither *H¹³* **174**,17 Bekenntnissen der Tochter] ⟨Be⟩-kenntnissen der Tochter *am linken Rand neben* be[trübenden *(der Buchstabe b der*

Silbe be *kann sowohl als Großbuchstabe wie als Kleinbuchstabe gelesen werden und wird von Mörike zweifach verwendet)* Erfahrungen vom vorigen Jahre *(vom vorigen Jahre aus des vorigen Jahres)]* H^{13} **174,**18 Mündliches] *mit Blaustift von Klaiber geändert in* mündliches Besprechen H^{13} **174,**19 ja] *über der Zeile* H^{13} **174,**20 Handlungsweise] *darüber gestr.* Denkungs⟨weise⟩ H^{13} vielmehr] *mit Blaustift gestrichen, dahinter mit Blaustift von Klaiber* es *hinzugefügt* H^{13} **174,**21 Absicht] *dahinter über der Zeile mit Blaustift von Klaiber* auch *hinzugefügt* H^{13} **174,**22 richtigsten] *mit Kopierstift aus* richtigen H^{13} **174,**25 es sei unverzeihlich] *aus* er fand es unverzeihlich H^{13} **174,**26 festen] *davor gestr.* entschieden H^{13} **174,**33 denn eben] *über gestr.* allerdings H^{13} gefahrvollen] *aus* gefährlichen H^{13} **174,**35 Larkens] *über gestr.* der Schauspieler H^{13} **175,**3 schlagendste] *aus* glänzendste H^{13} **175,**6 Vor Allem] *davor gestr.* Das Dringendste war ihm H^{13} **175,**11 Tillson] *davor gestr.* N⟨olten?⟩ H^{13} **175,**12 bereitete] *mit Bleistift aus* bereite H^{13}

175,22 Verhältniß] *die Silben* hältniß *sind bereits von Klaiber mit Blaustift an das fragmentarisch gebliebene* Ver- *am Zeilenende angefügt* H^{13} **175,**23 wenig] *aus* wenige *(Schreibfehler)* H^{13} **175,**31 übereilter] *mit violetter Tinte am rechten Rand hinter Verweisungszeichen* H^{13} Schritt] *dahinter mit Kopierstift gestr.* und eine Übereilung H^{13} **175,**31.32 verhindert *bis* sie] *mit violetter Tinte am Absatzende unter* wieder H^{13} **176,**7 Komm!] *davor gestr.* Was meinst du? H^{13} **176,**14 besonderem] *davor gestr.* unge⟨wöhnlichem⟩ H^{13} **176,**30 daher] daher: H^{13} **176,**33 das paßt so recht] *mit Blaustift gestrichen und ersetzt durch die von Klaiber mit Blaustift darübergeschriebene Wendung* es ist wie bestellt H^{13} **177,**33 angekommen] *aus* angelangt H^{8} **177,**34 der Burg] *fehlt* H^{8} stehend] *über der Zeile* H^{8} **178,**2 wissen] [zu wi⟨ssen⟩] [kennen] wissen H^{8} **178,**3 eine] *aus* einen H^{8} **178,**4 einen *bis* Graben] *durch Bleistift-Streichungen und -Zusätze am rechten Rand geändert aus* eine Art von Graben H^{8} von] *mit* H^{8} sie] *am rechten Rand* H^{8} **178,**5 besonders] *über der Zeile* H^{8} **178,**6 schönen] *hinter gestr.* stehe⟨nden⟩ H^{8} **178,**8 verlornen] *aus* verlorenen H^{13} **178,**16 sich etwas weiter vor] *mit Bleistift am rechten Rand neben gestr.* kaum ein paar Schritte vorwärts H^{8} **178,**19 düstern] *am linken Rand* H^{8} **178,**20 ein] *darüber gestr.* schwarze H^{8} schwarzes] *Bleistiftzusatz am linken Rand mit Verweisungszeichen* H^{8} **178,**24 unentschlossen] *am linken Rand mit Verweisungszeichen* H^{8} **178,**28 über] *über der Zeile* H^{8} **178,**29 Denke nur] Höre nur *mit Bleistift über gestr.* Du H^{8} Denke] *über gestr.* Höre H^{13} **178,**31 Singen] *gestrichen; am linken Rand mit Bleistift* Gesang H^{8}

178,32 Eingang] *über der Zeile H⁸* **178**,33 Ulmbaum] *über gestr.* Ahorn *H⁸* **178**,33.34

einen rothen Bund] ein rothes Tuch *H⁸* einen rothen] *aus* ein rothes *H¹³* **178**,34

um den Kopf] *dahinter gestr.* geschlagen *H⁸* **179**,6 auf dem bezeichneten Fleck]

an dem bezeichneten Ort *aus* an der bezeichneten Stelle *H⁸* **179**,7 Aussehen]

davor gestr. fremdartiges *H⁸* Tracht und ganzes Wesen] *über der Zeile H⁸* **179**,8   5

verrieth] *aus* zu verrathen schien *H⁸* **179**,12 euch! Heil euch!] *aus* Euch! Heil

Euch! *H⁸* **179**,13 Schwarzauge, Blauauge] *gestrichen und mit Bleistift unterpunktet*

H⁸ **179**,14 unbegreifliche] *mit Bleistift über* unerwartete *H⁸* **179**,17 Der Knab']

über gestr. Er *H⁸* rief] *mit Bleistift über gestr.* sagte *H⁸* **179**,18 bringen.] bringen

[, ihm ihr Bündel unter den Kopf zu legen]. *H⁸* **179**,25.26 gebietenden] Ruhe   10

gebietenden *H⁸* **179**,27 nur] *über der Zeile am Seitenbeginn H¹³* **179**,27.28 eine

Hand] [ihre fle] [die] eine Hand *H⁸* **179**,28 Stirn] *aus* Stirne *H⁸* **179**,31 weit und

groß] *am linken Rand H⁸* **179**,32 welche] *über gestr.* die *H⁸* **179**,34 ganz] *davor*

gestr. kla⟨r⟩ *H⁸* **180**,1.2 etwas *bis* konnte] *aus* seitwärts, er konnte sie nicht [so-

gl]gleich bemerken *H⁸* **180**,2 allein] *gestrichen und unterpunktet H⁸* er sie] er *schon*   15

von Klaiber mit Blaustift über der Zeile ergänzt H¹³ **180**,3 fand] gefunden *über gestr.*

erblickte *H⁸* nachdenklich] *am linken Rand neben gestr.* still *H⁸* **180**,4 sodann] *aus*

dann *H⁸* **180**,6 Lisa] Else *H⁸* **180**,7 und] *über gestr.* oder auch *H⁸* **180**,8 geheim-

nißvoller] *über gestr.* von *H⁸* **180**,9.10 Im *bis* hergedacht] *daneben am linken Rand*

mit Bleistift gestr. Von drüben her, jenseits des Flusses sah ich euch [zwei] im   20

Geist *H⁸* **180**,9 euch] *dahinter über der Zeile gestr.* zwei *H⁸* **180**,10 Schau-Geist]

über gestr. Traumgeist *H⁸* **180**,15 Gemäuer] Getrümmer *H⁸* **180**,16 leicht] *da-*

hinter gestr. für Freuden *H⁸* **180**,23 Wahnsinnige] Wahn *gestrichen und unter-*

punktet; darüber geschriebenes Irr *gestrichen H⁸* **180**,27 nur] *über der Zeile H¹³*

180,29 richtete] *davor gestr.* zu *H⁸* **181**,2.3 trat *bis* gehn] *durch Streichungen und*   25

Zusätze geändert aus stand auf und ging bei Seite sich zu fassen *H⁸* **181**,4 wär']

über gestr. sey *H⁸* **181**,7 wie] *über der Zeile H⁸* Wenn er] *gestrichen und unterpunktet*

H⁸ **181**,8 offener] *davor gestr.* der *H¹³* **181**,15 ihm] *dahinter gestr.* athemlos *H⁸*

181,16 mit] *über gestr.* in der *H⁸* wenigen] kurzen *H⁸* **181**,19 zu Markte] *hinter*

gestr. auswärts *H⁸* **181**,23 sie] *daneben am rechten Rand mit Bleistift notiert und*   30

gestr. beide *H⁸* etwa inzwischen] *mit Umstellungsziffern aus* inzwischen etwa *H⁸*

schon selbst] *über der Zeile (selbst mit Bleistift) H⁸* **181**,24 beim] *davor gestr.*

auf *H⁸* **181**,25 die] *aus* sie *H⁸* **181**,27 Indeß] *am linken Rand H⁸* ihrer] Adelheids

H⁸ über der Zeile H¹³ Abwesenheit] *dahinter gestr.* aber *H⁸* **181**,29 Ulme] *ge-*

strichen und unterpunktet; darüber geschriebenes Ahorn *gestrichen H⁸* **181**,30 das
Gespräch begann] *hinter gestr.* anfing *H⁸* **181**,31 du] *davor gestr.* ich *H⁸* **181**,32
erblicktest] *davor gestr.* an⟨blicktest?⟩ *H⁸* **181**,33 nach einigem Besinnen] *in
runden Klammern H⁸* mit bewegter Stimme] *aus* und seine Stimme bebte *H⁸*
181,34 mir war] *davor gestr.* vor meinen Augen ward es Nacht – *H⁸* **181**,36 vor-
dem] *aus* ehedenn *H⁸* **182**,3 denn] *über der Zeile H⁸* **182**,4.5 Nicht *bis* wachend]
mit Umstellungsziffern aus Nicht wachend war ich und nicht schlafend *H⁸* **182**,6
in mich überging] *über gestr.* mir ans Leben rührte *H⁸* **182**,7 mit regen Blicken]
aus mit stillem Blick *H⁸* wohlgefällig] *über der Zeile H⁸* **182**,9.10 Thränen stürzten
ihm] *aus* alsbald stürzten ihm die Thränen *H⁸* **182**,10 großen] *über gestr.* schweren
H⁸ **182**,12 lief] *über gestr.* ging *H⁸* **182**,13 Seel' um Seele] *am linken Rand mit Verweisungszeichen H⁸* **182**,14 zu] *über der Zeile H⁸* nun] *über gestr.* jezt *H⁸* bog] *am
linken Rand neben gestr.* neigt *H⁸* **182**,15 empfing] *aus* empfängt *H⁸* **182**,15.16
ebenso] *über der Zeile H⁸·¹³* **182**,18 Thal] *aus* Thale *H⁸* **182**,30 dringen] *aus* drin-
gend *(Schreibfehler) H¹³* **183**,6 entdeckte] *mit Bleistift am Seitenschluß unter der Zeile
H¹³* **183**,30 sehnsüchtiger] *am linken Rand mit Verweisungszeichen H¹³* **184**,1 einzelnen seiner] *über gestr.* abgerissenen *H¹³* Äußerungen] *dahinter gestr.* die sie ihm
nach und nach entlockte *H¹³* **184**,22.23 die Zufriedenheit mit] *am linken Rand
mit Verweisungszeichen H¹³* **184**,31 nach] *über der Zeile H¹³* **184**,32 während] *davor
gestr.* welchen *H¹³* **185**,6 klappt] *aus* klappte *H¹³* **185**,10 zu] *davor gestr.* auf *H¹³*
185,30 Rittmeisters] Ritt[er]meisters *(Schreibfehler) H¹³* **186**,1 des] *davor gestr.*
das *H¹³* **186**,3 dem] *über der Zeile H¹³* **186**,19 Sie müssen sie] Sie müssen Sie
(Schreibfehler) H¹³ **187**,11.12 der Ruine] *aus* dem Rehstock *H¹³* **188**,1 Ältesten]
aus ältesten Tochter *H¹³* **188**,2.3 entfernte] *aus* entfernten *H¹³* **188**,15 hinaus]
aus hinauf *(Schreibfehler) H¹³* an] *davor gestr.* vor Angst *H¹³* **188**,16 vorbringen]
dahinter gestr. konnte *H¹³* **188**,22 zu] *hinter gestr.* bei *H¹³* **188**,26 konnte] *dahinter gestr.* k *H¹³* **189**,19 aufzubürden] *die beiden ersten Silben gestrichen und unterpunktet, die letzten Silben über der Zeile; hinter den beiden ersten Silben gestr.* zuzu-
muthen *H¹³* **189**,22 an] *über gestr.* auf *H¹³* **189**,24 nahe] *davor gestr.* b *H¹³* **189**,32
Elsbeths] *aus* Elisabeths *H¹³* **189**,34 geistig] *davor gestr.* k⟨örperlich⟩ *H¹³* körper-
lich] *dahinter gestr.* zum *H¹³* **190**,3 Beide] *davor gestr.* zu⟨sammen⟩ *H¹³* **190**,5
mit] *davor gestr.* zugleich *H¹³* **190**,35 er] *über der Zeile H¹³* **190**,36 Güter] *dahinter
gestr.* an der Galizischen Grenze *H¹³* **191**,4 BONNE COMPAGNIE] *davor gestr.* mi⟨t⟩
H¹³ **192**,7 eignen] *über der Zeile H¹³* **192**,11 Hof] *dahinter gestr.* in's Weite *H¹³*

192,14 Affairen] *über gestr.* Geschäften H^{13} **192**,16 an] *über der Zeile* H^{13} **192**,17 gewöhnlichen] *aus* gewöhnlichem *(Schreibfehler)* H^{13} **192**,36 Wie] *davor gestr.* Ganz H^{13} **193**,4 Zettel und] *aus* Zettel, H^{13} **194**,14 geschrieben] *über der Zeile* H^{13} **194**,15 von] *davor gestr.* wörtlich H^{13}

194,26 Brünn] *davor gestr.* der H^{13} **194**,30 vom Halse] *davor gestr.* noch so *(so*   5 *über der Zeile)* passabel H^{13} **194**,31 Verdrossenheit] *davor gestr.* Faulheit H^{13}

195,3 gegen Morgen] *davor gestr.* sieht H^{13} **195**,6 nach *bis* Ritt] *am rechten Rand mit Verweisungszeichen* H^{13} **195**,10 heiße] *über gestr.* hohe H^{13} hoch] *über gestr.* tief H^{13} **195**,11 mir] *über der Zeile* H^{13} **195**,17 vorbei] *aus* vorüber H^{13} **195**,18 Thalschlucht] *aus* breiten Schlucht H^{13} **195**,18.19 den interessantesten Theil]   10 *am linken Rand mit Verweisungszeichen* H^{13} **195**,19 dieser Partie] *gestrichen und unterpunktet, dahinter gestr.* theilweise H^{13} **195**,20 die] *davor gestr.* mit Macht H^{13} **195**,21 bedachte mich] *am linken Rand mit Verweisungszeichen* H^{13} **195**,23 mich] *über der Zeile* H^{13} **195**,24 bald] *davor gestr.* umsonst: H^{13} **195**,30 davon] *über gestr.* das H^{13} sich] *über der Zeile* H^{13} noch] *davor gestr.* doch H^{13} **195**,31 Sind]   15 *über gestr.* Streichen H^{13} **195**,32 soll *bis* Wald] *über Rasur* H^{13} dichs] *dahinter gestr.* dir einen H^{13} einmal] *über der Zeile* H^{13} Wald] *dahinter gestr.* einmal H^{13} **195**,33 ein paar Stunden zu wachen] *über der Zeile, dahinter am rechten Rand gestr.* und die Füchse bellen zu hören H^{13} **196**,1 ich] *aus* mich H^{13} **196**,7 ging] *über gestr.* schritt H^{13} **196**,8 an eine behutsame] *aus* zu einer behutsamen H^{13} **196**,16   20 Mein] *davor gestr.* Denn be⟨i?⟩ H^{13} **196**,23 gefallen.] gefallen [, auch meinem]. H^{13} Er] *über gestr.* Man H^{13} bot] *über gestr.* legte H^{13} **196**,31 Räder] *dahinter mit Kopierstift gestr.* wie ich H^{13} **196**,34 Hut] *mit Kopierstift über gestr.* Portefeuille H^{13} **196**,35 ihn] *mit Kopierstift am rechten Rand hinter gestr.* es H^{13} **197**,3 Feuermeer] *aus* Feuer H^{13} **197**,7–9 Ich *bis* vorüberrauschen] *am linken Rand mit Verweisungs-*   25 *zeichen neben gestr.* Unwillkürlich streckte mein Arm sich danach aus, doch war es schon an mir vorübergerauscht H^{13} **197**,17 drei] *am rechten Rand hinter gestr.* vier H^{13} **197**,20 bemächtigen!] *dahinter mit Bleistift gestr.* O diese wenigen Tage, wie reich an Erfahrung innerhalb meiner selbst, wie unermeßlich in ihren mög- lichen Folgen für meine ganze Existenz H^{13} **197**,21 Bande] *über gestr.* Leute H^{13} 30 **197**,23 soll!] *Ausrufungszeichen aus Komma, dahinter mit Bleistift gestr.* weil ich ihn einem solchen auch sicherlich nicht erzähle[n] H^{13} **197**,25.26 unter ganz freien Leuten] *aus* in der Mitte freier Leute H^{13} **197**,28 mit] *über der Zeile* H^{13} **197**,29 lerne] *dahinter gestr.* mit H^{13} **197**,35 und verdienen] u.⟨nd⟩ *über der Zeile* H^{13}

198,3 feinen] *aus* feiner *H¹³* 198,10 hängen wollte] *aus* hänge *H¹³* 198,11 Woche]
dahinter gestr. lang *H¹³* 198,12 sehe] *mit Bleistift über gestr.* kann *H¹³* nie] *mit Blei-*
stift über gestr. nicht *dahinter gestr.* ansehen, *H¹³* 198,13 Reize.] *dahinter mit Bleistift*
gestr. Sie fesselt mich unwiderstehlich und wäre es auch nur durch das Gefallen
5   an *H¹³* Schon] *über der Zeile H¹³* ganz] *mit Bleistift über der Zeile H¹³* 198,14 des]
mit Bleistift über gestr. dieses *H¹³* 198,20 den] *hinter gestr.* die *H¹³* 198,21 eines]
aus einer *H¹³* Ganzen] *über gestr.* Harmonie *H¹³* 198,22 Bewegungen,] *dahinter*
gestr. und *H¹³* 198,32 recht] *über gestr.* gerne *H¹³* 198,34 doch] *davor gestr.* allein
H¹³ ich nachgerade] *am rechten Rand mit Verweisungszeichen H¹³* 199,2 nicht selten]
10   *über gestr.* gar häufig *H¹³* vorkommt.] *dahinter gestr.* Hie und da kauf ich ihr kleine
Geschenke *H¹³* 199,3 Geschenke] *davor gestr.* kleine *H¹³* 199,4 ihr] Ihr *H¹³* etwas]
aus was *H¹³* von] *davor gestr.* G⟨old⟩ *H¹³* 199,5 wie ich mit Freuden sah,] *am*
rechten Rand mit Verweisungszeichen H¹³ 199,6 einigen] *mit Bleistift über gestr.* zwei
H¹³ 199,9 ich] *über gestr.* man mich *H¹³* 199,10 noch kenntlich] *aus* erkennen *H¹³*
15   mir] *davor gestr.* mein *H¹³* 199,13 thut] *davor gestr.* steht mir ganz gut *H¹³*
199,25 Nur] *über der Zeile H¹³* 199,26 Die] *mit Bleistift aus* Sie *H¹³* 199,30 mehr]
über der Zeile H¹³ 199,31 bezeugt] *über gestr.* gesagt *H¹³* 199,32 hütete] *davor*
gestr. nahm mich wohl in Acht *H¹³* 199,34 wirklich] *gestrichen und unterpunktet*
H¹³ 199,35 allein] *mit Bleistift über gestr.* nur *H¹³* 200,2 rührende] *davor gestr.*
20   mehrere *über* [einige] *H¹³* 200,3 Wanderungen] *aus* Wanderzügen *H¹³* 200,4
gekannt] *davor gestr.* an den gewohnten Orten *H¹³* Jahren] *dahinter gestr.* wie sie
es lange *(lange über der Zeile)* auf den Tag voraus gesagt haben soll *H¹³* 200,5.6
wie *bis* soll] *am linken Rand mit Verweisungszeichen H¹³* 200,6 kleinen] *über der*
Zeile H¹³ 200,7 mit *bis* Sonne] *hinter* Verordnung *(Zeile 6), dann mit Schleife umge-*
25   *stellt H¹³* 200,12 auf] *über gestr.* und *H¹³* 200,14 innerlich] *über der Zeile H¹³*
200,16 etwas] *über gestr.* jetzt *H¹³* 200,17 häufig] *davor gestr.* oft *H¹³* 200,26 fast]
am rechten Rand neben gestr. beinahe *H¹³* welcher] *am rechten Rand als Ersatz für*
gestr. der *H¹³* 200,32 geringste] *aus* geringsten *(Schreibfehler) H¹³* verworren]
über der Zeile H¹³ 200,34 und] *davor gestr.* lief munter auf ihn zu *H¹³* mich] *über*
30   *gestr.* mit *H¹³* 201,2.3 das *bis* Adern] *unter der Zeile am Seitenschluß mit Einweisungs-*
schleife (ursprünglich sollte der Satzteil wohl hinter Lippen *folgen) H¹³* 201,4 In einem
Dorfwirthshaus] *mit Kopierstift über gestr.* In einer Bauernhütte *H¹³* 201,13 dem]
über gestr. seinem *H¹³* 201,18 gar] *über der Zeile H¹³* 201,19 bisher] *über der*
Zeile H¹³ gebracht] *aus* brachte *H¹³* 201,21 theilnehmen] *aus* Theilnehmen

(Schreibfehler) *H¹³* **201**,22 im] *über gestr.* auf dem *H¹³* **201**,25 abzupressen] *aus*
auszupressen *H¹³* er] *über der Zeile H¹³* **202**,2 gerade] *über der Zeile H¹³* **202**,4 Los-
kine] *über gestr.* sie *H¹³* **202**,26 wolle,] *dahinter mit Bleistift gestr.* dem Städtchen *H¹³*
202,27 gegen Abend] *mit Kopierstift über gestr.* alsdann *H¹³* **202**,28 ihrer] *davor*
gestr. der *H¹³* den angesehensten Gasthof] *mit Bleistift aus* das angesehenste Gast-   5
haus *H¹³* **202**,31.32 durch *bis* erschreckt] *am linken Rand hinter Verweisungszeichen*
zunächst mit Tinte, ab Zuruf *mit Kopierstift neben gestr.* denn wir hörten Geräusch *H¹³*
202,35 einmal] *gestrichen und unterpunktet H¹³* **203**,7 war] *dahinter mit Kopierstift*
gestr. u.⟨nd⟩ ich machte sie ihm durch einen letzten Beweis meiner Erkenntlich-
keit um so leichter verschmerzen *H¹³* **203**,8 ich schlug es jedoch aus] *aus* was   10
ich jedoch ausschlug *H¹³* zu] *davor gestr.* von mir *H¹³* **203**,9 da] *aus* das *H¹³*
203,12 er wirklich] *mit Kopierstift am rechten und linken Rand neben gestr.* er *H¹³*
203,15 Tage] *davor gestr.* ganze *H¹³* **203**,16.17 die *bis* bezeichnet] *mit Umstellungs-*
schleife aus dem Hauptmann hatte ich die Richtung meiner Reise falsch bezeich-
net *H¹³* **203**,22 bereit] *davor gestr.* beh *H¹³* sein] *hinter gestr.* werden *H¹³* **203**,23   15
alles] *davor gestr.* A *H¹³* **203**,25 Werthpapier] *dahinter gestr.* dagegen *H¹³* aber]
mit Bleistift über der Zeile H¹³ **203**,30 Glaube] *aus* Glauben *H¹³* **203**,34 unterwegs
erst] *mit Umstellungsziffern aus* erst unterwegs *H¹³* **204**,13 neue] *über der Zeile H¹³*
204,14 mir] *gestrichen und unterpunktet H¹³* **204**,23 Loskine] *am linken Rand mit*
Verweisungszeichen H¹³ in] *über der Zeile H¹³* **204**,26 nur allzu] *am linken Rand*   20
neben gestr. gar *H¹³* **204**,28 ein] *aus* eine *H¹³* **204**,30 von uns] *über der Zeile H¹³*
204,31 unangefochten,] *am rechten Rand mit Verweisungszeichen H¹³* alles] *über gestr.*
vieles *H¹³* **204**,35 nicht] *über gestr.* heute *H¹³* allmählich] *davor gestr.* zu *H¹³*
205,2 tausend Küssen in] *am rechten Rand mit Verweisungszeichen H¹³* **205**,5 dem
elendesten] *aus* einem elenden *H¹³* derweil] *über gestr.* indessen *H¹³*   25
205,21 verlangt] *davor gestr.* bin *H¹³* **205**,26 den] *dem (Schreibfehler) H¹³* **205**,29
Zügen] *über der Zeile H¹³* **205**,33 Novellendichter] *mit Blaustift schon von Klaiber*
aus Novendichter *(Schreibfehler) geändert H¹³* **206**,14.15 zu *bis* Nachdenken]
durch Zusätze und Streichungen geändert aus in Ansehung der höchsten Fragen über
Gott und Welt; *am linken und unteren Rand ist noch ein mit Bleistift geschriebener,*   30
dann diagonal durchgestrichener und ausradierter Teilsatz über älteren Bleistiftnotizen
erkennbar: Vielleicht bedarf es hiezu vor Allem einer Berichtigung unserer aner-
zogenen Begriffe, wenn ⟨?⟩ durch einen allwissenden Geist unsere Verhältnisse
zu ⟨...⟩ *(Rest von ca. 5 Wörtern unleserlich) H¹³* **206**,22 Etui] *aus* Etuis *H¹³* **206**,26

idyllische] *aus* Idyllische H*¹³* **207**,2 Dann] *davor gestr. Am* H*¹³* **207**,4 gewonnen]
über der Zeile H*¹³* **207**,20 erst] *mit Bleistift über gestr. aus* H*¹³* **207**,23–28 Im *bis*
vorübergehn.«] *auf Papierstreifen über dem zugeklebten älteren Text* Er war im Fortgang des Gesprächs zusehends nachdenklicher geworden. Einiger Stellen wegen
5 in dem Bericht aus Neuburg erbat er sich dieselben zu näherer Einsicht. »Ja
recht!« sagte Larkens mit großer Bereitwilligkeit: »studiren Sie den merkwürdigen Text, zugleich mit Rücksicht auf mein Manuscript; lesen Sie ungestört, ich
lasse Ihnen Zeit.« Damit wandte er sich an seinen Schreibtisch, auf welchem eine
Masse von Papieren aufgeschichtet lag, die er zu durchmustern anfing; der
10 größere Theil wanderte in den Papierkorb, den andern schnürte er sorgfältig
in Pakete, überschrieb und siegelte sie.

Als Tillsen endlich fertig war, nahm Larkens wieder bei ihm Platz und Jener
sagte: »Das Erste, was in der Erzählung des Barons auffallen muß, ist das Benehmen der Fremden bei der Begegnung vor dem Birkenwäldchen. Es scheint
15 sie ließ das Mädchen erst ganz gleichgültig an sich vorübergehn.« H*¹³* **207**,27 an-
fangs] *am linken Rand mit Bleistift neben gestr.* erst H*¹³* **208**,2 dort] *mit Bleistift über
gestr.* damals H*¹³* **208**,5 angehöre] *aus* angehören H*¹³* **208**,27 uns] *über der
Zeile* H*¹³* **208**,32 Vorhersagung] *am linken Rand neben gestr.* Prophezeiung H*¹³*
209,1 dabei] *über der Zeile* H*¹³* **209**,3 zu] *fehlt* H*¹³* **210**,9 Aufschluß] *aus* Aus-
20 kunft H*¹³* **210**,10 dieser] *hinter gestr.* der H*¹³* **210**,11 ganz] *davor gestr.* vollkommen, ja H*¹³* **210**,20 noch die Gegenwart] *durch Streichungen und Zusätze über der
Zeile geändert aus* auch [Z] die Gegenwart und Zukunft noch mit Wenigem H*¹³*
210,24 Unbill] *davor gestr.* schmachvollen H*¹⁴* **210**,35 schicklich] *über gestr.* glücklich H*¹⁴* allerdings] *über gestr.* zwar H*¹⁴* **211**,1.2 während *bis* bedurfte] *am rech-
25 ten Rand mit Einweisungsschleife* H*¹⁴* **211**,2 Bitte] *davor gestr.* ausdrücklichen H*¹⁴*
211,4 war] *davor gestr.* aber H*¹⁴* er] *gestrichen und unterpunktet; darüber geschriebenes* derselbe *gestrichen* H*¹⁴* **211**,5 seine] *über gestr.* die H*¹⁴* Nolten] *über gestr.*
seinen unglücklichen Freund H*¹⁴* **211**,8 das] [wohl] das *über gestr.* Noltens H*¹⁴*
211,10 füglich] *gestrichen und unterpunktet; darüber mit Bleistift gestr.* wohl H*¹⁴*
30 **211**,15 Einladung] *davor gestr.* längst ersehnte H*¹⁴* **211**,19 Maler] *hinter gestr.*
Freund H*¹⁴* **211**,20 war] *über der Zeile* H*¹⁴* **211**,24 ergötzlichste] *über* lustigste H*¹⁴*
211,31 ernstlichen] *hinter gestr.* dr⟨ingenden?⟩ H*¹⁴* **212**,4 verzweiflungsvoll.]
dahinter gestrichenes, auf der nächsten Zeile (212,5) erneut hingeschriebenes Von dem H*¹⁴*
212,5 da] *über der Zeile* H*¹⁴* **212**,6 und] *gestrichen und unterpunktet* H*¹⁴* **212**,19

konnte] *über gestr.* durfte H^{14}　**212**,21 vom Bruder] *am linken Rand mit Verwei-*
sungszeichen H^{14}　**212**,25 dazu,] *dahinter mit Bleistift gestr.* aus welchen kaum ein
leiser Vorwurf sprach, H^{14}　und] *über der Zeile* H^{14}　schickte die Rolle] *mit Umstel-*
lungsziffern aus die Rolle schickte H^{14}　**213**,8.9 Mit *bis* sollst] *mit Bleistift* H^{14}

ZUR TEXTGESTALT VON KLAIBERS FASSUNG

Band 4 Seite 217–382

Textgrundlage ist E². Der Abdruck des Schlußteils des Romans in Julius Klaibers Fassung
schien dem Herausgeber notwendig, da diese auf Mörikes Vorarbeiten beruhende Fort-
setzung der unvollendeten Umarbeitung der Forschung bis in die jüngste Gegenwart
hinein zugrunde gelegen hat.

Damit Klaibers Eingriffe und Zutaten schon im Druckbild deutlich zu erkennen sind,
wurden sie typographisch durch kleinere Lettern vom originalen Wortbestand Mörikes
abgehoben, wie er in E¹ und in den Handschriften H¹⁻³ und H⁹⁻¹² vorliegt. Kleiner ge-
druckt sind ausnahmslos alle nicht von Mörike selbst stammenden Zusätze und alle Er-
setzungen einzelner Wörter durch andere, auch wenn nur dieser *in der,* eine *in die,* der
Maler *in Nolten,* jetzt *in nun (ein Lieblingswort Klaibers),* Madam *in Frau,* Weibs-
person *in Person verwandelt wurde. Nicht durch kleineren Druck gekennzeichnet wur-*
den dagegen rein orthographische Varianten und gelegentlich vorkommende Änderungen
der Beugungsformen von Haupt- und Zeitwörtern, da hier die Wortsubstanz als solche
nicht angetastet wurde.

Alle Änderungen Klaibers lassen sich an den Texten Mörikes selbst mit Hilfe der Lesarten
und der Bearbeitungsansätze kontrollieren, auch die zahlreichen Umstellungen einzelner
Wörter oder Satzteile und die häufigen Auslassungen von Wörtern, Satzteilen, Sätzen
oder gar ganzen Abschnitten, die typographisch nicht erkennbar gemacht werden konn-
ten.

Besonders bezeichnende Beispiele für nicht autorisierte Umstellungen und Kürzungen Klai-
bers, ohne daß er zum Mörikeschen Wortbestand etwas hinzugesetzt hätte, sind die fol-
genden: Bd 3, S.301,24ff mit dem besten Weine füllten die Gläser sich frisch, und
während die Frauenzimmer das Strickzeug vornahmen, begann der Bildhauer ...
dagegen Bd 4, S.278,16f die Gläser füllten sich mit dem besten Weine, und der
Bildhauer begann ... *Bd 3, S.411,23ff* Nachdem die beiden Leichen auf dem
katholischen Gottesacker des nächsten Städtchens, jedoch mit Zuziehung eines

protestantischen Geistlichen, zur Erde bestattet worden ... *dagegen Bd 4, S.380,1f*
Nachdem die beiden Leichen auf dem Gottesacker des nächsten Städtchens zur
Erde bestattet worden ...

Die umfangreichsten Striche und Kürzungen ohne Autorisation durch den Dichter hat
Klaiber an folgenden Stellen vorgenommen: Bd 4, S.280,4ff (Raimunds Extravaganzen   5
in Halmedorf; vgl. Bd 3, S.303,18ff); Bd 4, S.308,18 (Lörmer an Larkens' Leichnam; vgl.
Bd 3, S.335,22ff); Bd 4, S.319,19ff (Margot als Gegenstand von Spöttereien; vgl. Bd 3,
S.348,29ff); Bd 4, S.339,36ff (Geschichte der mystischen Ferntrauung; vgl. Bd 3, S.370,
19ff).

Paralipomenon Q (Bd 4, S.392) hat Klaiber als einziges der ihm vorliegenden Bruchstücke   10
aus unbekannten Gründen nicht in seinen Text eingearbeitet.

Die Grundlagen seines Textes sind im einzelnen:

217,5.6: Paralipomenon J, Bd 4, S.339

217,7.8: Bd 4, S.213,8.9

217,8–15: Bd 3, S.223,2–10   15

217,17–**218**,12: Paralipomenon K, Bd 4, S.390

219,17–22: Paralipomenon L, Bd 4, S.391

219,23–31: Bd 3, S.223,20–29

220,15–**225**,16: Bd 3, S.225,17–233,17

225,24–**227**,25: Bd 3, S.177,18–180,21   20

227,30–**228**,2: Paralipomenon M, Bd 4, S.391

228,5–**229**,6: Bd 3, S.235,19–236,16

229,8–**230**,24: Bd 3, S.233,25–235,6

230,25.26: Bd 3, S.236,17.18

230,27.28: Paralipomenon M, Bd 4, S.391   25

230,28–**231**,11: Bd 3, S.236,18–237,3

231,12–**234**,21: Bd 3, S.248,13–252,22

234,29–**237**,25: Bd 3, S.237,17–240,11

237,26–32: Paralipomenon N, Bd 4, S.391

237,33–**240**,24: Bd 3, S.241,30–245,23   30

240,25–**241**,8: Bd 3, S.240,12–241,29

241,10–**242**,33: Bd 3, S.245,24–247,20

244,5–14: Paralipomenon P, Bd 4, S.392

244,19–**280**,3: Bd 3, S.262,18–303,17

280,5.6: *Bd 3, S.303,21*

280,8–**308**,18: *Bd 3, S.304,5–335,22*

308,19–**339**,36: *Bd 3, S.337,21–370,19*

340,10–**341**,24: *Paralipomenon H, Bd 4, S.388–389*

5   **341**,26–**380**,18: *Bd 3, S.372,11–412,8*

380,18–20: *Bd 3, S.413,33–35*

380,21–**382**,19: *Bd 3, S.412,9–414,16*

382,22–24: *Bd 3, S.413,35–414,2*

LESARTEN ZU DEN PARALIPOMENA

Band 4 Seite 385–393

Die als Paralipomena bezeichneten eigenhändigen Notizen Mörikes im Rahmen der Um-
arbeitungspläne, teils stichwortartige Entwürfe, teils ausgearbeitete Textstellen, sind in
der Reihenfolge abgedruckt, in der sie nach Ansicht des Herausgebers dem Romangeschehen 5
einzuordnen sind. Vorangestellt sind 2 Blätter (Paralipomenon A und B), in denen sich
der Dichter vor der Umarbeitung selbst Rechenschaft ablegt über die Notwendigkeit be-
stimmter Änderungen des Handlungsablaufs und die daher auch zeitlich am frühesten
entstanden sein dürften, während für die Datierung der übrigen Paralipomena Anhalts-
punkte nicht vorhanden sind. Nicht einmal eine relative Chronologie ist möglich. Mit großer 10
Vorsicht kann man Paralipomenon K als das wohl am spätesten entstandene bezeichnen
(vgl. die Lesarten und Erläuterungen). Die anderen sind vermutlich neben der Arbeit an H¹
und H², meist vor der Niederschrift von H¹³ entstanden (vgl. die Entstehungsgeschichte
der Umarbeitung).
Die Buchstaben über den einzelnen Paralipomena stammen vom Herausgeber. 15

A

Überlieferung: H³ Bl. K
1 (auch 64)] *über der Zeile H³*

B

Überlieferung: H³ Bl. G 20
7 Erfindung] *gestrichen und unterpunktet H³* **8** was] *davor gestr.* die etwaigen *da-*
hinter gestr. also *H³* **12** werden] *über der Zeile H³* Band I auf S.⟨...⟩] *in später*
getilgten Klammern, davor gestr. hier *H³*

C

Überlieferung: H³ Bl. I 25
10 allgemeiner] allgem. *H³* **11–13** bei *bis* Gebäude!] *mit Einweisungszeichen unter*

Zeile 14–16 H³ **11** einer] er *H³* eine] e. *H³* **14** Eine] Ei ⟨?⟩ *H³* Haus] Hs *H³* **16** Phy-
siognomie] Physiognom. *H³*

D

Überlieferung: H³ Bl. B

1–7: *diagonal durchgestrichen* **1** einander alleine] *mit Umstellungsziffern aus* alleine
einander *H³* **6.7** sich *bis* wären.] *am rechten Rand quer von unten nach oben H³*

E

Überlieferung: H³ Bl. H

1 Schlecht colorirter Kupferstich] *die Wortenden sind besonders flüchtig geschrieben*
(möglicherweise ist zu lesen Schlechte colorirte Kupferstiche*) H³* **3** Landschaften]
Landschaft ⟨?⟩ *H³* **4** bei seiner] b.sr. *H³* **6** Das] *am linken Rand H³* **9** als] [als]
als *H³* **12** Fantasie] Fantas. *H³* **19** verkleinerndes] verklrndes ⟨verklärendes?⟩
über der Zeile H³ **23** das Kunstwerk] d.Kunstw. ⟨die Kunstwerke?⟩ *H³*

F

Überlieferung: H³ Bl. C

1 Dichterischen] *sicher lesbar nur* Dicht *oder* dicht, *dahinter ein Schnörkel, der auch*
die unwahrscheinlichere Lesung Dichterthums *erlaubt H³*

G

Überlieferung: H³ Bl. I

4 des Vaters] *über der Zeile H³* **6** Jugend.] *dahinter gestr.* Gr *H³* **18.19** Sie *bis* Kunst-
blatte] *zwischen senkrechten Strichen H³* **23.24** und *bis* gar] u.sie doch ō nur ō gar *H³*

H

Überlieferung: H¹⁰

2 welchem] *über gestr.* dem *H¹⁰* wieder] *hinter mit Bleistift gestr.* von Neuem *H¹⁰*
5 Es] *hinter gestr.* Das *H¹⁰* **8** hie und da] *mit Bleistift aus* hin und wieder *H¹⁰* **9** fort]
über der Zeile H¹⁰ **10** kleinen verlassenen] verlassenen *mit Bleistift am rechten Rand*
neben ebenfalls mit Bleistift hinzugesetztem, dann gestr. einsamen, *dieses über* kleinen
H¹⁰ **14** zusehends] d *mit Bleistift eingefügt H¹⁰* **16** in der Ferne] in *hinter gestr.*
mi *H¹⁰* an] *dahinter gestr. Komma H¹⁰* **18** deutlich] *davor gestr.* hören *H¹⁰* **20** gegen]

davor gestr. wie *H¹⁰* **22** anfängt:] *Doppelpunkt aus Semikolon H¹⁰* **24.25** Einigemale
bis aus] am linken Rand mit Verweisungszeichen H¹⁰ **26–30** Ich *bis* über] *am linken*
Rand mit Verweisungszeichen; im Text selbst ist ohne Streichung stehen geblieben Der
erste bei weitem *(bei weitem mit Bleistift über gestr.* und) größere Schrecken
über *H¹⁰* **26.27** der Beschreibung des Bildes] *mit Bleistift aus* dem Bilde *H¹⁰*
27 dein] *mit Bleistift über gestr.* das *H¹⁰* **31** jede andere Furcht] *über gestr.* das Entsetzen über diese neue Erscheinung bei mir *H¹⁰* **32.33** Erst *bis* zweitenmal] *in*
wieder gestrichenen eckigen Klammern H¹⁰ **34** mit seltsamem Lächeln] *gestrichen*
und unterpunktet; darüber geschriebenes ebenso gleichgültig *gestrichen H¹⁰* Uns macht
das] *mit Umstellungsziffern aus* Das macht uns *H¹⁰* **35** lange] *über der Zeile H¹⁰*
35.36 ich entsetzt] *dazwischen 6½ mit dicken Tintenstrichen unleserlich gemachte Zeilen*
H¹⁰ **37** nicht fühlen ließ] *hinter gestr.* wie eine kühle Luft anfühlte *H¹⁰* **37.38** Mich
bis erwacht.] *am linken Rand unten auf Seite 2 des Manuskripts als Ersatz für den mit*
Grünstift diagonal durchgestrichenen Text auf Seite 3: Auf einem kleinen Hügel nicht
allzuweit von uns nahm ich sofort vier dunkle Reiter wahr, Kriegsleuten ähnlich
aus der ältesten Zeit mit Harnisch und Wehr, ihre Leiber nicht viel über menschliche Größe hinaus auf starken Rossen. Diese Figuren hoben sich auf dem schrecklichen rothbraunen Firmament wie schwarze Schatten ab. Es war als hätten sie
einander an diesen Ort bestellt und hätten eilig etwas abzureden. Als dieß ge-
scheh[e]n war kehrten sie sich mit den Pferden nach den vier Gegenden des
Himmels und jeder hob eine Posaune an den Mund, darein er stieß: es war ein
einziger, entsetzenvoller, doch prächtiger Accord, den sie im Auseinandersprn-
gen – ein jeder jagte grade vor sich hin – mehrmals gleichtönig wiederholten.
Der Eine, welcher abendwärts stürmte, kam hart an mir vorbei: sein Blasen
drang mir durch Mark und Gebein, daß ich zu Boden stürzte, zugleich aber auch
von kaltem Schweiß bedeckt erwachte. *H¹⁰*

I

Überlieferung: H³ Bl. C
3 Larkens] L. *H³*

K

Überlieferung: H⁹
17 Und weiter!] *gestrichen, aber unterpunktet nach Streichung eines* Doch *über dem*
Und *H⁹* **18** Alles] *davor gestr.* Und *H⁹* **21** Armer] *gestrichen und unterpunktet;*

darüber geschriebenes Unseliger *gestrichen* H⁹ Larkens] L. H⁹ anderemal] *dahinter gestr.* B⟨öser?⟩ H⁹

L

Überlieferung: H³ Bl. D

5 **1-6**: *am linken Rand diagonal von oben nach unten geschriebene Bruchstücke von Sätzen und Wörtern, deren Anfänge sich auf dem abgeschnittenen, verlorenen oberen Teil des Blattes befinden* H³ **4** hundertfache] 100fache H³ **8** mir] *davor zwei bis drei durch Striche unleserlich gewordene Buchstaben* H³

M

10 *Überlieferung:* H³ Bl. C

2 Engagement] E. H³ **9.10** Auffallend *bis* arbeitete] *auf der rechten Seite des Blattes neben den in Zeile 6–7 stehenden Wörtern* Lust *und* Muth *geschwunden,* Wahn, sich körperlich und geistig neu aufzubauen. H³

N

15 *Überlieferung:* H¹¹

2 um Gotteswillen] *über der Zeile* H¹¹ **2.3** Sibylle] Sib. H¹¹ **4** nicht irren] *ursprünglich hinter* Sib.⟨ylle⟩ *(Zeile 2.3), dann mit Schleife umgestellt* H¹¹ tausendfältig] *über der Zeile* H¹¹ **6** wechseln] *davor gestr.* tausendfältig H¹¹ **7** mit der That] *unter der Zeile* H¹¹

20 # O

Überlieferung: H¹²

2 zwei] 2 H¹²

P

Überlieferung: H³ Bl. F

25 **5** hiermit] *dahinter ½ Zeile mit Raum für 1–2 Wörter frei (der Satz ist unvollständig geblieben); zu ergänzen wohl* bekannt H³ **7** ihr] *aus der hinter gestr.* das H³ **8** ist] *über der Zeile* H³

Q

Überlieferung: H³ Bl. B

30 **1** Nolten] N. H³ **4** einmal] 1mal H³ Gulden] *nicht sicher lesbar* H³ **6** dem] d. *viel-*

leicht zu lesen d⟨er?⟩ *H³* Karten] Karte ⟨?⟩ *H³* **7** Nolten.] No. *H³* Abschiedsbesuch]
Abschiedsbes. *H³* **8.9** Orgelspielerin] Orgsp. *hinter gestr.* Elis⟨abeth⟩ *H³*

R

Überlieferung: H³ Bl. I

1 Larkens'] Larks *H³* **4** den] d. *hinter gestr.* unt⟨eren⟩ *H³* **8** außer seinen Werken]   5
außer s. Werken *über der Zeile H³* **10.11** haben die Philosophen] *der handschriftliche*
Befund habe⟨?⟩ d. Philos. *gestattet auch die unwahrscheinlichere Lesung* habe die Philosophie *H³* **12** Begriffs⟨bewegungen?⟩] *sehr schwer zu lesen, da mehrfach verbessert*
auf zu engem Raum H³ **13** Untersuchungsrichters] Untersuchungsrichter *H³*
16 wenig] weg *H³* suchte] *über gestr.* versezte *H³* **17** zu versetzen] *über der Zeile H³*   10

S

Überlieferung: H³ Bl. I

3 Der] *davor gestr.* E *H³* **6.7** Bei *bis* unwissentlich] *zwischen senkrechten Strichen H³*
7 unwissentlich] *davor gestr.* nicht *H³* **8.9** Christenthum] Xsthm *H³* **9** Prediger]
Predg *H³* **10** Menschen] Msch *H³*   15

T

Überlieferung: H³ Bl. H

ERLÄUTERUNGEN

ERLÄUTERUNGEN ZUR ERSTEN FASSUNG

Band 3 Seite 11–414

Bei Verweisungen auf Stellen in dieser Ausgabe ist da, wo keine Bandzahl genannt wird, stets gemeint: Bd 3.

14,5 versäumt] *Offensichtlich in der bis ins 19.Jahrhundert üblichen Bedeutung »vernachlässigen, durch Säumen verlieren, um etwas kommen« (Beispiele bei Grimm, Bd 12,1, Sp.1044ff; Fischer, Bd 2, Sp.1289). In der Umarbeitung des »Maler Nolten« Bd 4, S.16, 15.16: fast entflieht ihm das ... Tuch.*

14,32 nächtliche Versammlung musikliebender Gespenster] *Seinem Brief an Friedrich Theodor Vischer vom 8.September 1831 hatte Mörike eine von ihm selbst als phantastische Sudeley bezeichnete Skizze beigefügt, die diese nächtliche Versammlung zum Gegenstand hat. Vgl. den Briefwechsel mit Vischer, hrsg. von R. Vischer, 1926, S.323.*

14,33 hüglichten] *Das in der Goethezeit gebräuchliche »hüglicht« wird im 19.Jahrhundert allmählich durch »hügelig« ersetzt. Die schwäbische Volkssprache kennt das Wort »Hügel« im übrigen nicht (Fischer, Bd 3, Sp.1857).*

15,29 Kalkant] *Bis ins 20.Jahrhundert übliche Bezeichnung für den Bälgetreter an der Orgel. In der Umarbeitung Bd 4, S.18,7: Balkentreter.*

19,16 affreusen] *Im ganzen 19.Jahrhundert noch gebräuchliches Fremdwort für »abscheulich, häßlich«.*

19,17 Hemdstrich] *In Wörterbüchern und sonstigen Nachschlagewerken der Zeit sowie in Modewerken nicht nachweisbar. Vermutlich bezeichnet Mörike damit die gestärkte Chemisette oder das Jabot der zeitgenössischen Männertracht.*

20,7 aus dem Statius] *Aus der »Thebais« oder der »Achilleis« des römischen Dichters Publius Papinius Statius.*

21,21 die breit goldene Rahme] *Erst im Lauf des 19.Jahrhunderts hat das norddeutsche Maskulinum »der Rahmen« das süddeutsche Femininum »die Rahme« verdrängt. Vgl. die männlichen Formen in der Umarbeitung Bd 4, S.19,15 und S.85,19.*

21,35 Opfer der Polyxena] *Polyxena, eine der Töchter des Priamos und der Hekabe, sollte nach später griechischer Sagenüberlieferung mit Achilleus vermählt werden und wurde von den Griechen auf dem Grabe des auserkorenen Gatten geopfert.*

22,19 Lassen bis Hand] *Vielleicht Reminiszenz an Lessing, »Emilia Galotti«, V,7 am Schluß: »Lassen Sie mich sie küssen, diese väterliche Hand«.* 5

22,35 Wispel] *Wispel ist die bekannteste der selbsterfundenen skurrilen Gestalten, in die sich Mörike zum Ergötzen der Stiftsfreunde zu verwandeln pflegte. Unter seinem Namen hat er auch ein Bändchen Gedichte verfaßt (vgl. die »Sommersprossen« in Bd 2). Ein Barbier von Profession als Bedienter der Hauptgestalt begegnet auch in zwei da-* 10 *mals sehr viel gelesenen Romanen: in Fieldings »Tom Jones« (Partridge) und in E.T.A. Hoffmanns »Elixieren des Teufels« (Peter Schönfeld/Pietro Belcampo). Für die Vornamen Wispels vgl. die Erläuterung zu Bd 4, S.117,5.*

23,2 Hieb] *Volkssprachlich-schwäbisches Wort für »Sparren«. »Er hat einen Hieb« ist gleichbedeutend mit: »Er ist nicht richtig im Kopf« (Fischer, Bd 3, Sp.157,4; vgl. auch Schmid, S.277).* 15

26,3.4 sich bis mystificiren] *»Sich über etwas mystifizieren« wird am Ende des 18. und zu Beginn des 19.Jahrhunderts oft in der Bedeutung »sich über etwas täuschen« gebraucht.*

27,10 Leopold, so nennen wir den Reisenden] *Ähnlich »Bruchstücke eines Romans« (Werke, hrsg. von Maync, Bd 3, S.295,25): Armin selbst (so nennen wir den jungen* 20 *Mann). Angeregt wurde Mörike vermutlich durch den Beginn von Goethes »Wahlver-wandtschaften«: »Eduard – so nennen wir einen reichen Baron«. Für Mörikes Kenntnis der »Wahlverwandtschaften« vgl. die Erläuterung zu S.187,23.24.*

27,16 agatnen] *Die Form »agatnen« neben »achatnen«, »aus Achat« ist etwa bis in die Mitte des 19.Jahrhunderts gebräuchlich.* 25

28,8.9 eine der köstlichen Anstalten] *Vgl. den Brief Mörikes an Mährlen vom 7.Mai 1829:* ich durchlief die benachbarten Zellen des Irrenhauses und wühlte in der nächtlichen Fratzenwelt ihrer Träume.

29,12 produciren] *In der Bedeutung »vorstellen, vorführen« noch im ganzen 19.Jahr-hundert gebräuchlich.* 30

31,30.31 spielte er ... Versteckens] *In ganz Deutschland gebräuchliche volkssprach-liche Wendung (Grimm, Bd 12,1, Sp.1654ff).*

32,11 Ausdruck des Engels, der in ihr atmet] *Vgl. den Beginn des zuerst im »Maler Nolten« gedruckten Sonetts »An die Geliebte« (S.390,11–14).*

32,33–**33,**15 Ein Riese *bis* hervor] *Für die drastische Verspottung des Verbindungs-*
studententums vgl. auch den »Spillner« (Bd 6), das Gedicht »An Longus« (Bd 1), die
Zeichnung des kleinen Mannes mit der großen Gosche (E. Mörike, Zeichnungen, hrsg.
von Herbert Meyer, 1952, S.31) und Ludwig Bauers Roman »Die Überschwenglichen«
(1836).

34,33 Hollberg'schen oder Shakespear'schen Komödie] *Einige von Ludwig Hol-*
bergs Komödien, vor allem der »Don Ranudo di Colibrados«, gehörten in der ersten
Hälfte des 19.Jahrhunderts zu den meistgespielten und höchstgeschätzten Stücken auf
den deutschen Bühnen. Stuttgart machte keine Ausnahme (vgl. R. Krauß, Das Stuttgarter
Hoftheater, 1908, S.146).

36,23–**37,**23: *Früherer Druck nicht bekannt. Text wie in der ersten Gedichtausgabe*
mit Ausnahme des Und *statt* Doch *(37,8) und geringfügiger Interpunktionsvarianten.*
Fußnote in der Stuttgarter Sammelhandschrift für Dorchen Mörike: Ist aus einer un-
vollendeten Novelle. Hier und in A¹ folgt dann mit etwas anderen Worten die S.36,
1–15 abgedruckte Erzählung. In der Stuttgarter Handschrift heißt es: Es wird dort
erzählt: In einer gewißen alterthümlichen Stadt wohnte im Giebeldache eines
kleinen sonst verlassenen Haußes ein junger Mann von seltsamer, abgezehrter
Gestalt, dessen Lebensweiße Niemand näher bekannt gewesen, der sich auch
niemals hat *(aus* habe) blicken lassen, außer, nach der Volkssage, jedesmal *(aus*
jedesmals) vor dem Ausbruch einer Feuersbrunst; dann habe man ihn in einer
scharlachrothen Kaputze am kleinen Fenster unruhig auf u.⟨nd⟩ abschreiten sehen,
– das sichere Zeichen des nahe bevorstehenden Unglücks. Mit dem ersten Feuer-
lärm sey er dann auf einem magern Klepper unten aus dem Stall hervorgesprengt
und habe pfeilschnell u.⟨nd⟩ unfehlbar seinen Lauf nach der Brandstelle zu genommen. *In der Umarbeitung des Nolten hat das Gedicht eine Strophe mehr entspre-*
chend der 2.–4. Gedichtausgabe. Vgl. im übrigen die Lesarten und Erläuterungen zu
»Der Feuerreiter« in Bd 1.

38,14 Zinkenisten] *Die altertümlichen Zinken (vgl. auch »Das Stuttgarter Hutzel-*
männlein«, 1855, S.144) waren zwar bei den Turm-Musiken seit dem Ende des 18.Jahr-
hunderts bereits durch andere Blasinstrumente (z.B. durch die S.38,25 erwähnten Klari-
netten) ersetzt worden, doch hat sich die traditionelle Bezeichnung »Zinkenisten« für
die »Stadtpfeifer« z.T. noch bis ins 20.Jahrhundert erhalten.

39,17 ihre blauen Glocken] *Blau ist auch in dem Blumengespräch S.349ff die der Agnes*
zugeordnete Farbe.

40,1 klingt wie Spott auf *ihn*] *In wohl unbewußter Erinnerung an Fausts Worte in*
»*Marthens Garten*«: *Mein Liebchen, wer darf sagen*

Ich glaub' an Gott?

Magst Priester oder Weise fragen,

Und ihre Antwort scheint nur Spott   5

Über den Frager zu seyn.

Der »*Faust*«, *der* »*Wilhelm Meister*«, *die* »*Wahlverwandtschaften*«, »*Dichtung und
Wahrheit*« *und der Briefwechsel Goethe-Schiller waren während der Arbeit am Nolten
Mörikes bevorzugte Lektüre (Zusammenstellung der Belegstellen bei M. Enzinger: Sit-
zungsberichte d. Österr. Akademie der Wissenschaften, Bd 245, 1965, Abh. 4: Mörikes*   10
Gedicht »*Auf eine Lampe*«, *S.32ff*).

40,30 daran lügen] *In der Bedeutung* »*in Bezug auf etwas die Unwahrheit sagen*« *aus
dem Lutherdeutsch in die Sprache der Goethezeit übernommen (Grimm, Bd 6, Sp.1276).*

40,31 Allem aufzubieten] *In der oberdeutschen Volkssprache wird* »*aufbieten*« *bis in
die Gegenwart mit dem Dativ verbunden. Vgl. auch S. 178,18. 19; 188,27. 28; 369,14.*   15

42,4 Besemen] *Aus der Lutherbibel übernommener, in der Goethezeit noch gebräuch-
licher Plural von* »*Besen*«.

43,2 Durchsichtig wie Krystall] *Vgl.* »*An einem Wintermorgen, vor Sonnenaufgang*«
v. 5 Einem Krystall gleicht meine Seele nun.

44,11.12 EAU DE PORTUGAL noch DE MILLE FLEURS] *Zwei der meistgebrauchten*   20
*wohlriechenden Wasser im 19.Jahrhundert neben Eau de Cologne (Ersch-Gruber, Reihe 3,
Bd 12, S. 40).*

44,33 der Reukauf] *Im 19.Jahrhundert kaum noch gebrauchtes Wort für* »*Reue*«
(Grimm, Bd 8, Sp. 844; Trübner, Bd 5, Sp. 386).

45,29.30 die rothe Blüthe einer Granate] *Innerhalb der Farben-Symbolik der Erst-*   25
fassung des »*Maler Nolten*« *ist der Constanze die weiße und die rote Farbe zugeordnet
(vgl. S.68,10ff; 69,36; 70,1ff; 72,32; 77,8ff). Die rothe Blüthe einer Granate als
Symbol lebhafter Neigung (S.68,12.13) auch in dem großen Brief an Hartlaub vom
20.–25.März 1826 und in dem Gedicht* »*Liebesvorzeichen*« *(Bd 1).*

46,17 unterschoben] *Larkens ahmt die Handschrift Noltens nach wie Schoppe die-*   30
jenige Albanos in Jean Pauls »*Titan*«, *den Mörike durch Waiblinger kennen gelernt
hatte (vgl. die Briefe an die Schwester Luise vom 3.2.1824 und 15.–16.2.1825). Mörike
selbst ahmte noch im Alter gern fremde Schriftzüge nach (vgl. das Blatt vom 18.7.1874
bei Koschlig, Mörike in seiner Welt, 1954, S. 192).*

47,17 Galgenfeder] *Sonst nicht nachweisbar, wohl gleichbedeutend mit »Galgenvogel, Galgenstrick«.*

47,23 Wurm im Kopf] *Wie der Student in Larkens' Erzählung, S.32,33ff.*

48,8 meine Maschinen getrost fortspielen] *In dem der Goethezeit geläufigen Sinn von »weiterhin alle Anstalten treffen, alle Mittel anwenden«.*

49,26 nimmer] *In der Umarbeitung getilgter Suevismus: »nicht mehr«. Ebenso S.57, 34; 152,21; 238,21; 315,30; 329,8; 411,16 und häufig in der »Idylle vom Bodensee« (Bd 7).*

52,2 den Ihr da vorhin ausgefolgt] *Schwäbisch: »dem Ihr da vorhin das Geleit gegeben habt«.*

52,25 Zeit bringt Rosen] *Altes, sehr häufig begegnendes und auf verschiedene Weise fortgesetztes Sprichwort (Wander, Bd 5, unter dem Stichwort »Zeit«, Nr 106,664–669).*

54,33 aufdrang] *»Dringen« und »drängen« werden vor dem ersten Duden noch nicht scharf unterschieden (vgl. die Beispiele bei Paul-Betz, S.137–138, vor allem die Schiller-Zitate). Mörike verwendet in der ersten Fassung des »Maler Nolten« stets nur die starken Konjugationsformen: S.246,16 gedrungen; S.312,33 drangen; S.335,19 drang; S.284,4 und S.384,4 gar verdrungen.*

57,34 nimmer] *Vgl. die Erläuterung zu S.49, 26.*

59,9 Distraction] *Zerstreuung. Vgl. auch die Erläuterung zu Bd 4, S.61,16.*

62,12 gedenkbar] *Wie auch S.77,29 in dem der Goethezeit geläufigen Sinn von »denkbar« (Grimm, Bd 4, 1a, Sp. 1994).*

62,15.16 auf etwas ... spannen] *Vorwiegend süddeutsch: »auf etwas gespannt sein, seine Aufmerksamkeit richten«.*

68,11 Blumensprache] *Vgl. die Erläuterung zu S.350,19.*

68,11.12 eines blühenden Granatbaums] *Vgl. die Erläuterung zu S.45,29.*

69,30.31 Sie verschwand *bis* Thee zu sehn] *Vgl. Gustav Schwabs Nolten-Rezension, abgedruckt oben S.52,32. Die Szene fehlt in der Umarbeitung.*

69,36 eine offene Kalla] *Vgl. hierzu und zu den folgenden Zeilen die Erläuterung zu S.45,29. Die sogenannte Kalla (Zantedeschia aethiopica) ist eine Zierpflanze mit reinweißer Kolbenscheide.*

71,30 drei verschiedene Künste in Verbindung] *Gesellschaftsspiele solcher Art waren ähnlich wie das Zwischenspiel S.99ff vom Barockzeitalter bis in die erste Hälfte des 19.Jahrhunderts in adligen, später auch bürgerlichen Kreisen sehr beliebt. Vielleicht ist Mörike auch von einer entfernt ähnlichen Szene in Goethes »Wahlverwandtschaften«, II,4*

angeregt worden, wie Maync vermutet hat. Für seine Kenntnis der »Wahlverwandt-
schaften« vgl. die Erläuterungen zu S.40,1 und S.187,23.24.

72,21 Vestris] *Gaëtano Vestris (1729–1808) war der höchstgefeierte Tänzer seiner Zeit.*
Sein fast ebenso berühmter Sohn Augustin Vestris-Allard (1760–1842) lebte noch, als der
»Maler Nolten« entstand.   5

72,32 im weißen Atlaskleide] *Vgl. die Erläuterung zu S.45,29.*

73,17 Prinz Arthur] *In Shakespeares »König Johann«, IV, 1.*

75,1–**76**,12: *Früherer Druck nicht bekannt. Das Gedicht hat hier noch 2 Strophen*
mehr als in der ersten Gedichtausgabe; in der Umarbeitung des »Maler Nolten« ist es
fortgelassen worden. Vgl. im übrigen die Lesarten zu »Sehnsucht« in Bd 1.   10

77,8–10 Kleid mit rothen Schnüren *bis* Granatblüthe] *Vgl. die Erläuterung zu*
S. 45, 29.

77, 29 gedenkbar] *Vgl. die Erläuterung zu S. 62,12.*

78,8–10 wenn ich *bis* hervorzuführen] *Vgl. »Der junge Dichter«, v. 12–25, besonders*
v. 22–25:   Wenn ich nur mit stumpfem Finger   15

Ungelenk die Saiten rührte –

Ach, wie oft wollt' ich verzweifeln,

Daß ich stets ein Schüler bleibe!

79,5–10 wo der Künstler *bis* eindrang] *Vgl. das Sonett »Eberhard Wächter«.*

80,21–24 die Gräfin *bis* einsank] *Vgl. Gustav Schwabs Rezension oben S. 52, 32. In*   20
der Umarbeitung des »Maler Nolten« (Bd 4, S.78) ist die Szene ganz umgestaltet.

80,27 schönen Grotte] *Vorbild der schönen Grotte ist der Schilderung nach wohl die*
auch von Hermann Kurz in »Schillers Heimatjahre« Kap.38 beschriebene Grotte im Park
des Hohenheimer Schlosses.

82,30 vom süß betäubenden Duft dieser üppigen Haare] *Vgl. das Epigramm »Vicia*   25
faba minor«, v. 1. 2:

Fort mit diesem Geruch, dem zauberhaften: Er mahnt mich

An die Haare, die mir einst alle Sinne bestrickt.

Vgl. auch das Gedicht »Scherz« (1829), v. 15.16:

Will den Kopf und alle beiden Augen   30

In die Fülle deiner Locken stecken.

82,32.33 in eine unendliche Nacht *bis* hinab] *Vgl. unten S.154,18f und S.195,26,*
ferner die Gedichte »An die Geliebte«, v. 9:

Von Tiefe dann zu Tiefen stürzt mein Sinn,

»Zu viel«, v. 14:

  Will ich zum Abgrund der Betrachtung steigen,

und »Erinna an Sappho«, v. 26. 27:

  Daß ich, die Hände gedeckt auf's Antlitz, lange

5   Staunend blieb, in die nachtschaurige Kluft schwindelnd hinab.

86,8 SCARPELLO] *Italienisch: »Meissel«.*

86,35 apokryphische] *Noch bis ins späte 19.Jahrhundert in der Bedeutung »verdächtig, ungewiß« gebräuchlich (Heyse 1873).*

93,31.32 Es gingen ... zwei volle Wochen auf] *»Aufgehn« in der Bedeutung »ver-*
10 *gehn«, »draufgehn« wird zu Beginn des 19.Jahrhunderts noch oft verwendet (vgl. Paul-Betz, S. 47).*

95,5 Schattenspiel] *Nach der Beschreibung S.95,9 und S.98,11ff ist das Zwischenspiel kein eigentliches Schattenspiel. Vgl. die Erläuterung zu S.99,2.*

95,16.17 Ich hatte *bis* Freund] *Mörike dankt hier seinem Freund und Weggefährten*
15 *nach Orplid Ludwig Amandus Bauer, der die Orplid-Dramen »Der heimliche Maluff« und »Orplids letzte Tage« geschrieben hat, und von dem nach unbewiesener Vermutung Friedrich Notters (»Eduard Mörike und andere Essays«, 1966, S.56) auch ein kleiner Teil des Zwischenspiels stammen soll. Vgl. die Gestalt des Pfarrers Amandus, S.273,16ff.*

95,35 Orplid] *Name und Mythos sind ohne die europäischen Insel-Utopien und Robin-*
20 *sonaden, ohne Ossian und die Otaheiti-Schwärmerei, ohne zahlreiche Sagen- und Märchen-motive nicht denkbar, im übrigen aber eine gemeinsame Tübinger Erfindung Mörikes und Ludwig Bauers, dessen Brief an Mörike vom 27.Juni 1826 (L. Bauer, Schriften, 1847, S. XXIX) zu vergleichen ist.*

96,2 Weyla] *Die Göttin Weyla spielt in Bauers Orplid-Dramen (vgl. die Erläuterung*
25 *zu S. 95,16.17) eine große Rolle. Vgl. auch das Gedicht »Gesang Weylas«.*

99,2 PHANTASMAGORISCHES ZWISCHENSPIEL] *Nach der vorangegangenen Beschrei-bung handelt es sich nicht um eines der im 18. und 19. Jahrhundert so beliebten Schatten-spiele, wie es die Zuschauer S.95,5ff erwartet hatten, sondern um eine Phantasmagorie, damaligem Sprachgebrauch entsprechend also um eine Projektion wechselnder Bilder mit*
30 *Hilfe einer Laterna magica auf eine weiße Fläche. Vermutlich ist Mörike zur Bezeichnung »Phantasmagorie« durch Goethe angeregt worden, der 1827 den Helena-Akt des Faust II als »Klassisch-romantische Phantasmagorie. Zwischenspiel zu Faust« veröffentlicht hatte. Vgl. Mörikes Brief an Mährlen vom 14.März 1828:* Den Bogen aus dem neuen Faustus hab ich mit großem Interesse gelesen. Unter den Vorführungen des Schatten-

spielers Lux in Justinus Kerners »Reiseschatten« (1811), die Mörike natürlich ebenfalls kannte, hat man sich hingegen wirkliche Schattenspiele vorzustellen.

99,9 hieher sitzen] *In Süddeutschland wird »sitzen« bis in die Gegenwart häufig in der Bedeutung »sich setzen« gebraucht (vgl. auch S.194,23; 205,9; 294,17). Nur Elisabeth sagt einmal in ihrer gehobenen Sprache S.52,1.2 Sezt Euch zu mir.* 5

100,7 die Krone der grauen Zackenblume] *Die Blume ist botanisch nicht bestimmbar, offenbar ein orplidisches Gewächs.*

100,23 Augbraun] *Bis ins 19.Jahrhundert bezeugte Form. Vgl. auch S.268,30. Bei Adelung lautet das Stichwort 1811 »Augenbraune« mit dem Zusatz: »Die Oberdeutschen sagen Augenbramen, und einige andere Augenbrauen«.* 10

100,27 niederstrollte] *Mundartlich-schwäbisch: »kräftig hinabströmte«. In der Umarbeitung Bd 4, S.97,32 abtropfte.*

102,7 ging ihn vorbei] *»Vorbeigehn« mit dem Akkusativ ist im 18.Jahrhundert noch sehr gebräuchlich, wird im 19.Jahrhundert aber immer seltener, schließlich ganz gemieden (Grimm, Bd 12,2, Sp.874).* 15

102,15 KOLLMER] *Häufiger schwäbischer Familienname, den Mörike in der Umarbeitung durch Anselmo ersetzt.*

104,27 Willt] *Auch am Anfang des »Gebet« (Bd 1) für »Willst«, ebenso in der »Sarkasme. An v. Göthe« der »Sommersprossen« (Bd 2) v. 3 willt du mir mißgönnen. Bis ins 19. Jahrhundert gebräuchliche Nebenform, die seit der 2.Hälfte des 18. Jahrhunderts* 20 *langsam aus der Schriftsprache verdrängt wird (Grimm, Bd 14,2, Sp.1329).*

104,31 Thranuspflanze] *Ebenso wie die graue Zackenblume (S.100,7) sonst nicht belegt. Vermutlich sollte Orplid nach dem Willen seiner Erfinder einen der Papyrus-Staude oder den Blättern der indischen Talipot-Palme vergleichbaren Beschreibstoff besitzen.*

109,2 Tempel Nidru-Haddin] *Phantasiename. Ludwig Bauer im Vorwort zu seinem* 25 *Drama »Der heimliche Maluff« (Schriften, 1847, S.228): »Dort ⟨in der Stadt Orplid⟩ war auch der einzige Tempel auf der Insel; man nannte ihn Nid-Ru-Haddin, und er war dem Sonnengotte Sur erbaut.«*

109,22 Schmettenberg] *Auch S.137,25. Phantasiename. Ludwig Bauer im Vorwort zu »Der heimliche Maluff« (Schriften, 1847, S.227): »Das ganze Gebirge und alle Be-* 30 *wohner desselben, die Schmetten, waren ihm ⟨dem König Maluff⟩ unterthan.«*

110,30 die Braut wirft keinen Schatten] *Der Schatten ist im Volksglauben das Lebensprinzip des Menschen, die Seele (Bächtold-Stäubli, Bd 9, Sp.132ff). Geister, Feen und ihresgleichen aber haben keine Seele, werfen daher auch keinen Schatten.*

112,19.20 ich staune Dem Klange dieser Worte] *»Staunen« wird im 18. und be-*
ginnenden 19.Jahrhundert häufig mit dem Dativ, gelegentlich auch mit dem Genitiv ver-
bunden.

113,7 sinkt in Nachdenken] *Das im der Erstausgabe wurde durch in ersetzt, weil*
5 *Parallelbeispiele für diesen Sprachgebrauch nicht gefunden werden konnten. »Versenken*
in« mit folgendem Dativ findet sich allerdings bei Wieland (Grimm, Bd 12,1, Sp.1280)
und bei Kleist (»Prinz von Homburg«, I,1 und V,5: »Im Schlaf versenkt«), vielleicht auch
in Mörikes »Maler Nolten«, S. 227,31. 32, mit Akkusativ aber S. 362,31.

113,8–**114**,18: *Die Verse 113,8–13 und 114,11–18 hat Mörike später nach einigen*
10 *Änderungen, besonders am Schluß, zu einem eigenen Gedicht zusammengefügt, das er*
allerdings nicht in seine Gedichtsammlung aufgenommen hat. Vgl. im übrigen die Les-
arten zu »Nachts« in Bd 2.

113,16–**114**,8: *Früherer Druck nicht bekannt. Handschriftlich bereits in »Spillner«*
(Bd 7). Hier und in der ersten Gedichtausgabe ohne Aufteilung auf zwei Sprecher und
15 *ohne die Verse 113,23–26 und 114,1–8. Möglicherweise sind also diese später (von A²*
ab) auch in die Gedichtausgaben übernommenen Verse für den »Maler Nolten« hinzu-
gedichtet worden. Vgl. im übrigen die Lesarten zu »Gesang zu Zweien in der Nacht« in Bd 1.

114,9 einen Rasen] *In der Goethezeit ist »ein Rasen« im Gegensatz zum heutigen Sprach-*
gebrauch ein Rasenstück, ein ausgestochenes Stück Erde mit dem Graswuchs darauf, das
20 *auch als Lager oder als Bank verwendet werden konnte (Grimm, Bd 8, Sp.130ff).*

117,17 mauligen] *Die bei Schmid und Fischer nicht verzeichnete Form »maulig« ver-*
wendet Mörike offenbar im Sinne des schwäbischen »maulecht, mäulet«: maulartig, maul-
gestaltet. In der »Iris«-Fassung und in der Umarbeitung des »Maler Nolten« (Bd 4,
S.109,20) ist der ganze Satz anders gestaltet und das Wort »maulig« vermieden.

25 **117**,20.21 ein großer, grausam starker Mann] *Der Sichere Mann, eine der selbst-*
erfundenen Phantasiegestalten des jungen Mörike wie sein Wispel. Vgl. die Erläuterun-
gen zu dem Gedicht »Märchen vom sichern Mann« in Bd 1. Moriz von Schwind hat in
seiner bekannten Zeichnung (Koschlig, Mörike in seiner Welt, 1954, S.177) vermutlich
außer dem kleinen Vers-Epos auch diese Szene vor Augen gehabt und die Gestalten Lole-
30 *grins und Silpelitts in eine verschmolzen.*

118,11 Brulla-Sumpf] *Auch in Ludwig Bauers Drama »Orplids letzte Tage« (Schriften,*
1847, S.333).

120,19 hinterlegte sich's] *»Hinterlegen« ist früher wie jetzt stets nur in der Bedeutung*
»zur Aufbewahrung geben« bezeugt. Auch die schwäbischen Wörterbücher kennen keine

andere Wortbedeutung. Was Mörike hier meint, ist nicht ganz klar: »sie hinterging sich selbst«? oder »sie legte es hinter sich ab, wollte es nicht wahrhaben«? Vgl. auch S.281,8, wo »hinterlegen« am ehesten mit lateinisch »deponere« wiedergegeben werden kann.

121,25 Mir denkt's] *In der Goethezeit gebräuchlich im Sinn von »ich erinnere mich«, im Schwäbischen heute noch üblich.*

123,7 schnicklich] *Ungewöhnliches, bei Schmid und Fischer fehlendes Wort. Bei Grimm (Bd 9, Sp.1328) ist diese Stelle der einzige Beleg für den Wortgebrauch. »Schnicklich« klingt an »schnicken, Schnickel« und ähnliche Wörter an und ist wohl von Mörike zur Charakterisierung des blinzelnden, hüstelnden Wispel gebildet.*

123,15 auf seine Häupten] *Der alte Plural »Häupt« ist seit dem 18.Jahrhundert nur noch in der festen Verbindung »zu Häupten, zu seinen (meinen, unseren) Häupten« lebendig geblieben.*

125,3 embellire] *Bis ins späte 19.Jahrhundert gebräuchliches Fremdwort für »verschönern«.*

125,29 führ dich ab] *Im 17. und 18.Jahrhundert (z.B. bei Schiller, »Fiesko«, I,9) häufiger als später gebräuchliche Wendung für »entferne dich«.*

126,12 Hafen] *Oberdeutsch: Topf.*

126,17 Kapillen] *Haare (lateinisch: capilli), Wispelsprache. Kapillen wird als Fremdwort sonst nicht verwendet.*

126,18 Elegance] *Die Schreib- und Sprechweise »Eleganz« war um 1830 bereits allgemein üblich, Wispel hält jedoch bezeichnenderweise an der französischen Aussprache fest.*

126,27.28 dieser … Ferkel] *Das Maskulinum, sonst unbekannt, gehört wohl nur dem Sprachschatz der beiden Gesprächspartner an. In der Umarbeitung Bd 4, S.115,5.6: dieses Ferkel.*

126,32 eichen] *Auch S.128,6 statt »eigen, eigentümlich«, Wispelsprache.*

127,10–12 ihm … unterhalten] *Sonst nicht üblicher Dativ, wohl Wispelsprache, kein Druckfehler.*

127,22 Phantom] *Wispel meint »Phänomen«.*

128,3 transiliren wir] *Wispel verwendet das im ganzen 19.Jahrhundert noch übliche Fremdwort »transiliren« (überspringen) im übertragenen Sinn: »gehen wir über«.*

128,6 eichen] *Vgl. die Erläuterung zu S.126,32.*

128,10–12 wenn sich einmal die Straßensteine … zusammenrotteten] *Ähnliche Bilder in dem Brief an Friedrich Kauffmann vom Oktober 1828: Ich dachte, es wäre* nicht übel, wenn ein Gesetz der Natur wäre, daß sich in der Vakanz Stühle und Bänke besauften . . . ja, wer weiß, wenn es den hundert Stühlen, worauf die wilden Burschenschaftler fluchten und tranken, einmal einfiele . . . den teutschen Fürsten die Köpfe zurechtzusetzen . . .

5   **130**,2   durch den Spalt wispern] *Vgl. Shakespeare, »Ein Sommernachtstraum« in A.W. Schlegels Übertragung, III,1: »Pyramus und Thisbe . . . redeten durch die Spalte einer Wand miteinander . . . und durch die Klinse sollen Pyramus und Thisbe wispern«.*

131,5   Fabrikation des Schießpulvers] *Der Rechenmeister Hormel will in Bauers Drama »Die letzten Tage von Orplid« (Schriften, 1847, S.315) darangehen »das Pulver*
10   *zu erfinden«, und der Bläse ruft im »Stuttgarter Hutzelmännlein« aus: Mordsakerlot, ich wollt', das Bulver wär' erfunden allbereits (1855, S.71).*

131,7   HOTEL D'AMOUR] *Offenbar Wispelsche Phantasiegründung, eine Parallelbildung zu üblichen Bezeichnungen wie Hôtel de ville, Hôtel des Invalides, Hôtel du Roule u.ä.*

132,3   jugulire] *Als Fremdwort für »erdrosseln, umbringen« bis in die 2.Hälfte des*
15   *19. Jahrhunderts üblich.*

132,16   Mummelsee] *Der im nördlichen Schwarzwald am Südabhang der Hornisgrinde gelegene, sagenumwobene See ist die einzige reale Ortsbezeichnung in der orplidischen Landschaft. Vgl. auch die Erläuterung zu S.132,22–133,24.*

132,22–**133**,24: *Erstdruck in der »Damenzeitung« vom 5. Januar 1829. Das Gedicht*
20   *ist also ursprünglich wohl selbständig gewesen. Daher auch die ungewöhnliche reale Ortsangabe in Mörikes Phantasielandschaft. Vgl. die Erläuterung zu S.132,16 und die Lesarten zu »Die Geister am Mummelsee« in Bd 1.*

135,6–9   sey es nun bis Windhauch] *Vgl. Klopstock, »Die Glückseligkeit Aller«, v.*
   113–114:
25
> *Er komme mit sanfterem Säuseln,*
>
> *Oder er komme mit Donnertritt.*

135,28.29   Die Insel . . . hüpfet wie ein neugebornes Kind] *In Bauers Drama »Die letzten Tage von Orplid« (Schriften, 1847, S.359) ist die Insel Orplid »lustig anzusehn gleichwie ein neugebornes Kind«.*

30   **137**,25   Schmettenberg] *Vgl. die Erläuterung zu S.109,22.*

140,15   Senne] *Die alte Nebenform von »Sehne« findet sich bei Schriftstellern des 18. und 19.Jahrhunderts häufig (Paul-Betz, S. 590).*

142,14   ihm gekoset] *Der Dativ nach »kosen« ist in der Goethezeit häufig und weicht erst im 19.Jahrhundert allmählich ganz dem Akkusativ.*

144,4 versaus't] *Schwäbisch:* »*Vergessen, überstanden.*«

144,6 Bückel] *Im Schwäbischen üblicher Plural von* »*Buckel*«: *Höcker, Unebenheiten (Fischer, Bd 1, Sp. 1500ff).*

144,16–32: *Früherer Druck nicht bekannt. In der Stuttgarter Sammelhandschrift für Dorchen Mörike hat das Gedicht schon fast den gleichen Wortlaut, nur der Name Lilliput ist im* »*Maler Nolten*« *durch Silpelitt ersetzt worden. Da aber Silpelitt schon in dem Brief an Hartlaub vom 20.–25.März 1826 erwähnt wird, ist das* »*Elfenlied*« *wohl zunächst unabhängig vom Roman entstanden. Vgl. im übrigen die Lesarten zu* »*Elfenlied*« *in Bd 1.*

145,16 spudet] *Neben* »*sputen*«, *das erst im 18.Jahrhundert aus dem Niederdeutschen in die hochdeutsche Schriftsprache übernommen wurde, existiert in der Goethezeit noch die Form* »*spuden*« (*z.B. Goethe,* »*An Schwager Kronos*«, *v. 1:* »*Spude dich, Kronos!*«).

145,21 Häupfelberg] *Bauer in der Einleitung zu* »*Der heimliche Maluff*« (*Schriften, 1847, S.227*): »*Wenn man* ⟨*auf Orplid*⟩ *von Mittag gegen Norden hinaufreiste, so mußte man ein weit ausgedehntes Gebirge übersteigen, dessen höchste Spitze der Häupfelberg war.*« *Haipfelberg schreibt Mörike in dem Brief an Bauer vom 9.Dezember 1828.*

146,2 zu guter Lezte] *Mit dem Schluß-e von* Lezte *schon zu Mörikes Zeit antiquierte Form (vgl. Grimm, Bd 6, Sp. 822 und Fischer, Bd 4, Sp. 1196).*

146,25–**147**,4: *Vgl. die Erläuterung zu Bd 3, S.107,28–108,8. Geringfügige Abweichungen in den Versen 1, 4, 9.*

149,26 Doch Sie vermissen die Pointe dabei] *Vgl. das Gedicht* »*Herr Dr. B. und der Dichter*«, *besonders v. 2f:*

> Aber Eins vermiss' ich an Ihren Sachen.«
>
> Nämlich? – »Eine Tendenz.«

151,2–4 Constanze *bis* dürfen] *Wenn Constanze das Manuskript tatsächlich behält, ist es kaum verständlich, wie Herzog Adolf schon am Spätnachmittag des übernächsten Tages zu ihr kommen kann im Auftrag des Königs, der die Handschrift inzwischen nicht nur gelesen, sondern an den Herzog zur Prüfung weitergeleitet hat (S.165). Es bleibt im übrigen unklar, wie König und Herzog überhaupt in den Besitz des Manuskripts gelangen. In der Umarbeitung sind diese Unebenheiten beseitigt.*

152,10 Vorfahrer] *Ältere Form neben* »*Vorfahr*«, *besonders bei Vorgängern in der Geschlechterfolge oder im Amt bis ins 19.Jahrhundert üblich.*

152,21 nimmer] *Vgl. die Erläuterung zu S. 49, 26.*

152,27 Methusalah] *Die Namensform der Lutherschen Bibel-Übersetzung Gen. 5,21ff.*

153,1 eine mächtige graue Trümmer] *Der feminine Singular »die Trümmer« neben* »*das Trumm« (vgl. die Erläuterung zu S.318,20) ist in der Goethezeit häufig.*

154,18.19 Sie sah *bis* hinab] *Vgl.* »*Erinna an Sappho«, v. 26.27 und S.82,32.33 mit der Erläuterung dazu.*

154,32 die Fensterpfoste] *Das Femininum »die Pfoste« kommt seit Luther bis ins 19.Jahrhundert gelegentlich neben dem Maskulinum »der Pfosten« vor.*

158,26.27 rieb sie die Meubles mit dem Staubtuch ab] *Vgl. Gustav Schwabs Rezension oben S. 52, 33 und S. 64, 12 f. Die Szene fehlt in der Umarbeitung.*

159,3 Saloppe] *Ärmelloses Überkleid der Biedermeierzeit.*

160,32 gewarten] *Nur in Wendungen wie dieser (»etwas zu erwarten haben«) bis ins 19.Jahrhundert gebräuchliche Nebenform von »warten, erwarten«.*

161,21.22 der Sünde gefürchtet] *»Fürchten« wird bis ins 19.Jahrhundert häufig mit dem Genitiv verbunden, am längsten in der Verbindung »der Sünde fürchten« im Sinne von »vor der Sünde fürchten«.*

163,14–20: *Verse der Thereile S.142,1–7 mit geringfügigen Abweichungen.*

170,8 es geht ein Engel durch die Stube] *Alte sprichwörtliche Wendung, meist in der Form: Es flog ein Engel durchs Zimmer (Wander, Bd 1, Sp.821, Nr 43). Vgl. auch den Anfang von Mörikes Brief an Luise Rau vom 4.Januar 1830: Es ist . . ., als wäre ein Engel durchs Zimmer gegangen.*

170,9 Constanze schüttelte] *Andere Beispiele für den intransitiven Gebrauch von* »*schütteln« in der Bedeutung »den Kopf schütteln« bei Grimm, Bd 9, Sp.2110.*

172,11 Schöpsen] *»Schöps« ist kein südwestdeutsches Wort, sondern die ostmitteldeutsche und südostdeutsche Bezeichnung für »Hammel«. In übertragener Bedeutung wird es von Goethe verwendet, von dem es wohl Mörike übernommen hat.*

172,17.18 Maus *bis* Berg] *Sprichwörtliche Redensart nach Horaz, »De arte poetica«, v. 139: »Parturiunt montes, nascetur ridiculus mus«.*

172,31.32 Kriminalfälle, geheime Umtriebe betreffend] *Anspielung auf die zahlreichen Verfolgungen angeblicher demagogischer Umtriebe in der Ära Metternich. Daß die Amtsenthebung und Gefangennahme seines Bruders Karl vorwiegend wegen Teilnahme an revolutionären Bewegungen ungefähr zur Entstehungszeit dieser Partien im* »*Maler Nolten« (1831) erfolgte, bezeichnet der Dichter selbst in seinem Brief an Karl Mörike vom 6.Dezember 1831 als* merkwürdigen Zufall.

173,7 genaue Bekannte] *Die Verbindung des Adjektivs »genau« mit Personen ist selten. Vorbild Mörikes ist vermutlich wieder Goethe gewesen: »genaue Freunde aus früher*

Hofzeit her« (»Wahlverwandtschaften«, I,9). Für Mörikes Kenntnis der »Wahlverwandt-
schaften« vgl. die Erläuterungen zu S. 40,1 und S. 187, 23. 24.

176,19 stumpfte] *»Stumpfen« in der Bedeutung »stumpf machen« wird im 18. und*
19.Jahrhundert vor allem in der Dichtersprache gern verwendet, allerdings fast immer
transitiv, nur selten intransitiv (Grimm, Bd 10,4, Sp.463ff). Hier liegt, falls nichts aus-   5
gefallen ist, ein solcher intransitiver Wortgebrauch vor. Zu ergänzen ist: »den Maler«
oder »Nolten«.

178,18 allem Genie aufbot] *Vgl. die Erläuterung zu S. 40, 31.*

178,35.36 im trüben Hexendunste meiner Katzen-Melancholien] *Wohl im Ge-*
danken an die Hexenküchen-Szene in Goethes »Faust I«.   10

180,13 grinzendes Bild] *Die Form »grinzen« ist bis etwa 1850 neben »grinsen« üblich*
und verschwindet erst in der zweiten Hälfte des 19.Jahrhunderts aus der Schriftsprache.
»Grinzend« oder »grinsend« in der Bedeutung »widrig, verzerrt« ist in der Goethezeit
häufig (Grimm, Bd 4,1, Sp. 379ff; Kluge-Mitzka, S. 271).

182,30 der dunkeln Frühe] *Vgl. »An einem Wintermorgen«, v. 1.*   15

182,33–**183,**12: *Früherer Druck nicht bekannt. Text wie in der ersten Gedichtausgabe*
mit Ausnahme des wenn statt wann (von 1). Vgl. im übrigen die Lesarten zu »Das ver-
lassene Mägdlein« in Bd 1.

185,26 Ein Korb mit hölzerner Schnitzware] *Auch Loskine arbeitet S.208,22ff mit*
dem Schnitzmesser sehr fertig an einem niedlichen Geräthe, dergleichen die Zigeu-   20
ner ... zum Verkauf machen.

187,23.24 das geheime Band *bis* hindurchschlingt] *Mörike verwendet hier nicht nur*
nachdrücklich das Wort »Wahlverwandtschaften«, er denkt offenbar auch an das seit
Goethe sprichwörtlich gewordene Bild von dem »rothen Faden« zu Beginn des Romans,
das Waiblinger am Anfang seiner Tagebücher (1956, S.22) ebenfalls zitiert. Vgl. für die   25
Nachwirkung der »Wahlverwandtschaften« im »Maler Nolten« Jürgen Kolbe, Goethes
Wahlverwandtschaften und der Roman des 19.Jahrhunderts, 1968, S.56ff.

188,27.28 aller Fassung aufbieten] *Vgl. die Erläuterung zu S. 40, 31.*

189,26 Wolfsbühl] *Einen Ort dieses Namens gibt es nicht. Vielleicht ist Mörike zu dieser*
Namensschöpfung durch den zwischen Nürtingen und Bernhausen gelegenen Ort Wolf-   30
schlugen angeregt worden. Bühl bedeutet oberdeutsch »Hügel«. Vgl. auch S.288,33.

191,23 mockiges] *Oberdeutsch: grämlich, verdrießlich.*

193,10 Äolsharfe] *Vgl. die Erläuterungen zu dem Gedicht »An eine Äolsharfe« in Bd 1.*

193,22 bänglicher] *Vgl. die Erläuterung zu Bd 4, S.178,25.*

193,31 eine Gestalt in brauner Frauenkleidung] *Vgl. für diese erste Begegnung Noltens mit Elisabeth die Tagebuchnotiz Mörikes in dem Brief an die Schwester Luise vom Frühling 1825:* Heimweg – Zigeunerin – ihr auffallender Blick auf mein Gesicht.

194,22.23 Lassen Sie ihn niedersitzen] *Vgl. die Erläuterung zu S.99,9.*

195,1–3 wie *bis* heruntersenkte] *Vgl. Justinus Kerners »Reiseschatten«, XII, 3, gegen Schluß: »Da umschlang sie mich mit einem Arme; mit der Hand des andern aber fuhr sie mir dreimal sanft über die Augen her, die schlossen sich alsbald wie zum magnetischen Schlafe«, ferner den Schluß von »Peregrina II«, besonders die frühe Fassung in der Stuttgarter Sammelhandschrift für Dorchen Mörike (auch unten S.362,29–31 und in der ersten Gedichtausgabe):*

> Und nun strich sie mir, stillestehend,
>
> Seltsamen Blicks mit dem Finger die Schläfe.
>
> Jählings versank ich in tiefen Schlummer.

Tochter des Walds *wird auch die Christrose angeredet (»Auf eine Christblume«, v.1).*

195,26 von Tiefe zu Tiefe stürzend] *Vgl. das Sonett »An die Geliebte«, v.9:* Von Tiefe dann zu Tiefen stürzt mein Sinn. *Vgl. auch die Erläuterung zu S.82,32.33.*

200,16 die Nativität stellen] *Im 18. und 19.Jahrhundert übliche Bezeichnung für »nach dem Stand der Gestirne bei der Geburt das Schicksal voraussagen«.*

204,8 Meine Wahl ging nahe zusammen] *»Zusammengehen« wird hier in dem der Goethezeit geläufigen Sinn von »einschrumpfen, beschränkt sein« gebraucht (z.B. »Wilhelm Meisters Lehrjahre«, III,3, Absatz 1: »der Platz geht sehr zusammen«). Gemeint ist also »Es blieb mir kaum eine andere Wahl«. Vgl. auch S.215,13.*

204,34 eingeschreckt] *»Einschrecken« als Synonym für »einschüchtern« begegnet gelegentlich im 18. und beginnenden 19.Jahrhundert, z.B. bei Schiller und Kleist (Grimm, Bd 3, Sp.28,5; Paul-Betz, S.157). Vgl. auch S.261,14.*

205,9 auf einen Teppich niederzusitzen] *Vgl. die Erläuterung zu S.99,9.*

208,8 Strich] *»Strich« als von »streichen« abgeleitete Vorgangsbezeichnung wird im 18. und 19.Jahrhundert nicht selten gerade dann verwendet, wenn von fahrendem Volk, von Landstreichern gesprochen wird (Grimm, Bd 10, 3, Sp.1526ff; Fischer, Bd 5, Sp.1863f).*

208,16 von der spinnenden Waldfrau] *Zigeunermärchen hat Mörike kaum gekannt. Entsprechende Sammlungen gab es zu seiner Zeit noch nicht. Nach den »Zigeunermärchen«, hrsg. von W. Aichele, 1926, ist eine spinnende Waldfrau dort auch weniger zu erwarten als im Bereich des deutschen Märchens (vgl. Bächtold-Stäubli, Bd 6, Sp.1481f,*

Bd 8, Sp. 264 und Bd 9, Sp. 57ff). Daß die spinnende Waldfrau das Laub in grün und goldnen Fäden *abspinnt, ist wohl Mörikesche Erfindung.*

208,22.23 an einem niedlichen Geräthe] *Vermutlich an der* hölzernen Armbrust *S. 212, 26. Vgl. auch S. 185, 26.*

209,2 verworren] *»Verworren« statt der heute üblichen schwachen Form »verwirrt«*   5
ist im 18. und frühen 19. Jahrhundert häufig. Vgl. auch die Erläuterung zu S. 54, 33.

212,28.29 durchzückt mich plötzlich der Gedanke] *Vgl. »Neue Liebe«, v. 6:* Aus Finsternissen hell in mir aufzückt ein Freudenschein.

213,14.15 die Meinung *bis* seyn] *Vgl. den Schluß der Erzählung des Geistlichen in den ersten Fassungen der »Lucie Gelmeroth«:* Und wenn ich Engelzungen hätte, die Selig-   10
keit zu offenbaren, welche mir Gott mit dem Besitze dieses Wesens schenkte, mich würde die Welt nicht verstehen (*»Iris«, 1839, S. 264*).

214,32 Bühne] *Oberdeutsch: Speicher, Boden unter dem Dach (vgl. auch S. 227, 27).*

215,13 geht nahe zusammen] *Vgl. die Erläuterung zu S. 204, 8.*

216,2 Spinnen ätzen] *Daß der junge Mörike sich selbst mit Spinnen abgab, davon zeugt*   15
besonders der große Brief an Waiblinger vom August 1824. »Ätzen« ist bis ins späte 19. Jahrhundert Synonym für »füttern«, im Schwäbischen sogar heute noch in dieser Be-deutung gebräuchlich, während es im übrigen Deutschland im Gegensatz zu »atzen« nur noch chemisch-technisches Fachwort für »beizen« ist.

217,7.8 Es war *bis* Welt] *Vgl. die bereits im »Maler Nolten« unterdrückte zweite*   20
Strophe des ersten Peregrinagedichts in der Sammelhandschrift für Dorchen Mörike:

> Einst ließ ein Traum von wunderbarem Leben
> Mich sprießend Gold in tiefer Erde seh'n,
> Geheime Lebens-Kräfte, die da weben
> In dunkeln Schachten, ahnungsvoll verstehn.   25

Unten auf S. 281, 34.35 wird in ähnlicher Weise von dem tiefsten Schachte seines Busens gesprochen.

221,3 ein zahmer Staar] *In Mörikes Menagerie befanden sich wiederholt die damals als Haustiere beliebten Stare (vgl. besonders Maync, Eduard Mörike, ⁵1944, S. 133 und S. 167). Sein Möhringer Star hat ihn nach dem Brief an Hartlaub vom 8. April 1827 offen-*   30
sichtlich zu der hier folgenden Schilderung angeregt.

221,6 Es reiten *bis* hinaus] *Offenbar vogelsprachliche Abwandlung des Volkslieds »Es ritten drei Reiter zum Thore hinaus«.*

221,25–29 Indessen *bis* Schoos] *Vgl. das Gedicht »Ein Mägdelein zur Welt war kom-*

men« (Bd 2) und Mörikes darauf bezügliche Zeichnung eines Harlekins mit einem Wickel-
kind auf dem Arm (R. Krauß, Mörike als Gelegenheitsdichter, 1895, S.36).

223,27 die goldene Laterne] Daß Mörike hierbei an den ihm wohlbekannten »Goldenen
Saal« des Uracher Schlosses gedacht habe, wie Maync annimmt, ist sehr wahrscheinlich.
In diesem aus dem 15.Jahrhundert stammenden, später umgebauten Saal sind »die drei
Außenwände ganz in Fenster aufgelöst« (Dehio, Handbuch der deutschen Kunstdenk-
mäler, Bd 1: Baden-Württemberg, 1964, S.506). »Laterne« heißt auch in Hauffs »Lichten-
stein«, II,3 ein aus lauter Fenstern bestehendes Erkerlein in Pfullingen.

225,2 seine Großmuth öffentlich nicht Wort haben wollte] »Etwas nicht Wort
haben wollen« ist in der Bedeutung »nicht wollen, daß über eine Sache gesprochen wird«
bis ins späte 19.Jahrhundert gebräuchlich (Grimm, Bd 14, 2, Sp. 1505 f).

225,27–36: Früherer Druck nicht bekannt. Wortlaut wie in der ersten Gedichtausgabe.
Vgl. die Lesarten zu »Er ist's« in Bd 1.

227,24 ein seliges Gewühle] Vgl. »An einem Wintermorgen«, v. 21: das frieden-
selige Gedränge.

227, 27 Bühne] Vgl. die Erläuterung zu S. 214,32.

229,2.3 Der Herr führt seine Heiligen wunderlich] Nach Ps. 4,4: »Erkennet doch,
daß der Herr seine Heiligen wunderlich führt«.

230,2 Doch das sind Possen] Wörtlich ebenso »Besuch in der Carthause«, v. 101.

232,8 Diätetik] Bis weit ins 19.Jahrhundert übliches Fremdwort für »Gesunderhal-
tungskunst«.

238,21 nimmer] Vgl. die Erläuterung zu S. 49, 26.

240,6.7 als bis mitgespielt] Offenbar, weil sich in Shakespeares »Sommernachtstraum«
mehrere Liebende vorübergehend über den Gegenstand ihrer Liebe täuschen.

240,22 avertirt] Im ganzen 19.Jahrhundert noch gebräuchliches Fremdwort für »benachrichtigt«.

242,24–27 Seine aufgeregte Einbildungskraft bis mußte] Vgl. »An einem Wintermorgen«, v. 1 ff und den Anfang des »Spillner« (Bd 7).

244,12 neben] »Neben« als Adverb für sich stehend, im Sinne von »daneben« ist nicht
häufig, begegnet aber z.B. auch bei Justinus Kerner (Grimm, Bd 7, Sp.490; Fischer, Bd 4,
Sp. 1979).

245,14 als wühlten Messer in seiner Brust] Vgl. Mörikes Brief an Ludwig Bauer vom
9.Dezember 1828: wo die alte Liebe zu Dir wie mit hundert Messern in mir wühlte.

246,16 gedrungen] Vgl. die Erläuterung zu S. 54, 33.

249,26 Bebungen] *Das Substantivum ist in der Goethezeit durchaus gebräuchlich und begegnet auch bei Schiller (Grimm, Bd 1, Sp.1212), obgleich das Verbum »beben« dem Oberdeutschen fremd ist (Fischer, Bd 1, Sp.736).*

251,16 CUPIDO DIRUS *»Grausam« wird Eros (Amor, Cupido) in der antiken Literatur häufig genannt.*

251,17 Anteros] *In der Spätantike Bruder, Mit- und Gegenspieler des Eros.*

251,27.28 *daß die Gemahlin des Bacchus auch Libera heißt]* *Da Bacchus in der römischen Mythologie auch Liber heißt, wird Ariadne, seine Gemahlin, gelegentlich »Libera« genannt. Vgl. Scheller unter dem Stichwort Libera: »die Ariadne, weil sie die Gemahlin des Bacchus war«.*

251,36–**252**,2 Er spricht *bis* Waldteufeln] *»Waldteufel« ist eine wohl im 16.Jahrhundert aufgekommene Verdeutschung von »Satyr, Faun«, zugleich eine christliche Umstilisierung. Das Wort ist in dieser Bedeutung bei Goethe (»Satyros oder Der vergötterte Waldteufel«) und den Romantikern, auch bei Gotthelf noch durchaus gebräuchlich (Grimm, Bd 13, Sp.1188; Bächtold-Stäubli, Bd 9, Sp.60), kommt aber im Lauf des 19.Jahrhunderts ab.*

261,14 einzuschrecken] *Vgl. die Erläuterung zu S. 204,34.*

262,30 süßes Erschrecken] *Vgl. »An eine Äolsharfe«, v. 22.*

263,10 übernahm] *»Übernehmen« wird in der Bedeutung »übermannen, überwältigen« bis in die Mitte des 19.Jahrhunderts verwendet.*

263,18–**264**,7: *Erstdruck im Morgenblatt vom 17.Juli 1828. Der Wortlaut weicht in der ersten Gedichtausgabe nur unwesentlich von der Nolten-Fassung ab. Vgl. die Lesarten zu »Im Frühling« in Bd 1.*

267,12 wählig] *In der Bedeutung »wohlig, behaglich, munter« ist »wählig« seit Voß und Bürger aus dem Niederdeutschen in die Schriftsprache auch Süddeutschlands eingedrungen und bis in die zweite Hälfte des 19.Jahrhunderts gebräuchlich.*

268,30 Augbraunen] *Vgl. die Erläuterung zu S. 100, 23.*

270,31 Waldwasen] *»Wasen«, ein vornehmlich süddeutsches Wort für »Wiese, Anger, Rasenfläche« wird im 18.Jahrhundert durch das Synonym »Rasen« zurückgedrängt, hat sich aber in der schwäbischen Volkssprache bis in die Gegenwart hinein gehalten. Vgl. auch »Das Stuttgarter Hutzelmännlein«, 1855, S.112, Zeile 2, wo Mörike selbst »Wasen« als schwäbische Sonderform empfindet und im Anhang erläutert.*

270,32–35 ich denke *bis* forschen] *Bis auf die beiden Parenthesen wörtlich aus der Lutherbibel, Ps. 77, v. 6f.*

271,21.22 die ... Farbe Grün] *Mörikes nachdrücklicher Hinweis darauf, daß die Försterstochter Agnes die im 19.Jahrhundert überaus beliebte Farbe Grün nicht an sich leiden mochte, ist im Zusammenhang der Farben-Symbolik des Romans und im Hinblick auf die der Agnes zugeordnete Farbe Blau (oben S.39,17) wohl nicht ohne Bedeutung.*

273,16 Amandus] *Der zweite Vorname des Freundes Ludwig Bauer. Vgl. die Erläuterung zu S.95,16.17.*

273,17 Halmedorf] *Phantasiename. Die Beschreibung auf S.293f läßt aber erkennen, daß Mörike hier an Grafenberg bei Großbettlingen denkt, wo sein Großvater von Mutterseite her Pfarrer gewesen ist.*

273,29 das Skandal] *Skandal ist im 18.Jahrhundert, vor allem auch bei Goethe, meist Neutrum, im 19.Jahrhundert setzt sich das von jeher daneben übliche Maskulinum allein durch (Grimm, Bd 1, Sp.1306).*

278,8 Dachlücke] *Klaiber (Bd 4, S.257,24) ändert* Dachlücke *in* Dachlucke. *Margaret Mare (Eduard Mörike, 1957, S. 4, Anm. 1) vermutet ebenfalls einen Druckfehler. Mörike selbst hat in keinem seiner Handexemplare an* Dachlücke *Anstoß genommen.*

278,18.19 der ... nicht viel in die Welt ist] *Heute noch üblicher Suevismus für »nicht viel von der Welt gesehen haben, nicht viel Welt kennen«.*

280,21 alls] *In vielen Teilen Deutschlands volkssprachlich bis heute in der Bedeutung »gewöhnlich, zuweilen« gebräuchlich.*

281,8 hinterlegt] *Vgl. die Erläuterung zu S.120,19.*

281,20 Komplexion] *Im 19.Jahrhundert schon antiquiertes Wort, das in der mittelalterlichen Naturlehre die Zusammensetzung, die Beschaffenheit des menschlichen Körpers bezeichnet (Grimm, Bd 5, Sp.1686; Fischer, Bd 4, Sp.598; Schulz-Basler, Bd 1, S.370).*

281,25 Napoleon] *Daß die Persönlichkeit Napoleons den jungen Mörike ebenso stark beschäftigt hat wie fast alle seine Zeitgenossen, zeigt vor allem das Gedicht »Nachtgesichte«. Vgl. auch den Brief an Luise Rau vom 4.Januar 1830 und Maync, Eduard Mörike, [5]1944, S.66f.*

281,26.27 Lichtenberg] *Nach zahlreichen Briefzeugnissen bringt Mörike dem ihm über alles werthen Lichtenberg (an Luise Rau, 28.12.1829) zeitlebens besondere Achtung und Liebe entgegen.*

281,34.35 dem tiefsten Schachte seines Busens] *Vgl. die Erläuterung zu S.217,7.8.*

282,21 Novalis] *Das Werk des Novalis kennt Mörike nach Ausweis der Briefe gut. Der Ausspruch, den der Baron meint, ist vermutlich das folgende Fragment: »Die Kunst, auf* *eine angenehme Art zu befremden, einen Gegenstand fremd zu machen und doch bekannt und anziehend, das ist die romantische Poetik«. Mörike hat das Fragment vermutlich in der Ausgabe der »Schriften« des Novalis, hrsg. von L. Tieck und Fr. Schlegel, ⁴Berlin 1826 (Nachdruck bei Macklot in Stuttgart), gelesen (Novalis, Schriften, hrsg. von P. Klucklohn und R. Samuel, 2.Aufl., Bd 3, 1970, S.685, Z.14–16).*   5

282,35.36 Unterschied von Antikem und Romantischem] *Über den in der Goethezeit oft erörterten Unterschied zwischen dem Antiken oder Klassischen und dem Romantischen vgl. Trübner, Bd 5, S.437ff und die dort zitierte Literatur.*

283,32.33 italienischer Blumen] *Künstliche Blumen, seit dem Mittelalter bis heute in Italien sehr beliebt, sind in der ersten Hälfte des 19.Jahrhunderts auch in Deutschland*   10 *viel hergestellt und zu »Biedermeiersträußen« verwendet worden.*

286,1–**287**,4: *Früherer Druck nicht bekannt. Wortlaut wie in der ersten Gedichtausgabe. Vgl. die Lesarten zu »Der Jäger« in Bd 1.*

287,20–**288**,9: *Früherer Druck nicht bekannt. Wortlaut wie in der ersten Gedichtausgabe. Vgl. die Lesarten zu »Agnes« in Bd 1.*   15

288,33 Geigenspiel] *Eigentlich: Geigersbühl, des Geigers Hügel also (vgl. S.296,8 und Mörikes Fußnote zu S.297), unweit Großbettlingen und Grafenberg (vgl. die Erläuterung zu S.273,17) mit großartiger Aussicht auf die Albkette. Vgl. Mörikes Brief an Hartlaub vom 20.März 1826. Über einen späteren Besuch auf dem Geigenspiel berichtet Mörike am 3.August 1842 an Hartlaub. Die Pfarrersfrau in Großbettlingen singt bei dieser*   20 Gelegenheit Hetschs Lieder aus dem Nolten, so daß sich eine Art von Wirklichkeit aus jener Fabel bilden wollte.

289,9 durch's ganze Ort] *»Ort« ist im Oberdeutschen, vor allem in der Volkssprache, bis in die Gegenwart häufig Neutrum.*

292,20–33: *Die Verse hat Mörike in keine seiner Gedichtsammlungen aufgenommen.*   25

293,17 Affenthaler] *Zu Mörikes Zeit ebenso wie heute vielgetrunkener mittelbadischer Rotwein. Das Dorf Affental liegt unweit Bühl.*

293,22 fortquackeln] *Schwäbisch: weiter wanken, sich auf unsicheren Beinen fortbewegen.*

293,29.30 Marthas Mühe bis Noth ist] *Lk. 10,38ff, besonders 41–42: »Martha, Martha, du hast viele Sorge und Mühe; Eins aber ist noth. Maria hat das gute Theil erwählt«.*   30

294,11 bedeutende Ruine] *Der Hohenneuffen.*

294,17 Niedersitzen] *Vgl. die Erläuterung zu S.99,9.*

295,14.15 Jung Volker] *Nach des Dichters eigenem Hinweis S.297,32ff keine Figur der Volkssage, sondern eine Phantasiegestalt Mörikes, bei der freilich edle Räuber wie der Roque des Cervantes, Robin Hood, Rinaldo Rinaldini, Fra Diavolo und andere Pate gestanden haben.*

295,36 ferndigen Gukuk] *»Ferndig« ist ein vom frühneuhochdeutschen »fern« in der Bedeutung »vorjährig« abgeleitetes Adjektiv, das in Südwestdeutschland bis ins späte 19. Jahrhundert gebräuchlich ist. Der »ferndige Gukuk« ist der Kuckuck vom vorigen Jahr.*

296,8 Geigenspiel] *Vgl. die Erläuterung zu S.288,33.*

296,17–19 wie er *bis* ließ] *Die Szene erinnert bereits an das Orangenspiel in »Mozart auf der Reise nach Prag«, 1856, S.46ff.*

297,14 ein funfzig Schritte] *Bis heute übliche volkssprachliche Wendung für »etwa fünfzig Schritte« (Paul-Betz, S.151).*

297,28–**299**,9 Dieß täflein *bis* 1591] *Ludwig Bauers Brief an Flad und Käferle vom 4. März 1826 (Bauer, Schriften, 1847, S.XXVIf) zeigt, daß der altertümelnde Urkunden- und Chronikenstil Mörike und seinen Freunden offenbar ganz geläufig war.*

298,36 ich steh in eins andern handen] *Vgl. Ps. 31,16: »Meine Zeit steht in deinen Händen«.*

299,21–32: *Früherer Druck nicht bekannt. Stärkere Abweichungen in den beiden ersten Strophen gegenüber den Fassungen der Stuttgarter Handschrift für Dorchen Mörike und der ersten Gedichtausgabe. Vgl. im übrigen die Lesarten zu »Jung Volkers Lied« in Bd 1.*

300,17–**301**,6: *Früherer Druck nicht bekannt. Geringfügige Abweichungen von den Fassungen in der Stuttgarter Handschrift für Dorchen Mörike und in der ersten Gedichtausgabe. Vgl. die Lesarten zu »Jung Volker« in Bd 1.*

303,5 dieß Offert] *»Das Offert« ist neben »die Offerte« im ganzen 19. Jahrhundert, in Österreich heute noch gebräuchlich.*

305,22 die Wampen] *Die Wampe, im Schwäbischen meist im Plural verwendet, ist der Bauch, ursprünglich von Tieren, dann auch von Menschen (Fischer, Bd 6, Sp.397).*

305,30.31 Sansfaçon] *Im ganzen 19. Jahrhundert noch übliche Bezeichnung für einen dummdreisten Menschen, einen »Grobian, Hans Taps«.*

307,26.27 eine unermeßliche Strickleiter ... gegen den halben Mond geworfen] *Wohl in Anlehnung an Bürgers »Wunderbare Reisen ... des Freyherrn von Münchhausen«. Der Lügenbaron berichtet dort gegen Schluß der »Abenteuer zu Lande« von*

einer türkischen Bohne, die sich an eines von des Mondes Hörnern von selbst angerankt
habe, und an der er dann zum Mond emporgeklettert sei. Ein Riese namens Flömer be-
gegnet hier nicht und war auch sonst nicht zu ermitteln.

307,34–36 daß *bis* sollte] *Offensichtlich im Gedanken an Bürgers »Lenore«.*

312,33 drangen] *Vgl. die Erläuterung zu S.54,33.*

313,5.6 wunderbare] *»Wunderbar« wird in der Bedeutung »wunderlich, sonderbar,*
seltsam« in der Goethezeit häufig, später kaum noch verwendet (Grimm, Bd 14,2, Sp.
1845 ff).

313,20.21 küßt er den Saum am Kleide der Gottheit] *Vgl. Goethes »Gränzen der*
Menschheit«, v. 7.8: »Küss' ich den letzten Saum seines Kleides«.

314,6.7 das schwarze Festkleid] *»Von der Verkündigung bis zur Hochzeit trägt im*
hochalemannischen Gebiet, in Oberschwaben und Altbayern die Braut ein schwarzes
Kleid« (Bächtold-Stäubli, Bd 7, Sp.1447).

315,30 nimmer] *Vgl. die Erläuterung zu S. 49, 26.*

318,20 Trumm] *Im Oberdeutschen eigentlich das dicke Endstück eines Gegenstandes,*
auch der Klotz, der Kloben oder das Lot im »Stuttgarter Hutzelmännlein«, 1855, S.37.
Plural: die Trümmer (vgl. die Erläuterung zu S.153,1). »Ein Trumm finden oder ver-
lieren« ist gleichbedeutend mit »den Faden finden oder verlieren« (vgl. »Der Schatz«
in den »Vier Erzählungen«, 1856, S.22: wo ihm ... das Trumm verloren ging und
Schmid, S.144).

319,17 den Leviten zu lesen] *Korrekter als der meist übliche Plural »die Leviten«, da*
sich die sprichwörtliche Wendung (vgl. Wander, Bd 3, Sp.110) vom alten kirchlichen
Brauch der Lektüre des dritten Buches Mose (»Leviticus«) mit seinen Gesetzen und Vor-
schriften herleitet.

319,33 poussirt] *»Sich poussieren« in der Bedeutung »sich emporschwingen, weiter-*
kommen« ist in der ersten Hälfte des 19.Jahrhunderts besonders häufig (Schulz-Basler,
Bd 2, S. 627).

320,9 Murschel] *Diesen Namen hat der Buchdrucker nur hier, in den »Sommersprossen«*
und in der Wispeliade im Stuttgarter Hartlaub-Nachlaß ist er namenlos, in der Umarbei-
tung des »Maler Nolten« heißt er Gumprecht.

320,10 Sigismund] *Für Wispels Vornamen vgl. die Erläuterung zu Bd 4, S.117,5.*

320,18 Gichter] *»Krämpfe, Zuckungen, Convulsionen«. Im Mittel- und Süddeutschen,*
besonders im Schwäbischen, bis heute üblicher Plural von Gicht, der vor allem im über-
tragenen Sinn verwendet wird (Schmid, S. 229).

321,1 der Widerwart] *Das im Schwäbischen bis in die Gegenwart verwendete Substantivum »Widerwart« ist nach Grimm (Bd 14,1, Sp.1363) seit dem 19.Jahrhundert bezeugt, vermutlich als Rückbildung vom Adjektiv »widerwärtig«. Vgl. auch das Gedicht »An Longus«, v.1.*

5 **321**,15 Hemdstrich] *Vgl. die Erläuterung zu S.19,17.*

321,22 Bettstollen] *»Bettstollen« für »Bettpfosten« ist nach Paul-Betz, S.643, heute »nicht mehr allgemein üblich«. Grimm und Fischer bringen nur Belege aus dem 16.Jahrhundert.*

323,2 Genferin] *Lörmers Uhr. Genf und Umgebung waren schon in der Biedermeierzeit führend in der Uhrenindustrie.*

10 **323**,20 Todtenuhr] *Volkstümlicher Name des Klopfkäfers (Anobium pertinax). Vgl. »Der alte Turmhahn«, v. 181.*

323,26 Stötzchen] *Auch Stotz oder Stotzen. Hauptsächlich oberdeutsches Wort für »Klotz, Stumpf«, auch für ein klobiges Bein.*

15 **324**,7 Titus] *Die Frisur »à la Titus«, ein kurzhaariger Lockenkopf (nach einer Büste des römischen Kaisers Titus) war die übliche weibliche Haartracht der Empirezeit (vgl. auch Bd 4, S.87,35), die bezeichnenderweise auch Wispel trägt.*

324,9 Spahn] *Im Schwäbischen gleichbedeutend mit »Sparren« (Fischer, Bd 5, Sp.1470). O Spahn der Menschheit! hat also etwa den Sinn von »O närrische Menschheit! Über* 20 *die Narrheit der Menschen!«*

324,13 zimpferlich] *Oberdeutsche Nebenform von »zimperlich« (vgl. auch Schmid, S.552, unter dem Stichwort »zumpfer«).*

324,18 von dem Joko, dem brasilianischen Affen] *Philipp Taglionis Ballett »Danina oder Jocko, der brasilianische Affe«, Musik von Peter von Lindpaintner, wurde seit 1826* 25 *am Stuttgarter Hoftheater mit großem Publikumserfolg aufgeführt. Es wird auch in »Die umworbene Musa« (Bd 7), 3.Auftritt, erwähnt.*

324,19 wirklich] *Hier in der Bedeutung »gegenwärtig, jetzt«, wie im Schwäbischen bis in die Gegenwart allgemein üblich. Im »Maler Nolten« kommt das Wort in dieser Bedeutung sonst nicht vor.*

30 **325**,27 O AMITIÉ, OH FILLE D'AVRIL] *Dieses alte Lied, das schon Leffson vergeblich zu ermitteln versucht hat, ist vermutlich eine Wispelsche Fiktion.*

325,29 LOIN DES YEUX, LOIN DU COEUR] *Wohl Wispelsche Übertragung des Sprichworts »Aus den Augen, aus dem Sinn« ins Französische.*

327,27 beugte] *Zwischen »biegen« und »beugen« und ihren Flexionsformen wird im*

18. und 19.Jahrhundert ganz allgemein kein Unterschied gemacht. Vgl. auch die Erläuterung zu S.54,33.

328,24   er hat sich einen Tod angethan] *Wispeldeutsch, offensichtlich in Anlehnung an Wendungen wie »jemandem ein Leid, einen Tort antun« gebildet.*

329,8   nimmer] *Vgl. die Erläuterung zu S.49,26.*

329,12   Operment] *Volkstümliche Kurzform von lateinisch auripigmentum, eine aus Schwefel und Arsenik bestehende Substanz. Die formelhaft gewordene Wendung »Gift und Operment« auch in Mörikes Gedicht »An Longus«, v.77, bei Schiller, »Kabale und Liebe«, I,2, in Hauffs »Lichtenstein«, II,3 und öfters.*

334,16–18   wenn bis nährte] *Bei Goethe, in »Wilhelm Meisters Lehrjahre«, VIII,8 heißt es von Mignon: »diese lebhafte Dankbarkeit schien die Flamme zu seyn, die das Öl ihres Lebens aufzehrte«.*

335,16   Schatte] *Nebenform von »Schatten«, im 18.Jahrhundert durchaus geläufig, im 19. kaum noch verwendet (Paul-Betz, S.535).*

335,19   drang] *Vgl. die Erläuterung zu S.54,33. Klaiber ändert das drang Bd 4,S.308,15 in: drängte. Vgl. die Erläuterung zu S.384,4.*

338,21.22   Versuch, *Ludwig Tiecks* Lustspiele aufzuführen] *Mörike hat Tiecks Lustspiele, denen nach vielen brieflichen Äußerungen seine besondere Liebe galt, weder in Stuttgart noch anderswo auf der Bühne sehen können. »Die verkehrte Welt« scheint zu seinen Lebzeiten überhaupt nicht aufgeführt worden zu sein. Gespielt wurde nur »Der Blaubart« in Düsseldorf, »Der gestiefelte Kater« in Berlin. Auf dem Puppentheater des Bruders Adolph wollte Mörike »Prinz Zerbino« oder »Rotkäppchen und der Wolf« aufführen (vgl. den großen Brief an Hartlaub vom 20.–25.März 1826 und das Gedicht »Wir sind Geister, kleine Elfen« in Bd 2).*

338,22   S**] *Vielleicht denkt Mörike an den berühmten Schauspieler und Regisseur Carl Seydelmann, der mit kurzer Unterbrechung von 1829 bis 1837 am Stuttgarter Hoftheater gewirkt hat. Nach brieflichen Zeugnissen hat der Dichter ihn oft gesehen und sehr geschätzt. Ob Seydelmann freilich daran gedacht hat, Tiecks Lustspiele aufzuführen, war nicht festzustellen.*

340,2   GROS DE NAPLES] *Im 19.Jahrh. viel verwendeter leinenartiger Stoff aus Neapel.*

340,4   Inkroyable] *Name für den um 1800 modischen Männerhut (Zweispitz), hier wie auch sonst im übertragenen Sinn: Modenarr.*

340,12   Rataplan, der kleine Tambour] *An fast allen Bühnen, auch in Stuttgart viel aufgeführtes Vaudeville von Ferdinand Pillwitz.*

340,13 die Bären und die Affen und diese heil'gen Hallen] *Anspielung auf Mozarts* »*Zauberflöte*«.

341,19 PRO OSTENTO NON DUCENDUM, SI PECUDI COR DEFUIT] *Bei Sueton,* »*Divus Julius*«, *cap.77 heißt es in indirekter Rede:* »*nec pro ostento ducendum, si cor pecudi defuisset*«.

342,19 rechtfertige] *Das Adjektiv* »*rechtfertig*« *(auch S.367,28) wird in der frühneu-hochdeutschen Rechtssprache von Personen und Sachen gebraucht, die vor Gericht oder vor Gott bestehen können, es ist jedoch nach Grimm, Bd 8, Sp.410 und Paul-Betz, S.504 schon im 17.Jahrhundert ausgestorben. Vgl. aber Schmid, S.427 unter dem Stichwort* »*rechtfertig*«: »*was die Prüfung, die Untersuchung aushält; nicht falsch und hinwegzu-thun ist*«.

342,20 Flamänder] *Im 19.Jahrhundert heißen die Bewohner von Flandern durchweg Flamänder, Flammänder oder Flamländer (Meyer 1840, Bd 10, unter dem Stichwort* »*Flamländer*«).

343,1.2 das zu scheinen, was ich lieber gar seyn möchte] *Vielleicht Reminiszenz an Goethes Lied der Mignon:* »*So laßt mich scheinen, bis ich werde*«?

343,35.36 die höchsten Glanz-Erscheinungen des Lebens und der Kunst] *Vgl.* »*Der junge Dichter*«, *v. 1ff:* Wenn der Schönheit sonst der Anmuth

    Immer flüchtige Erscheinung,

    Wie ein heller Glanz der Sonne,

    Mir zu staunendem Entzücken

    Wieder vor die Sinne trat …

344,24.25 doch sollen bis seyn] *Vgl. Mt. 18,20:* »*Denn wo zwey oder drey versammelt sind in meinem Namen, da bin ich mitten unter ihnen*«.

350,19 die sogenannte Blumensprache] *Die* »*Blumensprache*« *hatte sich in der Bie-dermeierzeit zu einer beliebten Gesellschafts-Unterhaltung entwickelt (vgl. auch oben S.68,11). Handbücher der Blumensprache gab es in großer Anzahl, so K.Blumauer,* »*Die Blumensprache*«, *3.Aufl. 1826;* »*Die Blumensprache oder Bedeutung der Blumen nach orientalischer Art. Ein Toilettengeschenk*«, *10.Aufl. 1826;* »*Der Selam des Orients oder die Sprache der Blumen*«, *3 Teile, 1841.*

350,34–**351**,2 Sollten bis annähme] *Vielleicht erinnert sich Mörike hier an Sterne, der die Frage der Zusammenhänge zwischen Namen und Schicksal oder Charakter einer Person ausführlich im* »*Tristram Shandy*«, *I,19 behandelt. Vgl. auch Goethe,* »*Dichtung und Wahrheit*«, *Buch 11 (Ausg. letzter Hand, Bd 24, S.28):* »*Ein schönes Kind, welches* *wir mit Wohlgefallen Bertha nennen, würden wir zu beleidigen glauben, wenn wir es Urselblandine nennen sollten«, oder »Wilhelm Meisters Wanderjahre«, I,2 (Ausg. letzter Hand, Bd 21, S.19): »... daher kam es, daß man mich in der Taufe Joseph nannte, dadurch gewissermaßen meine Lebensweise bestimmte«.*

351,16 Gretchen im Busch] *Einer der zahlreichen volkstümlichen Namen für Nigella* 5
damascena.

351,28 blauliche Blüthe mit dem würzigen Vanilleduft] *Gemeint ist zweifellos Heliotropium peruvianum. Vgl. die Erläuterung zu S.39,17.*

352,18 Pantalon] *Eigentlich Bezeichnung für das von Pantaleon Hebenstreit aus dem Hackbrett entwickelte, auch »Klöppelklavier« genannte Musik-Instrument. Hier zweifel-* 10
los ganz allgemein: altertümliches Klavier. Vgl. das Gedicht »Ach nur einmal noch im Leben«, v. 37.

354,30 Rosemonde des Ruccelai] *Die für die Geschichte des europäischen Dramas bedeutsame Tragödie »La Rosmunda« ist das berühmteste Werk des italienischen Di chters Giovanni Rucellai (1475–1525). Die älteste bekannte Ausgabe ist nicht in Venedig, son-* 15
dern 1525 in Siena erschienen, später kamen viele Ausgaben in Venedig, Padua und anderen Orts heraus. Möglicherweise hat Mörike eine alte Venetianer-Ausgabe, die er für die ursprüngliche hielt, in der großen Bibliothek des Onkels Georgii kennengelernt.

355,7 sich straks dem Italienischen ergeben] *Mörike selbst hat 1830 ein wenig Italienisch gelernt, immerhin so viel, um seinen Wispel einzelne italienische Wörter und Sätze* 20
sprechen zu lassen. Vgl. den Brief an Mährlen vom 27.September 1830: Wer mir selbst ein niedliches ital.⟨ienisches⟩ Dictionär in die Hände lieferte, das ist – mein Schätzchen Luise.

359,20.21 Nannettens rosenfarbener Humor] *Margot hatte der Nannette S.351,27 im Verlauf des Gesprächs über die Blumensprache (vgl. die Erläuterung zu S.350,19)* 25
eine niedliche Rose in's Haar gesteckt.

359,29 Labyrinth] *Einen dieser in der barocken Gartenarchitektur beliebten Irrgärten kennt Mörike aus dem Park der Fürsten von Taxis in Obermarchthal. Vgl. den Brief an Luise Rau vom 17.Juli 1831.*

360,6–10 es ist bis Freundes] *Vgl. das Gedicht »Die schöne Buche«.* 30

360,16 Sonnette »an L.«] *Es sind die S.389–391 abgedruckten 5 Sonette, die vor ihrer Aufnahme in den »Maler Nolten« wirklich an L., nämlich an Luise Rau, gerichtet waren.*

361,7.8 pflegte jener phantastischen Neigung] *»Pflegen« wird bis weit in das 19.Jahrhundert mit dem Genitiv verbunden, der Akkusativ setzt sich daneben nur langsam durch.*

361,22   Amplifikation] *Der Rhetorik und Stilistik entnommenes, im ganzen 19.Jahrhundert noch geläufiges Fremdwort für »Erweiterung, Ausmalung«.*

362,1–**364**,34: *Die Gedichte II, I, III und V des später mit der Gesamtüberschrift »Peregrina« versehenen Zyklus. »Und wieder« ist bereits am 23.Februar 1829 unter der Überschrift »Verzweifelte Liebe« im »Morgenblatt« gedruckt. Drucke der drei anderen Gedichte vor dem Erscheinen des »Maler Nolten« sind nicht bekannt. Handschriftlich sind die Gedichte »Warnung«, »Die Hochzeit« und »Scheiden von ihr« schon in der Stuttgarter Sammelhandschrift für Dorchen Mörike unter den Überschriften »Agnes, die Nonne«, »Agnesens Hochzeit« und »Abschied von Agnes« überliefert, außerdem das im »Maler Nolten« nicht neu gedruckte, in den vier Gedichtausgaben als »Peregrina IV« bezeichnete Gedicht unter der Überschrift »Nachklang von Agnes«. Vermutlich sind die Überschriften so zu erklären, daß die Hauptgestalten im »Maler Nolten« zur Zeit der Entstehung dieser Handschrift ihre Namen noch nicht erhalten hatten, daß außerdem zunächst eine Einfügung der Gedichte in den Roman nicht beabsichtigt war. Das Sonett »Und wieder« findet sich zuerst in der Marbacher Sammelhandschrift »Neue weltliche Lieder« vom 19.Juni 1828 unter der gleichen Überschrift »Verzweifelte Liebe« wie im »Morgenblatt«. Der Name Peregrina begegnet jedoch erst in der Nolten-Fassung des Gedichts. Vgl. im übrigen die Lesarten zu »Peregrina« in Band 1.*

362,28   trofen] *Sicherlich kein Druckfehler, vermutlich eine nicht genau gewußte Form vor der Normierung der Sprache durch den Duden oder eine durch die schwäbische Aussprache des Wortes bedingte Schreibweise (vgl. das gleiche* trofen *bei Georg Herwegh, »Gedichte eines Lebendigen«, Werke, hrsg. v. Tardel, Bd 1, S.74).*

365,24   vernachtet] *Wenig gebräuchliches, aber bei Heine ebenfalls begegnendes Verbum (Grimm, Bd 12,1, Sp.905). Bei der Umarbeitung des »Maler Nolten« beabsichtigte Mörike* vernachtet *in* umnachtet *zu ändern (vgl. die Bearbeitungs-Ansätze zu S.365,24).*

367,28   rechtfertige] *Vgl. die Erläuterung zu S.342,19.*

368,20   durch ihren Körper gießt] *Der intransitive Gebrauch von »gießen« in der Bedeutung »sich ergießen« findet sich im Schwäbischen auch sonst gelegentlich (Fischer, Bd 3, Sp.653).*

369,14   Er bietet Allem auf] *Vgl. die Erläuterung zu S.40,31.*

369,24   es sey ihr vor] *»Mir ist vor« in der Bedeutung »es kommt mir vor, es ist mir als ob« begegnet bei Friedrich Theodor Vischer und anderen schwäbischen Autoren der Zeit häufig.*

369,31   recent] *Oberdeutsch bis heute: »herb, säuerlich« vom Wein, auch in übertragenem Sinn: »herb, würzig, frisch«.*

370,5.6 Bestandherr] *Terminus der älteren deutschen Rechtssprache: Verpächter (Deutsches Rechtswörterbuch, Bd 2, Sp.169).*

371,19.20 hier zwischen Aufgang, dort zwischen Untergang der Sonne] *Wohl eine jener Wendungen, die ähnlich wie »zwischen Abend« (bei Luther häufig) oder »zwischen Licht« (bei Schiller) eine gewisse Zeitspanne »auf syntaktisch einen Zeitbegriff verkürzen« (Grimm, Bd 16, Sp.1334).*

373,2 Weihmuthsfichten] *Die fünfnadeligen Weymuthskiefern. Vgl.»Peregrina II«, v. 33, die Bearbeitungsansätze zu dieser Stelle, oben S.141, und Mörikes Brief an Luise Walther vom 7.August 1874, in dem er bekennt, er habe keine richtige Vorstellung von dem genannten Baum gehabt.*

374,29 diese blutenden Sohlen] *Vgl. die frühen Fassungen von »Peregrina V«, v.2 und 4 (unten S.364,20 und 22):*

> Geht endlich arm, verlassen, unbeschuht . . .
>
> Mit ihren Thränen nezt sie bittre Wunden.

374,32 unertödtlich] *Sonst nicht bezeugte Analogiebildung zum davor stehenden unermüdlich.*

375,9 glückseligen Tag] *Vgl. die frühe Fassung von »Peregrina II« (unten S.363,1):* Bin ich erwacht zu glückseligen Tagen.

376,35.36 das prächtige Denon'sche Werk] *Das 1802 in Paris erschienene Werk »Voyage dans la Basse et Haute Égypte« des vielseitigen Diplomaten, Kunstschriftstellers, Sammlers und Generalinspektors der Pariser Museen Dominique Vivant Denon, der Napoleon auf seinem Zug nach Ägypten begleitet hatte.*

382,8.9 hier *bis* Pfoste] *Vgl. den Brief an Luise Rau vom 19.Mai 1830: Du standest am Türpfosten der Kammer und blicktest ernst zu uns hinüber, und die mit dem gleichen Brief der Braut geschickte Tusch-Zeichnung: Es stellt die Scene aus »Hamlet« vor, wo die unglückliche Ophelia im Wahnsinn, phantastisch aufgeputzt mit Blumen, Stroh usw., in's Zimmer tritt (Abbildung in: Eduard Mörike, Luise. Briefe der Liebe, hrsg. v. H.W.Rath, 1921, nach S.112).*

382,9 Pfoste] *Vgl. die Erläuterung zu S.154,32.*

382,16 Heideläufer] *In der Forst- und Jagdsprache des 19.Jahrhunderts sind Heideläufer (auch S.384,18) Forstknechte, die häufig entlegene Bezirke zu begehen hatten (Adelung, Bd 2, Sp.1064; Ersch-Gruber, Abt.2, Bd 1, S.105; Meyer 1840, Bd 10, Sp.757). Daß Agnes Försterstochter ist, mag bei der Wahl des Wortes eine Rolle spielen.*

382,16 Höllenbrand] *Auch S.388,33: Einer, der in der Hölle brennen wird, der den*

Teufel im Leib hat *(S.388,4), auch der Teufel selbst. Bis ins 19.Jahrhundert gebräuch-*
liches, damals freilich schon altertümlich wirkendes Wort, das Mörike jedoch noch in der
Mozart-Novelle an bedeutsamer Stelle für den Don Giovanni bzw. für die Partitur der
Oper verwendet (1856, S. 96).

5 **382**,20 seine liebe braune Otter] *Margot (vgl. oben S.348,23ff), auf die sich Agnes*
auch sonst eifersüchtig zeigt.

382,21 Mein kleiner Finger sagt mir … etwas] *Sprichwörtliche Redensart. Der*
kleine Finger oder Ohrfinger gilt im Volksglauben als klug, alles wissend, weissagend
(vgl. Bächtold-Stäubli, Bd 2, Sp.1490f).

10 **382**,29.30 Schnell *bis zu] In der Umarbeitung hat Mörike das Bild an dieser Stelle*
tilgen wollen (vgl. die Bearbeitungs-Ansätze zu S.382,29.30), dafür hat er es in die
große Rede des Ulmon, Bd 4, S.105,12–14 eingefügt.

383,13 frommen Knecht] *Wohl in Erinnerung an Schillers »Gang nach dem Eisen-*
hammer«, v. 1: »Ein frommer Knecht war Fridolin«.

15 **384**,4 verdrungen] *Vgl. die Erläuterung zu S.54,33. In der Umarbeitung beabsichtigte*
Mörike selbst das verdrungen *in* verdrängt *zu ändern (vgl. die Bearbeitungsansätze*
zu S.384,4).

384,18 Heideläufer] *Vgl. die Erläuterung zu S.382,16.*

385,8–11 Oft *bis zusammenbringen] Vgl. Mörikes Brief an Luise Rau vom 11.No-*
20 vember *1829:* ich kann Dein Bild mit aller Anstrengung nicht mehr genau fassen.

386,12–16: *Die Verse sind der zweite Teil (v. 5–9) des später als »Gebet« bezeichne-*
ten Gedichts, das erst in der vierten Gedichtausgabe als einheitliches Ganzes erscheint.
In der ersten Gedichtausgabe fehlen die hier abgedruckten 5 Verse, in der zweiten und
dritten Gedichtausgabe stehen die Verse 1–4 und 5–9 noch unverbunden als »Gebet I. II«
25 *untereinander. Vielleicht haben die Verse 5–9 ursprünglich nicht als eigenes Gedicht für*
sich existiert, sondern sind im Zusammenhang mit der Nolten-Handlung als Teil eines
angeblichen Morgengebets der Agnes entstanden. Vgl. im übrigen die Lesarten zu »Gebet«
in Bd 1.

386,28.29 ganz wieder in der angenehmen Stellung] *Vgl. die Erläuterung zu*
30 *S.382,8.9 und die Worte in dem Brief an Luise Rau vom 19.Mai 1830:* jener gedanken-
volle, starre Blick, mit dem Du öfters dasaßest.

388,33 Höllenbrand] *Vgl. die Erläuterung zu S.382,16.*

389,3 Gedichte »An L.«] *Vgl. die Erläuterungen zu S.360,16 und S.389,14–391,23.*

389,14–**391**,23: *Frühere Drucke der fünf Sonette an Luise Rau sind nicht bekannt.*

Mit Ausnahme des zweiten Sonetts (S.389,28–390,10), das zu Mörikes Lebzeiten wohl nicht mehr gedruckt worden ist, sind sie unverändert in die vier Gedichtausgaben über-nommen worden. Vgl. die Lesarten zu »Zu viel«, »An die Geliebte«, »Nur zu«, »Am Walde« in Bd 1, zu »Wahr ist's, mein Kind« in Bd 2.

391,24–**392**,16: *Früherer Druck nicht bekannt. Seit der ersten Gedichtausgabe ist die letzte Strophe völlig neugestaltet. Vgl. die Lesarten zu »Charwoche« in Bd 1.*

393,2 Alexis-Brunnen] *Die alte Legende vom Heiligen Alexius oder Alexis ist hier von Mörike sehr individuell umgeformt (vgl. Herbert Meyer, Mörikes Legende vom Alexis-brunnen, in: Deutsche Vierteljahrsschrift 26, 1952, S.225ff).*

396,22–**397**,21: *Früherer Druck nicht bekannt. In der ersten Gedichtausgabe mit un-wesentlichen Veränderungen abgedruckt. Vgl. die Lesarten zu »Lied vom Winde« in Bd 1.*

400,22–**402**,6: *Eine eigenhändige, mit hellblauer Tinte geschriebene Skizze dieser Szene (vgl. auch oben S.349,17–24 und S.351,34–352,1) hat Mörike als Beilage zu einem Brief an Luise Rau geschickt (LBS Cod. hist. Q 332,73): Mit himmelblauer Tinte. | Scene aus Nolten. Gegen das Ende. | Alte Kammer im unbewohnten linken Schloßflügel auf* (auf *über der Zeile*) *des Präsidenten Landgute. Dieses Gemach war früher zur Haus-kapelle eingerichtet; Nur einige Betstühle, ein hohes Crucifix an der Wand und eine Orgel stehen* (aus *stehem*) *noch darin. Der blinde Sohn des Gärtners, ein frommer Knabe von sechzehn Jahren spielt die Orgel. Die wahnsinnige Agnes zu seiner Seite, auf dem Boden sizend und ein Notenblatt in der Hand haltend singt mit ihm folgenden Vers aus einem altkatholischen Gesangbuch:*

5

10

15

20

> Jesu benigne,
> A cujus igne
> Opto flagrare,
> Et te Amare; –   25
> Cur non flagravi?
> Cur non amavi
> Te, Jesu Christe?
> – – O frigus triste!*

* Zu deutsch: Dein Liebesfeuer,	Hab's nicht geheget,	30
Jesu! wie theuer	Und nicht gepfleget,
Wollt' ich es hegen,	War Eis im Herzen!
Wollt' ich es pflegen –	– – O Höllenschmerzen! –

Dieß schmerzliche Thema leitet, nach einer schwermüthigen Variazion, in folgende Strophen ein:

> Eine Liebe kenn' ich, die ist treu,
> War getreu so lang ich sie gefunden,
> 5 Hat mit tiefem Seufzen immer neu,
> Stets versöhnlich, sich mit mir verbunden.

> Welcher einst mit himmlischen Gedulden
> Bitter bittern Todestropfen trank,
> Hing am Kreuz und büßte mein Verschulden
> 10 Bis es in ein Meer von Gnade sank.

> Und was ist's, daß ich noch traurig bin?
> Daß ich angstvoll mich am Boden winde?
> Frage, Hüter ist die Nacht bald hin?
> Und was rettet mich von Tod und Sünde?

> 15 Arges Herze! ja gesteh' es nur,
> Du hast wieder böse Lust empfangen!
> Frommer Liebe, alter Treue Spur
> Ach, das ist auf lange nun vergangen!

> Und das ist's auch, daß ich traurig bin,
> 20 Daß ich angstvoll mich am Boden winde!
> Hüter! Hüter! ist die Nacht bald hin?
> Und was rettet mich von Tod und Sünde?

Da die Beilagen in dem Luise Rau-Konvolut der Stuttgarter Landesbibliothek von den zugehörigen Briefen getrennt aufbewahrt werden und entsprechende Hinweise Mörikes selbst in diesen Briefen oder anderswo fehlen, ist eine eindeutige Datierung der Entstehung bzw. Absendung des Blattes nicht möglich. Mit hoher Wahrscheinlichkeit darf allerdings angenommen werden, daß die Niederschrift nach dem 22.Februar 1832 erfolgt ist, als der Dichter sich in dem großen Brief an den Bruder Karl von diesem Tage (vgl. auch den Brief an Friedrich Theodor Vischer vom 26.Februar 1832) noch mit der Übertragung des lateinischen Gedichts (S.400,33–401,4) abmüht, dessen ursprachlicher und deutscher Text im »Maler Nolten« zum erstenmal innerhalb von Mörikes Werk gedruckt, dann in die Gedichtausgaben übernommen wird. Das mit den Worten Eine Liebe kenn' ich be-*ginnende Gedicht (S.401,9–402,6) ist bereits im »Morgenblatt« vom 17.April 1829 ge-druckt, später etwas verändert in den »Maler Nolten« und in die Gedichtausgaben über-nommen worden. Vgl. die Lesarten und Erläuterungen zu »Seufzer« und »Wo find' ich Trost« in Bd 1.*   5

400,22 einsmals] *Die ältere Form »einsmals« (auch »Schön Rohtraut«, v. 7) begegnet im 19.Jahrhundert nur noch selten neben »einstmals«.*

405,34.35 wir *bis* hoffen steht] *Vielleicht Erinnerung an Röm. 4,18: »Und er hat geglaubet auf Hoffnung, da nichts zu hoffen war«.*

407,8 der die Herzen der Menschen lenkt wie Wasserbäche] *Vgl. Spr. 21,1: »Des* 10 *Königs Herz ist in der Hand des Herrn, wie Wasserbäche; und er neiget es, wohin er will« und Ps. 33,15: »Er lenket ihnen allen das Herz«.*

407,8.9 in welchem wir leben, weben und sind] *Vgl. Apg.17,28:»Denn in Ihm leben, weben und sind wir«.*

407,13 Strome des Paradieses] *Vgl. Gen. 2,10.* 15

407,21.22 auf dem Dache klirrten die Fahnen zusammen] *Vielleicht in Erinnerung an Hölderlin, »Hälfte des Lebens«, v. 14f »im Winde klirren die Fahnen«. Gemeint sind hier wie dort Wetterfahnen aus Eisen.*

407,25–27 Es däuchten *bis* entgegenharre] *Vgl. Röm. 8,19: »Denn das ängstliche Harren der Creatur wartet auf die Offenbarung der Kinder Gottes«. Mörike hat diese* 20 *Bibelstelle dem Gedicht »Die Elemente« als Motto vorangestellt.*

411,16 nimmer] *Vgl. die Erläuterung zu S. 49,26.*

413,31.32 blickten *bis* hinab] *Vgl. die Erläuterung zu S.154,18.19.*

ERLÄUTERUNGEN ZUR UMARBEITUNG

Band 4 Seite 11–213

Bei Verweisungen auf Stellen in dieser Ausgabe ist da, wo keine Bandzahl genannt wird, stets gemeint: Bd 4.

12,20–22 der Franzose *bis* führte] *Für die Rolle der Savoyarden im 18. und 19.Jahrhundert und für die Pariser Savoyardenkolonie vgl. den umfangreichen Artikel »Savoyarden« bei Meyer 1840, 2. Abt., Bd 7, S.286ff. Eine der bekannten Anekdoten über ein armes Savoyarden-Mädchen, das sein Glück machte, wurde in ganz Europa berühmt durch das sehr erfolgreiche Vaudeville »Fanchon la vielleuse« von Jean-Nicolas Bouilly und Josef Pain (1805), deutsch unter dem Titel »Fanchon, das Leyermädchen« von Kotzebue, Musik von Friedrich Heinrich Himmel. Vielleicht spielt Mörike auf dieses Vaudeville an, das er möglicherweise im Stuttgarter Hoftheater gesehen hat, wo es oft aufgeführt wurde. Ein Savoyarde begegnet auch in den »Bruchstücken eines Romans« (Bd 6 unserer Ausgabe).*

13,4 ein etwas ärmlich gekleideter Mensch] *Wispel. Vgl. die Erläuterung zu Bd 3, S.22,35. Der Name kommt allerdings im gesamten Prosatext der Umarbeitung im Gegensatz zur Erstfassung nicht vor. Vgl. auch die Erläuterung zu Bd 3, S.86,29.*

13,13 Steifbettler] *Nach den Belegstellen bei Grimm und Fischer nicht nur im Schwäbischen übliche, vorwiegend im 17. und 18.Jahrhundert, aber auch noch von Ottilie Wildermuth verwendete Bezeichnung für einen beharrlichen, zudringlichen Bettler.*

14,11.12 Hemdstrich] *Vgl. die Erläuterung zu Bd 3, S.19,17.*

20,30 Barbier . . . als Bedienter] *Vgl. die Erläuterung zu Bd 3, S.22,35.*

21,1 Hieb] *Vgl. die Erläuterung zu Bd 3, S. 23, 2.*

24,9 heiklige] *»heiklig« (auch S.132,3) ist die ältere, aber im späteren 19. Jahrhundert noch übliche Form neben »heikel«. In der Umarbeitung ist auch sonst eine Vorliebe Mörikes für Adjektive bemerkbar, die das jeweilige Simplex durch angehängtes -lig oder -lich abschwächen. Vgl. sprödlich S. 61,2 und 71,19; trüblich S. 176,1; bänglich S. 178,25.*

239

28,9 Betrieb] »Betrieb« wird bis zum Ende des 19.Jahrhunderts nur als nomen actionis in der Bedeutung »Betreiben« verwendet.

31,3.4 aufgehangen] Vgl. »Auf eine Lampe«, v. 2. Mörike bevorzugt auch bei »drängen« die starken Konjugationsformen vor den schwachen (vgl. die Erläuterung zu Bd 3, S.54,33).

31,11.12 Sie trug bis Haar] Rot und Weiß sind in der Erstfassung die der Constanze zugeordneten Farben (vgl. die Erläuterung zu Bd 3, S.45,29.30). Lichtgelb kommt hier erstmals hinzu, später auch Blau (vgl. die Erläuterung zu S.91,10.11). Hier und in der gesamten Umarbeitung spielt die Farbensymbolik der Erstfassung offensichtlich keine Rolle mehr.

32,11 eines jungen Bildhauers] Wohl Raimunds. Sein Name begegnet bald darauf (S.41,25) zum ersten Mal innerhalb der Neufassung.

32,36 Festinjagden] Besonders prunkvolle Treibjagden (vgl. Meyer 1840, Bd 12, S.182).

36,2 in einem fast verschollenen Dichter] Die folgenden Verse konnten nirgends aufgefunden werden.

36,30–32 Wir werden bis dabei] Mörike beabsichtigte erst im zweiten Teil des umgearbeiteten Romans ausführlicher auf die Persönlichkeit des Schauspielers einzugehen. Vgl. die Bearbeitungsansätze zu S.233,9–22 und die Erläuterungen zu Paralipomenon A.

37,12 König Rother] Vgl. auch S.70,29.30. Mörike kannte das Spielmanns-Epos vom König Rother aus Karl Simrocks Anthologie »Altdeutsches Lesebuch in neudeutscher Sprache« (1854). Das aus seinem Besitz stammende Exemplar befindet sich jetzt im Schiller-Nationalmuseum in Marbach und enthält eigenhändige Randbemerkungen des Dichters. Wie hoch er den unvergleichlich schönen Stoff schätzte, zeigt vor allem der Brief an Moriz von Schwind vom 12. Januar 1867 und die beigefügte Inhaltsangabe des König Rother, die den Freund zur bildlichen Gestaltung anregen sollte. Ob Mörike freilich die Rotherpartie erst nach Schwinds Tod 1871 in die Neufassung des »Maler Nolten« eingearbeitet hat, um »seine auf eine künftige malerische Behandlung des Stoffes hinzielende Idee der Nachwelt zu erhalten« (Briefwechsel zwischen Eduard Mörike und Moriz von Schwind, hrsg. v. H. W. Rath, ²1920, S.205), scheint mir sehr fraglich. Wahrscheinlich ist die Partie zusammen mit anderen Teilen der Umarbeitung in Lorch zur Zeit der engsten freundschaftlichen Beziehungen zu Schwind entstanden (vgl. auch die Entstehungsgeschichte der Umarbeitung S. 21 f).

37,28 Pasten] Abdrücke oder Imitationen von Gemmen, Münzen usw., ein besonders von Goethe häufig verwendetes Wort (Grimm, Bd 7, Sp. 1491).

38,32.33 ihre nahe Verwandte und intimste Jugendfreundin] *Die in der Neufassung erstmalig eingeführte Fernanda, deren Name S.38,35 genannt wird, und die später eine bedeutende Rolle spielt. Wie die Lesarten zur Umarbeitung S.38,35; 134,30; 135,1 und 148,35 zeigen, war Mörike eine Zeitlang unentschlossen, wie er die wichtige Gestalt nennen sollte, und schwankte zunächst zwischen Eugenie, Euphemie, Antonie und Fernanda. Antonie nennt er später (S.148,35) Fernandas ältere Schwester.*

39,34 der Triumvir] *Marcus Antonius.*

40,3 Donauweibchen] *Die Hauptgestalt in dem sehr erfolgreichen, seit 1798 bis weit ins 19.Jahrhundert viel aufgeführten Märchenspiel in zwei Teilen »Das Donauweibchen« von Karl Hensler (1759–1825), Musik von Ferdinand Kauer, ist die Ahnfrau aller Undinen und Melusinen in der deutschen Literatur einschließlich der Schönen Lau. Auch Tieck schrieb 1808 ein Jambendrama »Das Donauweib«, E. T. A. Hoffmann erwähnt das Singspiel in »Der goldene Topf«, 1.Vigilie.*

40,25–**41**,7: *Vgl. die Erläuterung zu Bd 3, S. 32,33 – 33,15.*

41,15 Raimund] *Vgl. die Erläuterung zu S. 32,11.*

42,23–**44**,3: *Das Gedicht, das Larkens hier im Gegensatz zur Erstfassung selbst vorträgt, hat den gleichen Wortlaut wie in der vierten Gedichtausgabe. Vgl. die Lesarten zu »Der Feuerreiter« in Bd 1.*

46,3 die Zinkenisten] *Vgl. die Erläuterung zu Bd 3, S. 38,14.*

47,14 blauen Glocken] *Vgl. die Erläuterung zu Bd 3, S.39,17.*

53,27 Tischblätter] *Unter einem »Blatt« versteht man im Schwäbischen unter anderem »einen Zeugstreifen in der Breite, wie er gewoben ist« (Fischer, Bd 1, Sp.1171). Unter »Tischblättern« hat man sich also vermutlich gewebte Tischdecken vorzustellen.*

54,13.14 den du hier ausgefolgt] *Vgl. die Erläuterung zu Bd 3, S. 52,2.*

54,35 Else-Fryne] *Merkwürdige, in der Erstfassung nicht begegnende Selbstbenennung der Zigeunerin, zusammengesetzt offenbar aus der Kurzform ihres eigenen Namens und dem Namen der wegen ihrer Schönheit legendär gewordenen griechischen Hetäre Phryne, der Mörikes Landsmann und Bekannter August Pauly in seiner Real-Encyclopädie, Bd 5, 1848, S.1581 einen längeren Artikel gewidmet hatte.*

55,1 Titelchen] *Im Sinne von »Tüttelchen« im 19.Jahrhundert häufig (vgl.Heyne, Bd 3, und Paul-Betz, S. 682).*

61,2 sprödlichen] *Vgl. die Erläuterung zu S. 71,19.*

61,16 Distraction] *Während der Entstehung der Umarbeitung immer noch gebräuchliches Fremdwort für »Zerstreuung« (Heyse 1873; vgl. Bd 3, S.59,9).*

64,11 auf etwas ... spannen] *Vgl. die Erläuterung zu Bd 3, S.62,15.16.*

70,29.30 Königs Rother] *Vgl. die Erläuterung zu S.37,12.*

71,2–10 Plötzlich bis ist] *Die Szene ist in besonders engem Anschluß an Simrocks neu-hochdeutsche Fassung des Epos vom König Rother gestaltet mit teilweise wörtlichen An-lehnungen (Altdeutsches Lesebuch, 1854, S.186–187), in Mörikes Exemplar (vgl. die Er-läuterungen zu S.37,12), im Gegensatz zu vielen anderen Seiten, ohne Randbemerkungen des Dichters:*

> *Wie er begann zu harfen, dem Durstigen schoß*
> *Der Becher vom Munde, daß er den Tisch begoß,*
> *Und der das Brot zu schneiden gedachte, dem entfiel*
> *Das Messer auf den Teller; sie horchten staunend dem Spiel.*
>
> *Und wie er weiter harfte, da fuhren sie empor*
> *Und blickten nach dem Vorhang: »Dahinter kommts hervor:*
> *Das ist Rothers Brautlied und Rother muß es sein!«*
> *Über drei Stühle sprang der schnelle Berchtwein,*
>
> *Doch überlief ihn Hache und riß den Vorhang fort:*
> *Da stand mit der Harfe der König Rother dort.*
> *Ein Jeder wollt ihn küssen; sie gönnten sich nicht Frist:*
> *»Siehst du nun, Schöne Ute, daß mein Name Rother ist?«*

71,19 sprödlich] *Grimm (Bd 10,2,1, Sp.149) verzeichnet nur diese einzige Nolten-Stelle als Beleg für die Bildung* sprödlich, *die jedoch auch oben S.61,2 vorkommt. Nach Fischer ist das Wort* »spröd« *in dieser übertragenen Bedeutung im Schwäbischen sonst nicht üblich. Vgl. auch die Erläuterung zu S.24, 9.*

71,30 agatenes] *Aus Achat. In der Zeit der Umarbeitung bereits etwas antiquierte Form. Vgl. die Erläuterung zu Bd 3, S.27,16.*

72,26 Homerischen Hymnus auf die Aphrodite] *Das folgende Zitat ist fast wörtlich der »Classischen Blumenlese« (1840, S.12: »Auf Aphrodite«, v. 5–9) entnommen.*

72,32 hingen] *In der »Classischen Blumenlese«:* hängten. *Vgl. die Erläuterungen zu Bd 3, S.54,33 und Bd 4, S.31, 3.4.*

78,9 Motion] *In der Zeit der Umarbeitung noch durchaus geläufiges Fremdwort.*

81,20–22 Den Mund bis Haare] *Vgl. die Erläuterung zu Bd 3, S.82,30.*

84,4 Ich nähme gerne Gute Nacht] *»Gute Nacht nehmen« ist nicht so häufig wie*

»Gute Nacht sagen, wünschen, geben«, aber wiederholt bezeugt (Grimm, Bd 7, Sp.158f).

87,13   das Trumm] Vgl. die Erläuterung zu Bd 3, S.318,20.

87,26   Schönste Flankina, mein herzlicher Schaz] Ein Lied mit diesem oder ähnlichem Anfang konnte in keiner der Sammlungen von Volksliedern gefunden werden, auch nicht
5   mit dem Wortlaut Schönste Flankina, du liebliches Kind (vgl. die Lesarten zu S.87,26). Vielleicht ist es ein Lied aus einem der sehr beliebten Vaudevilles der Zeit?

87,26.27   Freund, ich bin zufrieden] Anfang des Gedichts »Glücklich durch Genügsamkeit« von Johann Heinrich Wilhelm Witschel (1769–1847). Volksweise aus dem Beginn des 19.Jahrhunderts.
10   **87**,27–30   Guter Mond bis traurig bin] Autor und Komponist des um 1800 entstandenen, bis ins 20.Jahrhundert viel gesungenen Liedes sind unbekannt.

87,33   unsere Chapeaux] »Chapeau … nach dem Modegebrauch des vorigen Jahrhunderts eine Mannsperson, ein Herr, besonders als Begleiter einer Dame (wofür man ietzt französisch cavalier sagt)« (Heyse 1873).
15   **87**,34   Laz] Der Brustlatz oder -fleck der Männerkleidung in der Biedermeierzeit (Fischer, Bd 4, Sp.1018).

88,7–8   Es reiten drei – Spitzbub! – zum Thore hinaus] Vgl. die Erläuterung zu Bd 3, S.221,6.

88,20   Grimm's und Diderot's Correspondenz] Die Briefberichte Friedrich Melchior
20   Grimms und Denis Diderots waren französisch 1812/13 veröffentlicht worden unter dem Titel »Correspondance littéraire, philosophique et critique, adressée à un souverain d'Allemagne«. In deutscher Sprache erschien 1820 nur eine schmale Auswahl: »Grimms und Diderots Correspondenz von 1753 bis 1790 an einen regierenden Fürsten Deutschlands gerichtet«. Nach dieser Ausgabe zitiert Mörike S.88,33–89,26 wörtlich.
25   **88**,29   Carmontelle] Louis Carrogis de Carmontelle, Zeichner und Dichter (1717–1806). »Sein Ruf bei der Nachwelt gründet sich auf die Sammlung von Zeichnungen, in denen er, in Profilansicht, die Besucher des Hofs der Orléans mit lebhaftem, geistreichem und sicherem Strich aufgenommen hat« (Thieme-Becker, Allgemeines Lexikon der bildenden Künstler, Bd 6, 1912, S.16).
30   **88**,33–**89**,26: Wörtliches Zitat aus der oben zu S.88,20 beschriebenen Ausgabe S.154 bis 155. Nur die Parenthese Jezt geben Sie Acht! S.89,22 ist von Mörike. Auf die Kunst David Garricks war der Dichter vermutlich durch die eingehende Würdigung Lichtenbergs (vgl. die Erläuterung zu Bd 3, S.281,26) im »Deutschen Museum« 1776, S.562–574 und 982–992 oder in einem späteren Druck aufmerksam geworden.

90,1 in den Drillingen] *»Die Drillinge« sind ein häufig aufgeführtes Lustspiel des Schauspielers und erfolgreichen Stückeschreibers Karl August Lebrun (1792–1842).*

91,1 schwatzte um einander] *Bis in die Gegenwart übliche oberdeutsche Wendung (Grimm, Bd 11,2, Sp. 782; Fischer, Bd 6,1, Sp. 857).*

91,10.11 Gewinde von blauen Sternblumen] *In der Erstfassung ist das Blau die nur der Agnes, nie der Constanze oder einer anderen Gestalt zugeordneten Farbe (vgl. die Erläuterung zu Bd 3, S. 39,17 und zu Bd 4, S. 31,11.12).*

92,2 beinahe mit den Worten des Polonius im Hamlet] *Polonius fragt bei Shakespeare,* »Hamlet«, *II,2 in der Übersetzung von A.W. Schlegel nicht, was es für Leute wären, sondern Hamlet erkundigt sich bei Rosenkranz und Güldenstern:* »Was für eine Gesellschaft ist es?« *Polonius meldet später dem Hamlet die Ankunft der Schauspieler und preist sie an mit den von Mörike S. 93,6–10 fast wörtlich zitierten Sätzen:* »Die besten Schauspieler in der Welt, sey es für Tragödie, Komödie, Historie, Pastorale, Pastoral-Komödie, Historiko-Pastorale, Tragiko-Historie, Tragiko-Komiko-Historiko-Pastorale, für untheilbare Handlung oder fortgehendes Gedicht. Seneca kann für sie nicht zu traurig, noch Plautus zu lustig seyn. Für das Aufgeschriebene und für den Stegreif haben sie ihres Gleichen nicht«.

92,12 Schattenspiel] *Vgl. die Erläuterungen zu Bd 3, S. 95,5 und 99,2.*

92,16.17 auf gut Nürnbergisch hier gemalt] *In der Art der im 19. Jahrhundert sehr beliebten farbigen Bilderbogen des Nürnberger Verlegers Friedrich Campe.*

92,22 einen trefflichen Freund] *Ludwig Amandus Bauer. Vgl. die Erläuterung zu Bd 3, S. 95,16.17.*

94,13 Anselmo] *Der Schwabe* Kollmer *(Bd 3, S. 102,15) ist in der Umarbeitung durch den Spanier* Don Anselmo *ersetzt.*

94,20 Agaura] *Der Name begegnet hier erstmalig, in der Erstfassung hat die Fee keinen Namen, in der Umarbeitung sollte sie zuerst Aslauga heißen (vgl. die Lesarten).*

99,29.30 ging ihn vorbei] *Vgl. die Erläuterung zu Bd 3, S. 102,7.*

104,17 Tempel Nid-Ru-Haddin] *Vgl. die Erläuterung zu Bd 3, S. 109,2.*

104,18 weiße Schlange] *In der Erstfassung und in der* »Iris« *heißt es weise Schlange (Bd 3, S. 109,3). In der Umarbeitung kann weiße Schlange ein Schreibfehler, eine andere Schreibweise, aber auch eine absichtliche Änderung sein. Im Volksglauben gibt es sowohl weise als weiße Schlangen (Bächtold-Stäubli, Bd 7, Sp. 1114ff).*

105,12–14: *Das Bild ist aus Noltens Selbstgespräch in der Erstfassung Bd 3, S. 382,29.30 übernommen. Ulmon sagt in Bd 3, S. 109,1 nur:* Laß mich vollenden, weil die Rede fließt –.

107,19   die Braut wirft keinen Schatten] *Vgl. die Erläuterung zu Bd 3, S.110,30.*

108,15–29: *Die Aufteilung dieser Verse auf zwei Sprecher, wie sie sich in der Erst-*
fassung und in der zweiten bis vierten Gedichtausgabe, nicht aber im »Spillner« und in
der ersten Gedichtausgabe findet, ist hier wieder aufgegeben. Es fehlen außerdem ebenso
wie im »Spillner« und in der ersten Gedichtausgabe die letzten 7 Verse der Erstfassung
und der späteren Gedichtausgaben. Für Abweichungen im einzelnen vgl. die Lesarten
zu »Gesang zu Zweien in der Nacht« in Bd 1.

109,19   Brullasumpf] *Vgl. die Erläuterung zu Bd 3, S.118,11.*

109,23–25   da ist bis ihm] *Vgl. die Erläuterung zu Bd 3, S.117,20.21.*

112,11   hinterlegte sich's] *Vgl. die Erläuterung zu Bd 3, S.120,19.*

112,22   Gumprecht] *Für den Namen des Buchdruckers vgl. die Erläuterung zu Bd 3,*
S. 320, 9.

112,27   Der Spaninger] *Don Anselmo (vgl. die Erläuterung zu S. 94, 13).*

113,14   Melanippe] *Ebenso wie Phyllis und Amaryllis (S.115,24.25) aus der bukoli-*
schen Poesie übernommene Namen.

113,28   Alimente] *Heyse 1873, S.31: »Nahrungsmittel, Verpflegungs- oder Unterhal-*
tungsgelder, Kostgeld«.

115,24.25   Phyllis, Amaryllis] *Vgl. die Erläuterung zu S.113,14. Amaryllis ist auch*
Titelfigur eines Gedichts von Theokrit, das Mörike übertragen hat (»Theokritos, Bion und
Moschos«, 1855, S. 39f).

116,33.34   mehr ambulatorisch als in streng kathedralischer Form] *Während am-*
bulatorisch ein damals noch durchaus gebräuchliches Fremdwort für »umherwandelnd«
ist, gehört kathedralisch *in der Bedeutung »an das Katheder gebunden, vom Katheder*
aus« Wispels wirrer Sondersprache an.

117,5   Sigmunds] *Den Vornamen Sigmund oder Sigismund hat Wispel nur im »Maler*
Nolten« (Bd 3, S.320,10, hier und Bd 4, S.119,22). In der »Serenade« heißt er Liebmund
(Bd 4, S.117,31 und S.118,5), in den »Sommersprossen« (Bd 2) Liebmund bzw. Lieb-
mund Maria.

117,19   Jalousie] *Um 1870 noch in der Bedeutung »Eifersucht« gebräuchlich.*

117,27–**118**,5: *Eine abweichende frühere Fassung der im »Maler Nolten« von 1832*
fehlenden Serenade findet sich in den »Sommersprossen« (Bd 2).

117,31   Liebmunds] *Vgl. die Erläuterung zu S.117,5.*

118,5   Liebmund's] *Vgl. die Erläuterung zu S.117,5.*

119,22   Sigmond] *Vgl. die Erläuterung zu S.117,5.*

122,6 jästet] *Aus der alemannischen Volkssprache vielfach in das Schriftdeutsch ein-*
gedrungen in der Bedeutung: gähren, toben, wüten (Grimm, Bd 4,2, Sp.2266; Fischer,
Bd 4, Sp.87). In der Erstfassung (Bd 3, S.140,1): Jetzt kreiset es in süßer Gährung
noch.

122,33–**123**,32: *Der Wortlaut ist fast der gleiche wie in der Erstfassung und den bei-*   5
den ersten Gedichtausgaben. Vgl. die Lesarten zu »Die Geister am Mummelsee« in Bd 1.

124,13–15 sei es bis Windhauch] *Vgl. die Erläuterung zu Bd 3, S.135,6–9.*

127,2 versaust] *Vgl. die Erläuterung zu Bd 3, S.144,4.*

127,14–**128**,3: *Der Wortlaut dieser dem »Maler Nolten« von 1832 gegenüber erwei-*
terten Fassung ist der gleiche wie in der vierten Gedichtausgabe. Vgl. die Lesarten zu   10
»Elfenlied« in Bd 1.

131,24 Reträt] *In der Bedeutung »Zurückgezogenheit, Absonderung« um 1870 noch*
gebräuchliches Fremdwort.

132,3 heiklige] *Vgl. die Erläuterung zu S.24,9.*

134,1 Das komische Duett aus Cimarosa's Heimlicher Ehe] *Dahinter hat Mörike*   15
etwa eine halbe Zeile freigelassen, offenbar um die ersten Worte des Duetts später einzu-
setzen, was jedoch unterblieb. Nach der Beschreibung in den folgenden Zeilen handelt es
sich um das Duett zwischen Geronimo und Robinson im 2.Akt der bis heute vielgespielten
Oper »Il matrimonio segreto« von Domenico Cimarosa: »Se fiato in corpo avete, si, si, la
sposerete«. Wie gut Mörike die Oper und das Duett seit der Jugend kannte, zeigt auch der   20
Brief an Friedrich Kauffmann vom 1.August 1827.

134,3 Bartolo] *Bei Cimarosa heißt der Vater Geronimo. Mörike verwechselt die Figur*
offensichtlich mit dem wesensverwandten Bartolo, auch einem Baß, in Rossinis »Il bar-
biere di Sevilla«, oder er kannte einen Text mit veränderten Personennamen.

138,5 Rosen der Prinzessin] *Vielleicht Reminiszenz an Schiller, »Don Karlos«, II,13:*   25
»diese Rosen ⟨der Prinzessin⟩ und Ihre Schlachten«.

143,32 Partisan] *In der im 19.Jahrhundert geläufigen Bedeutung »Parteigänger, An-*
hänger«.

148,35 Antonie] *Vgl. die Erläuterung zu S.38,32.33.*

153,25–27 Der Vater bis zugedrückt] *Das Bild erinnert so sehr an Mörikes Zeichnung*   30
vom 20.November 1868 bei Schwinds Besuch in Lorch (Koschlig, Mörike in seiner Welt,
1954, S.176) und an seine Beschreibung dieser Szene in dem Brief an Hartlaub vom
30.November, daß eine Entstehung der Partie nach diesem Besuch wahrscheinlich ist
(vgl. die Entstehungsgeschichte der Umarbeitung oben S.21).

155,20 Sechs Bücher vom wahren Christenthum] *Eines der meistgelesenen und am häufigsten aufgelegten evangelisch-lutherischen Erbauungsbücher im 17. und 18.Jahrhundert ist Johann Arndts »Vom wahren Christenthum«, zunächst (seit 1606) auf 4 Bücher berechnet, schließlich nach dem Tod des Autors aus 6 Büchern bestehend und entsprechend betitelt. Mehrere Ausgaben enthalten ganzseitige Kupfertafeln mit Emblemen. Die von Mörike beschriebenen Darstellungen befinden sich u.a. in der bei Börlin in Frankfurt 1700 erschienenen Ausgabe hinter den Seiten 54, 106 und 788. Von Arndts Buch spricht Mörike auch in seinen Briefen an Notter vom 5.Juni 1839 und an Vischer vom 13.Dezember 1837. Beiden Briefen sind Abschriften des Gedichts »Himmlisches Echo« (Aus* Arndts wahrem Christenthum, 2. B. 29. Cap.) *beigefügt. Eine weitere Abschrift im Stuttgarter Hartlaub-Nachlaß (Cod.hist. Q 327,742).*

156,4–15: *Das 1842 entstandene Gedicht ist das einzige, das Mörike in den von ihm fertiggestellten Teil der Umarbeitung neu aufgenommen hat. In der Erstfassung fehlt es. Der Wortlaut ist der gleiche wie in der vierten Gedichtausgabe. Vgl. die Lesarten zu »Neue Liebe« in Bd 1.*

156,22 Riedingers] *Die bekannten in Kupfer gestochenen oder radierten Tierdarstellungen des Malers und Zeichners Johann Elias Riedinger (1698–1769).*

160,6 leichtfertig] *In der Bedeutung »leicht, schnell in der Bewegung, im Entschlusse, ohne tadelnde Beimischung« (Paul-Betz, S.393). Die heute übliche Bedeutung »leichtsinnig« aber setzte sich bereits seit Goethe immer mehr als einzige durch. Klaiber druckt daher »leichthin«.*

164,12–14: *Die Herkunft des Zitats, falls es sich um ein solches handelt, konnte nicht ermittelt werden.*

164,19.20 Futter bis wären] *Falstaff sagt im ersten Teil von Shakespeares »König Heinrich der Vierte«, IV,2 in A.W.Schlegels Übersetzung von seinen Soldaten: »Futter für Pulver, Futter für Pulver; sie füllen eine Grube so gut wie bessere; hem Freund! sterbliche Menschen! sterbliche Menschen!«.*

165,6–9 denn bis bekennt] *In der zweiten Studierzimmerszene von Goethes »Faust I« bekennt sich Mephistopheles als »Herr der Ratten und der Mäuse, der Fliegen, Frösche, Wanzen, Läuse«. Gemeint sind hier die Wanzen (vgl. S.165,19).*

165,17 eines abstrusen Philosophen] *Die Frage, welcher Philosoph gemeint sei, läßt sich nicht mit Sicherheit beantworten, vielleicht Leibniz oder Spinoza, vielleicht einer der Lehrer Mörikes?*

166,5 Gichter] *Vgl. die Erläuterung zu Bd 3, S.320,18.*

168,26   der dunkeln Frühe] *Vgl. ebenso wie zu Bd 3, S.182,30 »An einem Wintermorgen«, v. 1.*

168,28–**169**,8: *Wortlaut wie in der Erstfassung mit dem* wenn *in v.1 statt dem* wann
der Gedichtausgaben. Vgl. die Lesarten zu »Das verlassene Mägdlein« in Bd 1.

171,16.17   Donna Diana bis Perin] *»Donna Diana« ist der deutsche Titel der Komödie*   5
*»El desdén con el desdén« des spanischen Dichters Agustín Moreto, die Figur des Dieners
Perin (so heißt er in den älteren Übersetzungen der Komödie) bis heute eine der begehr-
testen Rollen für große Charakterspieler.* Herr Lenoir aus Dresden *ist vermutlich ein
von Mörike erfundener Künstler. Der Hamburger und Dresdener Tenorbuffo Jérôme
Lenoir (1847–1907) dürfte kaum gemeint sein. Im Schiller-Nationalmuseum befindet sich*   10
*eine aus Mörikes Besitz stammende deutsche Übersetzung der »Donna Diana« (Stuttgart
1868) mit eigenhändiger Widmung des Dichters:* Der lieben Clara zur freundlichen
Erinnerung an Richard Larkens als Perin gedacht. Stuttgart, d.⟨en⟩ 9.S⟨e⟩pt.⟨em-
ber⟩ 1874.

176,1   trüblichen] *In der Erstfassung Bd 3, S.190,14:* trüben. *»Trüblich« begegnet bis*   15
*ins 19.Jahrhundert neben »trüb«, zunächst in gleicher Bedeutung, später, vor allem in
der Goethe-Zeit, mehr oder weniger abgeschwächt zu »leicht getrübt« (Grimm, Bd 11,1,2,
Sp.1206). Vgl. auch die Erläuterung zu S.24,9.*

176,32   mockiges] *Vgl. die Erläuterung zu Bd 3, S.191,23.*

178,25   bänglicher] *»Bänglich« (auch Bd 3, S.193,22) ist ein besonders in der Goethe-*   20
Zeit gern verwendetes Adjektiv. Vgl. im übrigen die Erläuterung zu S.24,9.

179,16   sich verblaßt] *»Verblassen« wird reflexiv sehr selten gebraucht. Bei Grimm
und Fischer fehlen Beispiele, Trübner führt ein einziges aus dem 20.Jahrhundert an.
»Verblassen« in der Bedeutung »erblassen« ist besonders bei Schiller häufig.*

179,27–29   wie bis heruntersenkte] *Vgl. die Erläuterung zu Bd 3, S.195,1–3.*   25

180,10   Schau-Geist] *Das Wort war in keinem Lexikon oder Wörterbuch zu finden, es
ist offenbar eine Mörikesche Neubildung für die Sprache der Elsbeth.*

181,34–36   mir war bis hundertfältig] *Vgl. die Erläuterung zu Bd 3, S.82,32.33 und
S.195,26.*

186,18   wie wird man ihrer wieder los] *»Loswerden« mit dem Genitiv ist in der*   30
*Goethezeit häufig. Im 19.Jahrhundert setzt sich der ebenfalls gebräuchliche Akkusativ
völlig durch (Grimm, Bd 6, Sp.1159).*

188,10   Scheuel] *Veraltetes, von Mörike wohl aus der Lutherbibel übernommenes Wort
für »Scheusal« (Fischer, Bd 5, Sp.798; Paul-Betz, S.540).*

189,14 als Hausgenossin einzunehmen] *Menschen, Gäste, Freunde als Hausgenossen*

einnehmen in der Bedeutung »hineinnehmen, aufnehmen« ist in der Goethezeit häufig

(Grimm, Bd 3, Sp. 238).

199,4 Clinquant] *Heyse 1873: »Rauschgold, Knitter- oder Flittergold, auch uneig. fal-*

scher *Schimmer, Flitterglanz«.*

244,17.18 jene Perlenschnur der Gräfin] *Clara Mörike an Julius Klaiber am 3. April*

1876 (LBS Cod. hist. 8° 394,4): »⟨Constanze⟩ freut sich über das Wiederfinden des Nolten

u.⟨nd⟩ Agnesens. Sie schickt dieser durch die Freundin, als Zeichen ihrer versöhnten u.⟨nd⟩

liebevollen Gesinnung, jene Perlenschnur«. So habe es Mörike gewollt und mit ihr be-

sprochen.

ERLÄUTERUNGEN ZU DEN PARALIPOMENA

Band 4 Seite 385–393

A

1–3: *In der Neufassung war eine eingehende Charakteristik des Schauspielers erst im zweiten, vom Dichter selbst nicht mehr vollendeten Teil vorgesehen.* Nicht nur der Inhalt von Seite 42 und 43 (auch 64) des alten I.Theils *ist in Mörikes umgestaltender Bearbeitung zunächst fortgefallen (vgl. Bd 3, S.34,17–35,15 und S.47,33ff mit Bd 4, S.36–52, besonders S.36,30–32), auch die Seiten 256–262 der Erstausgabe (Bd 3, S.177,18–180,21), die er in H¹ stark umgearbeitet hatte, sollten nach seiner eigenhändigen Notiz zu H² S.343 (vgl. Bearbeitungsansätze zu S.233,9–22) und nach Paralipomenon M in den 2.Teil, nach Bd 3, S.233 (Bd 4, S.225) verwiesen werden.*

4–11: *Tatsächlich wird die Rolle des Nachtwächters in der Neufassung von einer Sängerin übernommen, die Larkens zu dieser Vermummung überredet hat, und die Nolten nicht kennt (Bd 4, S.40,5–24; 44,23–49,9).*

B

Mörike hat die hier ausgesprochene Absicht in der Bearbeitung verwirklicht (vgl. Bd 4, S.130–132 mit Bd 3, S.149–151). In Zeile 12 ist die Seitenzahl 213 der Erstausgabe zu ergänzen.

C

Die Notiz ist eine Vorstudie zu der in der Erstfassung fehlenden Szene zwischen Nolten und Constanze Bd 4, S.30,8ff. Mit Sicherheit gilt das für die Zeilen 6–16 und für das Wort Favorit Schlößchen *in Zeile 5. Die Wendung* Weiß wie der Mond am Tag *kehrt Bd 4, S.32,35 wörtlich wieder, das Übrige in mehr oder weniger abgewandelter Form. Ob die Zeilen 1–5 (außer* Favorit Schlößchen*) und 17 auch in diesen Zusammenhang gehören, muß offenbleiben. Vielleicht sind sie für eine andere, später nicht ausgearbeitete Szene bestimmt.* Einer von den Schwätzern (Z.1–5) *ist möglicherweise der Graf.*

D

*Der von Mörike später verworfene kurze Abschnitt, in dem ohne Zweifel Nolten über
seine Beziehung zu Constanze Klarheit zu gewinnen sucht, war wohl ursprünglich für
den Schluß des in Bd 4, S.30,8 beginnenden Abschnitts vorgesehen (S.35 unten?), auf*
5 *alle Fälle sollte er vor dem Zwischenspiel eingeschaltet werden.*

E

*Es ist nicht mit Sicherheit auszumachen, ob die flüchtig hingeworfenen Notizen an einer
Stelle oder an mehreren Verwendung finden sollten, und ob die rechte und die linke Spalte
zusammengehören. Die meisten Wörter und Sätze lassen sich allerdings in Beziehung*
10 *setzen zu dem Schattenspiel Bd 4, S.92,10ff (auch S.78,19ff und S.84,26ff), bei dem es
sich tatsächlich um eine* Abspieglung *(Z.7) handelt, um eine* Art von Malerei *(Z.21), um*
Migniaturen *(Z.22), um Kunstwerke, die eigentlich keine sind (Z.23–25). Auch ein
schlecht colorirter Kupferstich (Z.1) mag daran erinnern. Wörtliche Anklänge an
S.92,16.17* (in ganzen Farben auf gut Nürnbergisch hier gemalt) *finden sich in Zeile*
15 *13–15. Möglicherweise sollten die Notizen oder einige von ihnen auch in Larkens' Tagebuch
(Paralipomenon R und S) Aufnahme finden. Eine Beziehung zu dem kleinen schlechten
Kupferstich in der Justinen-Szene (Bd 3, S.245,4) dürfte kaum herzustellen sein.*

F

Das besonders flüchtig geschriebene, schwer zu entziffernde Fragment ist höchstwahr-
20 *scheinlich ebenso wie Paralipomenon E zu dem Schattenspiel in Beziehung zu setzen.
Die Wendung* Ohne an einen künftigen Gebrauch zu denken *kehrt fast wörtlich
Bd 4, S.92,32–34 wieder (aber nicht an der entsprechenden Stelle Bd 3, S.95). Vgl. auch
Mörikes Brief an Ludwig Bauer vom 17.September 1830 über das Zwischenspiel:* als ich
das Ding von Dir verlangte, war noch kein Gedanke an so einen Gebrauch.

25 # G

*Diese Stichworte sind in den Briefen der Agnes (Bd 4, S.153,22–157,7) nur teilweise und
mitunter in veränderter Form verwendet worden. Vgl. Z.7* Besuch im Dominikaner-
kloster *mit S.154,5.6* kehrte Abends im Vorbeigehen im Kloster ein; *Z.10* Balthasar
reparirt seine Haspeln *mit S.155,7.8* er war mit der Reparatur ihres hundertjähri-
30 gen Haspels beschäftigt; *Z.11.12* Das aufgeschlagene großgedruckte Gesangbuch

*mit S.155,19 griff ich nach einem alten dicken Buch, das an der Seite lag u.s.f.; vor
allem Z.16–18 Warum willst du mir denn die Zeichnung von deiner Orgelspielerin
nicht schicken? mit S.157,5.6 Wolltest Du uns nicht wenigstens die Zeichnung davon schicken? Und wer hat denn die Orgelspielerin? Die auf diese Zeichnung bezügliche Notiz Z.19–21 Nun weiß ich aber wie einem ist wenn man erfährt daß man
gestorben ist. – Traum. läßt mit hoher Wahrscheinlichkeit vermuten, daß Mörike damals auch Paralipomenon H in den Briefen der Agnes unterzubringen beabsichtigte.
Möglicherweise sollten die an dieser Stelle nicht verwendeten Stichworte in den 2.Teil der
Neufassung aufgenommen werden.*

23.24 und sie doch nicht nur nicht gar.] *Der Text ist einwandfrei zu lesen, der Sinn
des Anakoluths aber nicht zu erkennen. Offensichtlich liegt ein Verschreiben vor.*

H

*Nach einem Brief von Klara Mörike an Julius Klaiber vom 3.April 1876 (LBS Cod. hist. 8°
94,4) handelt es sich um einen Traum Mörikes selbst:* »Beifolgendes Blatt schenkte mir
Eduard einmal, es war ein wirklicher Traum von ihm. Später verlangte er mirs wieder
ab, indem er sagte: ich will den Traum im Nolten mit einiger Veränderung verwenden.
So entstanden die beiden anderen Seiten, die erste Seite ist natürlich von ihm selbst durch-
strichen.« *Klara irrt zweifellos, wenn sie glaubt, die durchgestrichene Seite sei die erste,
und die beiden anderen Seiten seien später hinzugekommen. Der Handschriftenbefund
zeigt eindeutig, daß die mit Grünstift diagonal durchgestrichene Seite die letzte war, die
Mörike fortzulassen beschloß, als er auf S.2 des Manuskripts einen neuen Schluß für
die Traumerzählung gefunden hatte (vgl. die Lesarten zu Paralipomenon H).
Höchstwahrscheinlich wollte Mörike den Traum zunächst in den Briefen der Agnes unter-
bringen (vgl. die Erläuterungen zu Paralipomenon G). Später entschloß er sich offenbar
anders, auf jeden Fall fand der Traum nicht in den fertigen Teil der Neufassung Aufnahme, vielleicht sollte er mit anderen Briefen der Agnes in den 2.Teil verwiesen werden,
etwa in die Nähe von Bd 4, S.234ff. Den Traum mit Klaiber zu Larkens in Beziehung zu
setzen und ihn unter seine Papiere zu verweisen (Bd 4, S.340,10ff), ist abgesehen von den
fehlenden Anhaltspunkten bei Mörike selbst auch dem Inhalt nach (vor allem S.389,25ff)
schlechthin unmöglich.*

I

*Das Fragment schließt inhaltlich unmittelbar an den Schluß der unfertig hinterlassenen
Neufassung an. Die Zeilen 5–7 sind eine flüchtig skizzierte Vorstudie zu Paralipomenon*

K. Ob Mörike auch die Zeilen 1–4 ausarbeiten wollte, ist im Hinblick auf die mit Bleistift

an den Schluß von H¹⁴ gesetzten Sätze fraglich (vgl. die Lesarten zu Bd 4, S.213,8.9).

Vielleicht sollte Larkens in unmittelbarem Anschluß an diese Sätze über seinen Besuch

beim Kommandanten berichten und den Saal beschreiben (worauf Paralipomenon K

5   hätte folgen müssen), vielleicht sollte dieser Bericht auch erst später erfolgen. Der Satz

Indessen nimmt sich dieser vor, dem Freunde seine ganze Lage zu entdecken

(Z.2.3) sollte möglicherweise ersetzt sein oder überflüssig werden durch Paralipomenon

K, Z.3 Jezt, Larkens, ein Bekenntniß – es läßt mir keine Ruhe mehr –.

K

10   Ausführlichere Fassung der Zeilen 5–7 von Paralipomenon I (vgl. die Erläuterungen

hierzu). Diesen wichtigen Dialog hat sich Mörike offensichtlich selbst notiert und außer-

dem der Schwester Klara diktiert, wobei unklar bleibt, ob nach der eigenen Niederschrift

oder aus dem Gedächtnis, weil er die eigenhändige Notiz im Augenblick nicht finden

konnte (vgl. die Beschreibung von H³ Bl. A).

15   ## L

Die wenigen Reste der Zeilen 1–6 lassen vermuten, daß Constanze nach dem Willen des

Dichters auf dem Gute der Fernanda eine Freistatt gefunden hatte (vgl. auch die Be-

arbeitungsansätze zu S.162,3), und daß es dort eines Tages beim Frühstück zu jenem

Gespräch gekommen ist, in dessen Verlauf die Gräfin der Freundin anvertraute, was in

20   den Zeilen 7–11 steht. An sich wäre es auch denkbar, daß die Zeilen 1–6 hinter 7–11 ge-

hören. Dagegen spricht ihr vermutlicher Inhalt. Sie sind wohl Teile einer später am Rand

hinzugesetzten Einschaltung in einen auf dem abgeschnittenen oberen Teil des Blattes ver-

lorengegangenen Satz. Einzuordnen ist das Fragment höchstwahrscheinlich in die Schluß-

abschnitte der Constanzenhandlung, zwischen Bd 4, S.218 und S.244, auf jeden Fall vor

25   Paralipomenon P. Vielleicht sollte es sogar ursprünglich bei Bd 3, S.162 eingefügt werden.

M

Die Stichworte beziehen sich fraglos auf Larkens' Seelenzustand, bevor er Nolten und die

Stadt verläßt (Bd 3, S.233ff). Der auf den Schauspieler bezügliche Abschnitt im 1.Band,

S.256–262 (Bd 3, S.177–180) sollte nach einer Notiz Mörikes in H² (Bearbeitungsansätze

30   zu S.233,9–22) ebenfalls hierher verwiesen werden (vgl. die Erläuterungen zu Parali-

pomenon A).

N

Die Zeilen sollten zweifellos von Larkens an Nolten gerichtet, vermutlich also dem Abschiedsschreiben des Schauspielers hinzugefügt werden (Bd 3, S.238–241,29).

O

Die Person, von der gesprochen wird, kann nur der Hofrat sein, kaum der Schauspieler.   5
Vermutlich sollte das Fragment vor Bd 3, S.248 eingeschaltet werden, sicher vor Paralipomenon Q. Gegenstand der Differenz ist möglicherweise die Ölmalerei (Bd 4, S.38).
Vielleicht handelt es sich auch um eine ursprünglich für den ersten Teil vorgesehene Notiz.

P   10

Bruchstück eines Briefes der Fernanda an Nolten, mit dem vermutlich die Constanzenhandlung abgeschlossen werden sollte, das also kurz vor Bd 3, S.262,18 einzuordnen wäre.

Q

Brief und Abschiedsbesuch sollten wie Paralipomenon P unmittelbar vor Noltens Abgang   15
nach Neuburg (Bd 3, S.262ff) der Handlung eingefügt werden. Ob Q vielleicht sogar vor P gehört, ist nicht mehr zu entscheiden.

R

Ein Tagebuch des Schauspielers wird schon in der Erstfassung erwähnt (Bd 3, S.237, 25.26; vgl. auch S.359ff), aber nicht zitiert. Die Bearbeitung sollte offenbar wörtliche   20
Auszüge aus diesem Tagebuch enthalten. Wo, wissen wir nicht, am ehesten wohl in der Labyrinth-Szene (Bd 3, S.359ff).
13–18: *Die Zeilen rechts von der Knickfalte des Blattes (vgl. die Überlieferung oben S. 88 und die Lesarten S. 204) beziehen sich offenbar auf den Skandal um das Schattenspiel und die Verhaftung der Freunde. Ob sie auch in Larkens' Tagebuch gehören, ist*   25
nicht mit Sicherheit erkennbar. Vielleicht sind sie eine Vorstudie zu Bd 4, S.164–167.

S

Die Zeilen 5–10 sollten mit Sicherheit, die inhaltlich schwer verständlichen Zeilen 1–4 mit hoher Wahrscheinlichkeit in Larkens' Tagebuch (vgl. Paralipomenon R) Aufnahme finden.
Es ist natürlich möglich, daß Paralipomenon S vor Paralipomenon R einzureihen wäre.   30

T

Für welchen Zusammenhang dieser Satz bestimmt war, ist nicht mehr zu erkennen. Eine gewisse Wahrscheinlichkeit spricht dafür, daß er sich auf den Peregrina-Zyklus (Bd 3, S.360,29ff) beziehen sollte, doch ist es ebenfalls denkbar, daß er ursprünglich für die Umarbeitung der Feuerreiter-Szene (Bd 4, S.41,14ff) oder der Einleitung des Zwischen-spiels (Bd 4, S. 92, 22 ff) vorgesehen war.

102, 2.3 Pronunciation] *Im ganzen 19.Jahrhundert noch gebräuchliches Fremdwort für »Aussprache«.*

126, 6 präponderirt] *In der Bedeutung »überwiegen, vorwiegen« bis zum Beginn des 20.Jahrhunderts üblich.*

131, 8 Marwin] *So heißt der Sohn des Zigeunerhauptmanns und Liebhaber der Loskine im »Diarium des Onkels Friedrich« Bd 3, S.207, 21ff und Bd 4, S.198, 35ff. Klaiber ersetzt daher »Marmetin« durch »Warbelin« (Bd 4, S.272, 23ff).*

137, 27 Schweizerfamilie] *»Die Schweizerfamilie« ist die meist aufgeführte Oper des fruchtbaren, im 19.Jahrhundert sehr beliebten Komponisten Josef Weigl. –Rochus P.⟨umpernickel⟩] Vielgespieltes, um 1820 entstandenes »Musikalisches Quodlibet« von Matthäus Stegmayer.*

147, 27 Richard Larkens] *Der Vorname des Schauspielers wird weder in der Erstfassung noch in der Umarbeitung des Romans genannt. Richard heißt Larkens aber auch in Mörikes eigenhändiger Widmung des Exemplars von Moretos »Donna Diana«, das er seiner Schwester Klara geschenkt hat (vgl. die Erläuterungen zu Bd 4, S.171, 16.17).*

171, 19 stipulirt]*Im ganzen 19.Jahrhundert noch gebräuchliches Fremdwort für »sich etwas versprechen lassen, sich etwas ausbedingen«.*

179, 3 Insinuation] *In der Bedeutung »gerichtliche Eingabe, Zustellung« bis ins beginnende 20.Jahrhundert üblich.*

202, 15 vier dunkle Reiter] *Vgl. dafür und für die ganze Szene die Offenbarung Johannis, vor allem Apk. 6, 1–8 und 8.*

ANHANG

Die Musikbeilage zur Ausgabe von 1832 (vgl. die Beschreibung oben S. 84) wurde in der Reproduktion um etwa ein Sechstel verkleinert. Linke und rechte Seiten des Originals stehen auch in der Wiedergabe jeweils auf den linken und rechten Seiten, doch konnten, da die Musikbeilage Querformat hat, vier aufeinanderfolgende Seiten des Originals auf zwei nebeneinanderstehenden Seiten unserer Ausgabe untergebracht werden. Das Titelblatt und der Anfang des ersten Liedes – im Original zwei rechte Seiten – stehen in der Reproduktion untereinander.

Musikbeilage
zu
MALER NOLTEN
von
Eduard Mörike.

Stuttgart.
E. Schweizerbart's Verlags-Handlung.

2.

4.

260

aa.

6.

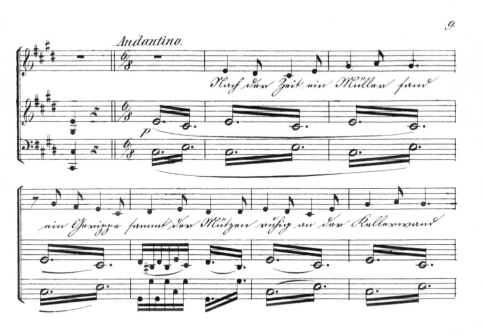

10.

12.

26.

non flag—ra——vi, cur non a—mavi Te Jesu

langsamer werdend.

Chri——ste? O frigus tri—ste!

28.

Tempo I°.

treu, bleiben treu, sollte mir nicht bangen.

In der Ernte wehmüth, wehmüth, Schnitterinnen

272

INHALT DES FÜNFTEN BANDES

Der fünfte Band von Eduard Mörikes Werken und Briefen wurde im Jahr 1971
veröffentlicht. Das Buch gestaltete Professor Carl Keidel. Es wurde in der
Dante-Antiqua gesetzt und gedruckt von der Offizin Chr. Scheufele, Stuttgart.
Das Papier stammt aus der Papierfabrik Scheufelen, Oberlenningen / Württ.

Die Reproduktionen lieferte die Kunstanstalt Willy Berger, Stuttgart

Den Einband fertigte die Großbuchbinderei Ernst Riethmüller & Co., Stuttgart

© Ernst Klett Verlag, Stuttgart 1971

ISBN 3-12-909250-1